互联网+：国家战略行动路线图

Tencent

テンセントが起こす

“インターネット+”世界革命

馬化騰
テンセント創業者・CEO

その飛躍とビジネスモデルの
秘密

Pony Ma
馬化騰・張暁峰 他 共著
テンセント創業者・CEO

永井麻生子 訳　岡野寿彦 監修

japanese translated by Aiko Nagai
First published in Japan in 2020
by Alphabeta Books Co., Ltd.
2-14-5 Iidabashi Chiyoda-ku, Tokyo, Japan 102-0072

テンセントが起こす　インターネット＋世界革命／目次

第2章　インターネットプラス時代の六大特徴……95

第3章　いい風に乗れ――どの「風」に乗るか……121

第4章　インターネットプラス――インターネット企業の最大の社会的責任……145

第5章　皇帝ペンギン――インターネットプラスで未来とつながる……169

第6章　ウィーチャット――モバイルインターネットの新エコシステム……233

第7章　汎エンターテイメント——インターネット＋文化創作産業全体の新エコシステムのブースターだ

第8章　インターネットプラス金融……285

第9章　インターネットプラスとスマート生活……319

第10章　インターネットプラスX……355

凡例

一、本書は、『互联网＋：国家战略行动路线图』の抄訳である（ただし、日本語版では、「馬化騰講演録」を巻末付録として収録）。

一、本文を理解しやすくするために、事項に関して、訳者の手で調べがつくかぎり注を入れた。

一、書籍、新聞、映画、テレビ番組、芸術作品、ゲーム等のタイトルは『 』で示した。

一、読みやすさを考え、適宜改行等を加えている。

日本語版のための序文

張暁峰（「インターネットプラス100人会」発起人、マネジメント学博士）

つながりに境界はない。一つになろう

「山川異域、風月同天（場所は異なれど、天空の風月は同じ）」「豈曰無衣、与子同裳（衣服がなければ、どうして同じ衣を着ないことがあろうか）」という、仲間への思いを表す言葉があります。日本の読者の皆様のために日本語版の序を書いている今、日中両国政府と国民はともに助け合い、新型コロナウイルスと戦っています。ある人がインターネットにこのようなコメントを寄せていました。「人類が運命共同体となるのは、もはや絵空事ではなく、真実の物語である。現在、実践され、それが目撃されており、歴史という映画の中でリアルタイムに中継されている」

今回の新型コロナウイルスの爆発的な流行は、期せずしてわれわれの互いの心を近づけ、行動をさらに一致させました。また同時に、病気との戦いにおけるつながりの力、科学技術の力、大

協力の力の強さをかつてなく明確にしました。

テンセントは一貫して「つながり」を生み出しており、人と人、人と物、人とサービスをつなげたいと考えています。テンセント傘下のソーシャルアプリ「ウィーチャット（微信）」は、中国で10億人規模のユーザーを持つインターネットサービス第一号となりました。人と物、人とサービス、HMI（ヒューマンマシンインタラクション）のつながりの数の合計では少なくとも千億レベルにまで増えているに違いありません。

2020年3月30日、国連ニューヨーク本部は、重大な決定を発表しました。テンセントとグローバルパートナーシップを結び、国連成立75周年の数千に及ぶ活動をオンラインに移行し、テンセントの同時通訳技術の力を借りて、VooV Meeting（テンセントミーティングの海外版）と企業用ウィーチャット上で展開するというのです。正に今回のテーマである「私たちの未来を一緒につくろう（Shaping Our Future Together）」の通り、国連は全世界の人々に対して対話の要請を行うでしょう。そのとき、数十億の地球村の村民がつながると信じています。

つづいてテンセントは、「インターネットプラス」を提唱し、国が2015年に確立した「インターネットプラス行動計画」を推進した後に、迅速に中国経済社会のデジタル化とインターネット化のために布陣し、手助けをおこない、各業界・業種に新しいエネルギーと業態をもたらしました。テンセントが数年来、積極的に推進してきた「グレーターベイエリア（香港、マカオ、広東省の開発計画）」も国家戦略の一部となり、2019年には「グレーターベイエリア発展計画要綱」が公布されました。テンセントは「デジタルベイエリア」の建設推進に尽力し、「1時間スマートライフエリア（1時間で行ける程度の範囲にスマート施設が整っている地域）」の創出をサポートしました。また、フォーラムの開催、ベイエリア青年交流計画の推進などを通して、グレーターベイエリアのエコシステムの融合とイノベーション、協力をサポートしました。

「インターネットプラス」とは、技術と意欲が一緒になって推し進める「全てをつなげる」力です。国家、組織、個人の全てに対し重大な影響を及ぼし、境界を越え、融合し、力を合わせたつながりは、社会と経済、産業、組織構造を再編する軽視できない力であり、現在われわれが慣れ親しんでいるビジネスロジックと協力モデルを変えつつあるのです。

テクノロジー型企業として、テンセントは一貫して、社会の進歩の推進を自らのミッションとすることを志向してきました。また、変わらず、三つの問題、すなわち「未来のテンセントはどのような企業なのか」「世界はなぜテンセントを必要とするのか」「テンセントの存在意義は何か」ということを考えてきました。

テクノロジーとは一種の能力であり、「善性」とは一種の選択です。2019年11月11日、テンセントは会社としてのミッションとビジョンを「ユーザー中心。ソーシャルグッドのためのテクノロジー」にグレードアップしました。馬化騰の説明によると、「ソーシャルグッドのためのテクノロジー」としたのは、断固としてテンセントの科学技術力を向上させることを意味しており、ユーザーによりよい商品とサービスを提供し人々の生産効率及び生活の質を上げ続けるということです。また、「なさざるところあり。なすべきところあり」ということを求めています。

過去5年を振り返ると、中国政府は、2015年に「インターネットプラス」を提唱し、

2017年には「デジタルエコノミー」を語り始め、2018年には「デジタルチャイナ」に言及しました。そして、2019年にはまた初めて「工業インターネット」と「スマートプラス」を提唱しました。毎年、言い方は違いますが、馬化騰はその目標は同じだと考えています。中国は世界の次の科学技術と産業の革命において、IT（情報技術）という最大の変数をしっかりと捉え、各産業のデジタル化、インターネット化及びスマート化というモデルチェンジ及びグレードアップを推進したいと考えています。

5GとIPV6（インターネットプロトコルVer.6）はIoE（インターネットオブエブリシング）という流れに合っています。5Gネットワークは一本の鍵のようなもので、もとはデジタル化が難しかった現実のシーンにおけるデジタル化を助けてくれ、デジタル技術によって、現実世界を精密な粒度で再構築してくれます。特に、5GとAIというデュアルコア駆動により、産業インターネットの進歩は高速道路に乗ったかのように急速に進みます。インターネット産業は正に実体産業と融合を続け、さまざまな運命共同体になっています。このことに基づき、テンセントは2018年9月末、次は第3回目の構造再編及び戦略グレードアップだと宣言し、「消費インターネットに根ざし、産業インターネットと手を取り合う」として、IoEを産業インターネットの基礎とすることに力を入れると言いました。テンセントの全く新しいCSIG（クラウド及びスマート産業事業群）は、今回の組織構造調整の後に生まれており、産業インターネットにサービスを提供する部署です。

テンセントは産業インターネットを積極的に受入れることができます。それは、企業向け事業において独自の五大基盤があるからです。その基盤とは、つなげる能力、融合する能力、シーンに浸透する能力、転化する能力、協力する能力です。産業インターネットの発展には、インクルーシブな性質があり、少数の企業に奉仕するのではなく、産業チェーン、バリューチェーン上の企業に、無差別に、個別化したサービスを提供することになります。特に、多くの中小企業が全ての分野をゼネラルにおこなったり、ゼロから立ち上げたりする必要をなくし、適切にエコシステムと協力の価値を体現し掘り起こします。

テンセントが産業インターネットと積極的に結びつくということは、パートナー企業とともに各業界・業種がモデルチェンジおよびグレードアップするデジタル化のアシスタントになりたいということです。正に、彼らの推察どおり、多くの従来型産業は「インターネットに触れる」ことから「クラウドに上がる」という過程を経て、「消費インターネット」を理解しようとするレベルから、主体的に「産業インターネット」と結びつきました。中国の既存産業は、テンセントのモバイルインターネットの領域をリードしている優位性及びイノベーション能力の力を充分に借り、消費側と供給側の効果的なつながり（C2B）をつくり、サプライチェーン全体の更新と交替を助け、Ｃ（消費者）側ユーザーのニーズの変動に対して臨機応変かつ精密な対応を行う必要があります。

将来、５ＧとＡＩは互いに助け合うようになるでしょう。馬化騰はかつて、今後３～５年の、産業インターネットと既存業界の融合の七大突破口を展望したことがあります。製造業、農業、小売業、交通移動、医療、教育、文化創作がそれに当たります。上記の七つの入り口以外に、馬化騰は今後数年間、各業界の成長は、以下の四つの中核的変数の影響を受けると考えています。一つ目は、デジタル化の過程が、各業界の連鎖関係を大きく変えるであろうこと。多くの中間段階は消失し、製造業とサービス業の境界さえあいまいになるでしょう。二つ目の変数は、ITリソースの調整・利用能力です。個人と企業がITリソースを調整・利用する能力は絶えず向上し続けるでしょう。例えば、量子コンピューティングには大きな突発的変化が生まれ、計算能力は大幅に向上し、過去の多くのなしえなかった事柄が可能になるでしょう。三つ目はHMI（ヒューマンマシンインタラクション）モデルです。PCからスマホへの変化のうち最も大きく変わったのは、このHMIモデルが全く変わったことです。将来、また大きな「シャッフル」が起きるでしょう。例えばAR（拡張現実）やVR（仮想現実）などは現在のエコシステムを大きく変えるに違いありません。

つながりは目的ではなく、協力こそが方向性です。「大きなつながり」は大きな可能性を開き、大融合と「大共同」というものを生み出すでしょう。「大共同」とは一種の新しいつながりのスタイルであり、そして新しいビジネスのスタイルであり、新しいゲームのルールです。また、新しい社会発展のメカニズムであり、新しい生存形態、エコシステムでもあります。

テンセントには、プラットフォームテクノロジー企業としてエコシステムを作る努力をし、協力から共同、そして「大共同」への変化を推進する責任があります。たとえば、テンセントの前回の戦略グレードアップがオープンプラットフォームを通じてより多くのパートナーの発展を助けるものだと言うなら、今回の戦略と文化のアップグレードは、テンセントが「大共同」のエコシステム化全体及び経済社会の発展の推進に対する重要性を認識しているということを意味します。そのため、テンセントはまず、内部の変革から始め、内部で分散型オープンソースによる協業を行うという決心を下しました。このことは、テンセント内部で、それぞれが勝手に戦う「引きこもって作業する」というスタイルが過去のものとなり、共同で戦うことを提唱し、「門戸を開いて作業する」というスタイルで技術のミドルプラットフォームをシェアし、それにより、イテレーションを改善し、エコシステム化全体及び共同化を助けることを意味します。

外へのオープンソースについて言えば、２０２０年3月現在、テンセントはすでに98項目をオープンソース化しており、防疫技術だけでなく、クラウドコンピューティング、ビッグデータ、ＡＩ、セキュリティなどの領域がその中に含まれます。過去2カ月に「テンセントヘルス」というミニプログラムの新型コロナウイルスグループが中国のユーザーに提供した検索サービス数は60億回に上ります。３月27日、全世界に向け、新型コロナウイルスと戦うためテクノロジーの力を提供し、テンセントヘルス新型コロナウイルスグループ国際版（TH_COVID19_International）は、オープンソースにすることを正式に決定しました。このことは、全世界の機関が皆無料で、速やかに自らの疫病の状況の検索サービスを設置できることを意味します。4月初旬、テンセントは再び全世界に向け「新型肺炎ＡＩ自動検査アシスタント（CIVID_19 self-triage assistant）」をオープンソース化しました。これは、全世界の人々が新型コロナウイルスに感染しているリスクを自分で検査するのを助け、防備のためのガイドを出すＡＩです。その特徴は、専門的な医学的ガイドを一般的でわかりやすい、操作の簡単な会話に変換し、一般市民が正確にウイルスから身を守るのを助けることです。この簡単で実用的なツールはすでに中国の17省・自治区・市の40の疾病管理部門、300あまりの病院、30あまりの業界のISV（独立系ソフトウェアベンダー）パートナーをサポートしており、千万単位の人々に奉仕しています。

挑戦とは未知の美を探索することから始まります。人類に対しての価値がありさえすれば、テンセントは力を注ぐことを惜しみません。テンセントが産業インターネットに力を注ぐのは、そのより広い地域で、より大きな規模で、より深い部分で産業、経済、社会と人の発展を推進したいからです。テンセントは全力で技術の研究開発環境を改善し、研究開発の効果を向上させ、オープンソースと協力を推進し、イノベーションとセキュリティの基盤を構築しています。2019年、テンセントにおける研究開発スタッフの比率は66％となり、新しい研究開発プロジェクトは3500を超えました。また、新しく増えたコードの行数は12・9億で、2018年と比べて30％伸びました。テンセントが全面的に産業インターネットと結びつくという戦略を進めるのに伴い、ビジネス向けのプロジェクトの数は2018年に比べて77％増えました。

テクノロジーと「大共同」の力は新しい公益に現れています。同じ世界なら、同じテクノロジー圏です。世界は、新しい技術の力を借りて人の輝きを発掘する必要があり、テクノロジーの光と人の輝きに互いを照らし合わせ、さらに広汎に、より多元的で粒度の細かい、マッチングの精度がより高い「大共同」に参加してもらうことを必要とし、社会のオペレーションシステムをアップグレードすることを必要としています。インターネットに代表されるデジタル技術、モバイルアプリ、5G通信、AI能力が、今回の「コロナとの戦い」において欠かすことのできない武器となったことはたやすく分かるでしょう。遠隔医療、リモートワーク、オンライン教育であれ、健康コード（感染リスクなどの情報をネット上に登録し発行を受けるＱＲコード）、乗車コードなどのデジタルスマートツールであれ、全て広汎に利用され、重要な役割を果たします。

続いてテンセントは、２月に15億人民元のコロナウイルス対策の基金を、３月24日に、１億ドルの「グローバルコロナウイルス対策基金」を設立し、世界的に日々厳しくなる新型コロナウイルス流行との戦いに貢献しています。また、ＷＨＯに対しては、１０００万ドルを寄付しました。リリース44日で、「テンセント健康コード」はすでに９億人のユーザーに利用され、累計アクセス数は１００億に達しました。このサービスはユーザーの手間を省き、より精密に管理されています。テンセントＡＩ医学映像及びテンセントクラウド技術を搭載した人工智能ＣＴ設備が湖北省の多くの病院にかり出され、医師を助け、たった数秒でＡＩが新型コロナウイルスを検出しています。また、微医（テンセント傘下のインターネット医療サービス）などのインターネット医療サービスプラットフォームは数万名の専門医を募集し、累計で１２００万人を超える人にサービスを提供し、オンライン問診のニーズを満足させました。VooV Meeting はできて２カ月でＤＡＵ（１日当たりのアクティブユーザー数）が１０００万を超え、現在中国で最も多くの人が利用しているオンライン会議専用アプリとなり、国際版はすでに１００以上の国や地域でリリースされています。「ＱＱ家校群」は１・２億人のユーザーに授業中継、オンライン補習レッスンおよび課題管理ツールを提供し、オンライン及びオフライン教育の展開をサポートしています。テンセントクラウドが企業に提供している安全な職場復帰プラットフォーム「ＷＥ智造」ミニアプリは11都市の企業に採用されており、社区（基礎的な行政区画の単位）に無料で開放され、「テンセント海納社区防疫プラットフォーム」を設置し、電子出入証（地域への出入りに必要な証明書）や、感染リスクの高い要観察人員の出入りの管理、デマの否定、肺炎の自己検査、住民の健康登録、家での体温測定の報告などのオンラインサービスを提供しました。ウィーチャットミニアプリは「スマートリテール」のアクセスを開放し、生配信機能を開通させ、売り手がオンライン販売を行う新しい武器となりました。また、企業用ウィーチャットは飲食業、金融、小売などの分野の企業のオフライン業務のオンラインへの移行を助けました。テンセントニュースの「真実の検証プラットフォーム」は権威ある情報をより早くユーザーに届け、2カ月足らずでウイルスに関するデマを打ち消すサービスを6・72億回以上提供しました。

「新公益」というのは「大共同」ということです。2月初旬、テンセントは「対ウイルス公益開発者連盟」を立ち上げ、3月25日にWHOの支持を受け、ウィーチャットはフェイスブック、マイクロソフト、ツイッターなど各大手テクノロジーインターネットプラットフォームと共同で科学技術公益提言を発しました。「全世界の開発者『マラソン』大会」を通して、全世界の開発者に依頼し、ウィーチャットミニプログラムを含む多くの形式と、ウイルスとの戦いを助けるソリューションを出してもらい、プログラムによってウイルスと戦いました。WHOの提言に基づき、ウイルスに対する防衛とコントロールの強化に集中し、高齢者あるいは弱者が対峙している一連の問題を解決しました。また、生存の危機及びオンラインでの効率的な協力、社区内の連結と管理の強化、地方政府のデジタル化公共サービスの提供の支援、教師と学生への遠隔学習ツールの提供などの課題を、企業が解決するのをサポートしました。

国際化はテンセント、とりわけテンセントクラウドの重要な戦略です。日本市場もテンセントクラウドが重点的に力を入れている市場の一つです。日本では、テンセントのゲームやマンガ・アニメなどと日本側のパートナーが長らく非常に良好なインタラクションと交流を続けています。テンセントクラウドなどの技術サービスも正に良好な進展を遂げているところです。現在、テンセントと日本のゲームメーカーＰｉｔａｙａ、日本のＩＴ企業Ｅ－ｂｕｓｉｎｅｓｓなどは全て素晴らしいパートナーとなっています。日本市場の成熟度は高く、ゲーム産業は世界トップクラスです。また、テンセントが過去に蓄積した豊富な技術と運営経験はテンセントクラウドを通じて輸出され、日本の顧客に的確にサービスを提供しています。

総じて、情報、データ、感知、つながりの四つは、ないところはなく、及ばないところもなく、常に存在します。グローバルインターコネクション、バリューインターコネクション、協力、融合の時代は広がりつつあり、産業インターネットとＡＩの春は始まったばかりです。テクノロジーの使命も改めて定義し直す必要があります。

「天台立本情無隔　一樹花開両地芳（離れていても心は一つという意）」という言葉があります。中国のイノベーションによるボーナスはまだ残っており、多くの潜在能力もあります。イノベーションの国である日本はさらにそうだと信じています。日本の皆様とともに、適材適所となる協力し合うエコシステムを作り、ともに、大きなつながり、大きな成長の余地、大共同によるボーナスを見つけ出し、掘り起こし、耕し、収穫したいと願っています。

前言　インターネットプラスは包摂的経済をつなげる[1]

馬化騰（テンセント主要創始者、取締役会首席、CEO）

現在、「インターネットプラス」という言葉が社会と業界のホットワードになっている。2年前には思いもよらなかったことだ。テンセントは当時、すでにこの「インターネットプラス」という方向に基づき、積極的にさまざまな模索をしていた。

2013年、私が馬雲（ジャック・マー　アリババ創始者）、馬明哲（平安保険創始者、董事長兼CEO）と上海で「衆安保険」を設立したときも、インターネットプラスの実践に関する話になった。その数日後のWE大会（Tencent WE Summit　テンセントのグローバルな科学技術年大会）でも、私はインターネットプラスはインターネットの将来の発展のための七つの道筋の一つだと話した。

当時、私がインターネットプラスにしばしば言及していたのは、人の固定概念を変革したかったからだ。政府や既存産業の友人も、私がしていることをなかなか理解してくれなかった。多くの人は、インターネットをニューエコノミー、バーチャルエコノミーだと考えており、自分が所属する分野や既存産業とはあまり関係ないとか、既存産業とは折り合えなかったり、それどころか既存産業を転覆させる対立的存在だと捉えていた。

今日、インターネットプラスが未曾有の議論を呼んでいるのは、政府部門や各業種のインターネットに対する見方が大きく変わったからに他ならない。分野によっては、インターネットプラスというコンセプトを実態以上にもてはやす状況さえ生まれている。

私は以前から、インターネットは万能ではないが、全てをつなげる存在だと考えてきた。インターネットプラスを神格化する必要はないが、それは未来のエコシステムになるものだ。

モバイルインターネットの登場により、多くの組織、個人、デバイスを一つにつなげられるようになった。インターネットはもはやバーチャルエコノミーではなく、実体経済の不可分な一部なのだ。経済社会の細胞の一つひとつがインターネットとの接続を必要としており、インターネットと全てのものが共存するということが、世界の大きな潮流となっている。

過去2年間、私はさまざまな場面で話をしたが、その中で最も多く使った言葉はおそらく「つながり」だ。テンセントのＱＱ（インスタントメッセージの名称。パソコン中心時代からモバイルインターネット時代の現在も多くの人に利用されている）、ウィーチャット（WeChat、中国語では「微信」。中国国内版と海外版があるインスタントメッセージサービス）は、まず、人と人のつながりという最も基本的なニーズに応えるサービスだ。現在われわれは、人とサービス、デバイスやコンテンツソースなどをつなげ、つながりとインタラクション（相互作用）を実現し、バーチャルとリアルの二つの世界の境界を緩やかにつなげている。

つながりは、全ての可能性の基礎だ。将来、インターネットプラスのエコシステムは全てがつながるという基礎の上に構築されるだろう。

インターネットプラスのエコシステムは、インターネットというプラットフォームを基盤として、情報通信技術（ＩＣＴ）と各業界・業種の境界を越えた融合によって、各業界のレベルアップ、成長、イノベーション、再生を促す。その過程において、新商品、新業務と新モデルが次々と現れ、互いに融合し合い、最終的には一つの全てがつながった新エコシステムを作り上げるだろう。

インターネットプラスと各業界・業種の関係は、「取って代わる」ではなく「一つになる」だ。どの業界・業種にも、産業としての深い基礎と専門性があり、インターネットは多くの面で、それに取って代わることはできない。

私は、よく電気を引き合いに出す。現在のインターネットは第二次産業革命時（１８６５〜１９００年頃）の電気エネルギーと似ている。ただ、インターネットはただのツールではなく、一種の能力であり、新しいＤＮＡである。各業界・業種と結びついて、それらの業界・業種に新しい力と再生能力を授ける。インターネットの利用というチャンスを見逃すということは、第二次産業革命で、電気の利用を拒否するのと同じことだ。

インターネットプラスは電気のように、新しい能力とＤＮＡを各業界・業種に注ぎ込み、それらの業界・業種を新しい環境の中で生まれ変わらせる。例えば、インターネットにおいて、文学の読者、映画の観客、マンガ・アニメファン、ゲーマーなどの間の境界が、少しずつあいまいになってきている。ゲーム・マンガ・アニメ・文学・映画はもはや個別に発展することはない。ファンの気持ちを引きつけるスターＩＰ（知的財産権。一般的にはキャラクター、作品などを指す）が互いにつながり合い、融和して共生するのだ。インターネットプラスはそれぞれの既存の文化やエンターテイメント分野に再生をもたらすとも言える。そのため、テンセントでは「汎エンターテイメント」戦略を提唱している。スターＩＰを中心にファン経済（ファンが好きなＩＰの作品や関連グッズ、イベントなどで消費する経済活動）を生み出すことが、業界全体の趨勢となっている。

インターネットプラスは、「神は細部に宿る」というエコシステム戦略だ。全てがつながりあう新しいエコシステムにおいて、社会や経済活動の最小単位はもはや企業ではなく、個人なのである。この事実は既存企業の形態や境界に変化を起こしつつある。オープン、機敏性、「神は細部に宿る」という姿勢がビジネスの変革の流れである。

過去、企業は「上」から始める形で市場を拡張してきた。現在は、センシング技術やデータで、各ユーザーの各瞬間の位置、ニーズ、行為を感知し、速やかに一つひとつの「細胞」のニーズと行為を理解し、それに対応しなければならない。時にはさまざまな人と感情を交流させ、共鳴することさえ必要となる。

将来、インターネットプラスを通じて個別のユーザーの「細胞レベルのつながり」を実現できない企業は、生命体の末梢神経が麻痺しているのと同様、手足が正しく動かず、生存の危機に瀕するに違いない。

「情報エントロピー」という概念を借りて言うと、「インターネットプラス」エコシステムでは、つながりのレベルの単位を小さくするほど、エントロピーは低くなり、商業活動や社会経済の無駄も減り、効率は上がり、確実性も上がり、規則性も上がり、エコシステムの活力も上がる。逆もまた同じである。

インターネットプラスは人を根本とし、皆をあまねく利する包摂的経済の象徴である。部分、断片、個体の価値と活力は、インターネットプラス時代には今までになく重視される。全てをつなげることと情報の爆発がもたらすのは、埋没ではなく、人を引き立たせ、一人ひとりの個性をより識別しやすくし、消費者が一人ひとりに合った商品やサービスにより主体的に関与できるという状態だ。その結果、人が根本となり、人につながり、人に奉仕し、人々がメリットを受けることができる。

包摂的経済は一種の集約型経済、グリーン経済、シェア経済である。包摂的経済により、リソースの需要と供給を適切にマッチさせ、遊休資源の利用率を上げ、省エネルギーや環境保護を実現する。たとえば、インターネットプラスは、乗り合い自動車、ハウスシェアリング、中古品売買、家事サービスなどの領域でイノベーションを続々と生み出した。DiDi（滴滴出行）に代表されるシェア経済は現在急速に成長しており、社会の遊休資源利用の拡大、環境保護、都市の難題解決に新しい考え方をもたらした。

テンセントのインターネットプラスエコシステムへの参加のスタイルは、オープンに協力し、境界を越えて融合するというかたちだ。張小龍（ウィーチャット事業群総裁）はこのように言う。「ウィーチャットは宮殿ではなく森だ」私も同じ意見だ。ここ2年、テンセントは自社の業務を大幅にスリム化した。最も中核的な通信ソーシャルプラットフォームやゲームなどの業務に集中し、それ以外の業務はパートナーに譲った。これは数年来われわれが苦悩してたどり着いた結論だ。われわれは全ての起業家に最良の環境を作る。私は「運命共同体」という言い方が好きだ。命綱の片方の端をパートナーに渡してこそ、エコシステムは完成する。

テンセントのオープンプラットフォームには、現在すでに数百万のパートナーと数億のユーザーがいる。現在は、テンセントだけがテンセントなのではなく、正に境界のないオープンな組織に変わりつつある。

現在、ＢＡＴ（バイドゥ、アリババ、テンセントの中国三大ＩＴ企業）を含むエコシステム型企業は皆その方向に向けて努力を続けており、見識ある人は皆このように考えていると言うことができるだろう。テンセントはいち早く進み、いち早く壁にぶち当たり、いち早く改善するだけだ。私は皆が「オープン」という方向に向けて走り出すと確信している。データやクラウドプラットフォームのオープン化にせよ、つながりの提供にせよ、われわれはより多くの「情報の孤島」を各自のエコシステムにつなげ、より多くの既存業界がこのシステムの中で、共生し、発展し、その結果エコシステム内のユーザーの生活のクオリティがより高くなるように願っている。これは良性の競争であり、上手くやった者が、エコシステムの結束性、ユーザー数などを高めることができる。

経済以外の分野では、公共サービスにおけるインターネットプラスの利用可能性がかなり高い。たとえば、ウィーチャット公式アカウントのプラットフォームでは、多くの市民生活サービス機能が一つになり、まるで役所がスマートフォンの中に入ったようになっている。このことにより、中国のサービス型行政および「スマートシティ」の構築が進められている。

２０１５年４月半ば、テンセントが上海市と戦略提携合意を結んだ際、政府の役人と話しているときにこう言われた。「インターネットプラスは未来を象徴する、全く新しい生活や生産の方式であり、社会形態さえ変化させうる潮流だ」私は、この意見は合理的で、インターネットプラスには確かに無限の可能性があると考えている。

インターネットプラスは未来の経済社会のスタートラインだ。ムーアの法則、メトカーフの法則という二つの指数関数型成長の効果の積み重ねは何を引き起こすのだろう。

インターネットプラスはおそらく大量の「ショートカット」のチャンスと、反対に追い越されるリスクをもたらす。例えば、インターネットは正に中国の包摂的成長の機動力となる。比較的発展が遅れている農村地区や中西部地域に対して、インターネットプラスは一足飛びの発展の可能性を与えるだろう。

広範囲における国際的競争においては、既存のリソースが異なる国家が、改めてインターネットプラスというスタートラインに並んで競い合っている。先進国は今後もエコシステムでの優位性のある地位を占め続けることを望み、発展途上国はこのチャンスにショートカットして追い越そうと考える。現在、多くの人が熱心に議論しているドイツのインダストリー４・０とアメリカの最先端の製造業は、どちらもインターネットを重要な基礎およびイノベーションのエンジンと見なしている。

わが国を振り返れば、工信部（中華人民共和国工業情報化部。中国の行政部門の一つ）という組織の設立にあたって、なぜ工業と情報を一つにしたのか。その戦略的意義は実は早期から明確であった。

２０１５年の全国の両会（全国人民代表大会、中国人民政治協商会議）において、私は再びインターネットプラスの提言をおこなった。幸いなことに、李克強首相が「政府活動報告」の中で、インターネットプラスというコンセプトを提唱し、正式に「インターネットプラス活動報告の制定」に言及して下さった。インターネット業界の最前線で10数年働いている身としては、これは疑いなく大きな発奮材料となる。

今日、インターネットプラスというスタートラインを目の前にして、われわれインターネット業界人のみならず、各業界・業種および国全体が、この得がたいチャンスをしっかりと掴み、将来を占う重要な成果を出す必要がある。

注

１　「包摂的経済」（中国語：普恵経済）。２００５年に国連に提出された、「負担することが可能なコストで、社会の各階層やグループの必要に合った、有効なサービスを提供する。零細企業、農民、低所得者などの弱者層を重点的なサービス対象にする」という概念。

序章①

越境・融合・全てをつなげる

張暁峰（価値中国会連合会長、「インターネットプラス１００人会」発起人、「価値中国智庫叢書」主編）

「未来はすでに訪れている。まだ広く行き渡っていないだけだ」

ＳＦ作家のウイリアム・ギブスンのこの有名な言葉の含意は、かつてはあまり理解されていなかった。しかし、インターネットやインターネットプラスに直面した今、われわれもギブスンとおなじように感じている。

そして、そこにはこんな言葉を続けたくなる人もいるかもしれない。

「つながりは至る所にある。将来、全てがつながるだろう」

マッキンゼー・アンド・カンパニーは、ｉＧＤＰ（インターネット経済がＧＤＰに占める比率）を大変重要視しており、インターネットのＧＤＰにおける貢献度を重点的に考察している。一方、ファーウェイは「つながり」を新しい生産要素（財やサービスの生産のために用いられる要素）だと考えており、「グローバルつながり指数」を算出し、それを根拠として地域や業界の競争力を判断している。また、テンセントは最近「インターネットプラス指数」というものを打ち出した。

ジョブズは「全てをシームレスにつなげる」ということをアップルの持続的な競争優位性とみなした。ザッカーバーグが2014年に出したフェイスブックの次の10年の三大成長方針の1位は「われわれは全てをつなげたい」であった。張瑞敏のハイアールは「人と注文がつながればウイン・ウインになる」（人とはスタッフ、注文とはユーザーにとっての価値）という戦略を通して、スタッフとユーザー価値をつなげた。

2013年のWE大会（テンセントのテクノロジーに関する年度大会）の席上で、馬化騰は「インターネットの未来とは『全てをつなげる』ことだ」という観点を提示した。2014年、グローバルモバイルインターネット大会で、テンセントの任宇昕COO（最高執行責任者）が「テンセントはつながりを作る企業である」という言葉について解説した。グローバルインターネット大会で、馬化騰はさらに踏み込んで明確に、テンセントは本質に立ち戻り、「インターネットのコネクター」の役割に専念すべきだと、語った。テンセントグループの程武副総裁は、「テンセントにとって、現在重要な構成要素の内の一つは、インタラクティブエンターテイメント事業であり、その使命も当然、つなげること、人類の全ての感情と夢と想像をつなぎ続けることだ」と言う。

インターネット。シームレスなつながり。全てをつなげること。境界を越えた融合。協力によるイノベーション。これらはかつてはバラバラに見えていたが、現在では組み合わされて誰もが関連あるものとして考えるようになっている。

インターネットとは、実質的には関係のことである。インターネットプラスの実質は関係とその「（ＡＩを使った）スマート」なつながり方である。インターネットは非中央集権的であり、情報の非対称を緩和し、過去の組織構造・社会構造・関係構造を再構築し、関係とそのつながり方を比較的ランダムにする。中でも主につながりという面でＡＩはその機能を発揮する。インターネットプラスは分散、距離ゼロを実現し、関係の構築と連結は人の知能を融合する。それが「人工知能＋人の知能＋集団的知性」の交わりなのだ。

インターネットはコンピューターの接続を通して、部分的に人の接続、人と情報の接続を実現する。インターネットプラスはクラウドコンピューティング、ビッグデータ、ＩｏＴ等を融合させ、人と人、人と物、人とサービス、人とシーン、人と未来の接続を実現する。

未来につながるためには、時と場所とニーズを問わずつながりを自然発生させなければならない。全てをつなげても、人という中核もなく、信用という要素もなければ、「全て」は空論である。人間らしさに対する畏敬の念は未来を引き寄せ、信用を強化することにより未来をあまねく行き渡らせることができる。

習近平主席と李克強首相は、人々、大衆、万民といった、小さいつながりの「細胞」に対する政府の注視を推進し、「全ての人が有用な人物になることができ、全ての人がその才能を存分に発揮できる」から「全ての人がイノベーションを起こせ、全ての人が人々に恩恵を授けられる」に至る導火線に火を点けた。インターネットプラスという政策を用いて人間の本質をつなげ、エコシステムを構築し、競争優位性を磨き上げるのである。

夢とは何か。夢とは未来に対する想像が広がる素晴らしい空間だ。

未来とは何か。未来とは、夢があり、アイデアがあり、努力する人が一つになって到達できる場所だ。

「中国の夢」とは何か。中国の夢とは効果的なつながりを通じて、より多くの人を夢の設計に関わらせ、より多くのアイデア、イノベーション、想像を集めて融合することだ。そうして、共に未来を作り、それぞれがいるべき場所を得ることだ。

インターネットプラスについて語る際に、強調せざるを得ないもう一つのキーワードは「エコシステム」だ。張瑞敏はハイアールを一つのプラットフォーム、一つの自然界、一つのエコシステムにしたいと考えた。テンセントはエコシステム的なオープンプラットフォームを作ることで、「運命共同体」を実践した。テンセントの次の目標は、最良のエコシステム型の、全ての要素による、多くの人が参加して創造するインキュベーションプラットフォームを作ることだ。インターネットプラスはエコシステムの構築や改善、各要素のマッチングにとって、卓越した作用を及ぼす。境界を越えた融合の実現だけでなく、信用を生み出し蓄積することを促し、さらに多くのつながりを再生産する。それゆえ、エコシステムはつながりを取り巻く環境を与えるだけでなく、つながりが自ら成長するようにするものなのだ。

本書の構成とロジックは極めて明解である。第1章から第3章で、インターネットプラスとその時代について解析し、インターネットプラスの未来と中国の未来およびわれわれの未来について分析する。第4章から第7章では、インターネット産業に的を絞り、テンセントのインターネットプラスをサンプルとして解析することで、インターネット産業が自らを通して、インターネットプラスに融合することでそこに貢献する糸口を探す。第8章から第10章では、実際の人々の行動に対する、考察と予測およびモデル分析を行い、国家、業界および個人にとってのインターネットプラス行動計画図の描出を試みる。

最後に、テンセントグループの「雲中智庫」の専門家の皆さんに感謝します。インターネットプラス、テンセントが自らを定義しているコネクターという役割、「全てをつなげる」といった内容に関し、系統立てた分析と解釈をしていただき、それによりテンセントに対して客観的かつ中立な解析と観察をさせていただきました。また、特に本書に携わった全ての著者が「インターネットプラス」という型式を用いてインターネットプラスに関する協力を行ったことに感謝します。このつながりは正に神秘です。

われわれは、全面的な情報社会への大変革時代を生きている。ユーザーの行為、商行為、技術変革、ビジネスモデルの変革、業際的な融合などが巨大な変化を生んでいる。インターネットプラス、つながり、エコシステム、信用、ビッグデータ、知的資本などは全て生産要素、価値創造要素の一部となった。工業文明から情報文明へ、そして、全てがつながる「スマート世界」へ。新しい思考パターンを作り直し、問題解決および管理の新スキームを構築することが求められている。自ら変化を喜んで受け入れる者だけが、未来をその手にできる。

未来はすでに訪れている。私たちの手でそれを世の中に広げるのだ。

インターネットプラスのパスワード

于揚（易観国際董事長兼CEO）

18世紀の蒸気機関の登場と普及は第一次産業革命を引き起こし、機械が手工業に取って代わった。19世紀の電力の大量利用は第二次産業革命を生み出し、この電力革命は人類社会に多大な進歩をもたらした。１９８６年の中国の国際電子郵便第一号から約30年が経ち、インターネットは中国で６・４９億人のユーザーを擁するに至り、浸透率は47・９％となった。インターネットは少しずつ都市から農村へと広がり、すでに電気のようにわれわれの日常の仕事や生活の隅々にまで入り込んでいる。

過去30年の内に、インターネット産業は中国経済の形勢や産業地図を、深部から作り変えた。最初の10年は、インターネットは学術や科学研究の分野で用いられることが多かった。その次の10年では、インターネット産業と既存産業は平和共存しており、インターネットは多くのニューエコノミーを生み出した。例えば、ポータルサイト、ゲーム、ＥＣなどだ。その次の10年で、インターネットは少しずつ多くの既存産業を変化させ、立場の逆転さえも起こるようになった。

大量のデータ、ケース分析および企業コンサルタンティングという基盤の上に、易観国際は２００７年に「インターネット化」というコンセプトを打ち出した。われわれは、インターネットによる既存産業変革には4段階あると考えている。まず、マーケティングのインターネット化。例えば広告主は広告を打つ場を新聞からインターネット上に移す。二つ目は、チャネルのインターネット化。その最大のきっかけは２００８年の世界金融危機（リーマンショック）だ。ＥＣの爆発的な台頭は正にチャネルのインターネット化の最も顕著な現れである。三つ目は、商品のインターネット化。この段階は２０１０年に始まった。その最大の立役者はスマートフォンの爆発的普及だ。スマホ上のアプリの操作はそれまでの操作法に取って代わり、多くの面で「無紙化」を実現し、環境保護に多大な貢献をした。4段階目は、現在進行中の経営のインターネット化だ。今や企業は完全にデジタル化とネットワーク化を成し遂げた。

２００７年に「インターネット化」という理念を提示したあとの、２０１２年11月に易観の第五回モバイルインターネット博覧会の席上で、私は初めて「インターネットプラス」という理念を提唱した。この理念はインターネット化に対する更なるレベルアップであり、各業界・業種にインターネット化の具体的な実行における考え方をもたらした。

インターネットプラス

この言葉の意味は、今日この世界中の全ての既存の業務とサービスは全てインターネットによって変化させられるということだ。この世界がまだインターネットによって変化していないならば、それはおかしなことだ。しかし、それはまだ商機があることを意味し、その商機に基づき新しい局面が生み出せることを意味する。既存の広告にインターネットを加えたことで、バイドゥ（百度。中国の最大手検索エンジン）は成功した。既存の商店の集まりにインターネットを加えたことでタオバオ（淘宝。アリババのネットショッピングサイト）が成功した。既存の百貨店にインターネットを加えたことでジンドン（京東、ＪＤ）が成功した。既存銀行にインターネットを加えたことでアリペイ（支付宝）は成功し、既存のセキュリティ対策にインターネットを加えたことで３６０（２００５年設立のセキュリティソフト開発販売企業）は成功した。また、既存の仲人にインターネットを加えたことで婚活・出会いサイト「世紀佳縁」は成功した。インターネットはただのツールであり、電力と同じくインフラである。インターネットはあまねく存在する効率上昇器だ。各業界・業種のインターネットプラス利用の本質は、インターネットを用いて業界の効率の悪い点を見つけることだ。企業のマーケティング、チャネル、商品、運営の各部の「窪地」に、海の水のように這入り込み、企業がより効率の高いモデルチェンジやグレードアップを行うのを助ける。既存業界との融合が深化するにつれて、インターネットはさらに大きなプラスの力を発揮するだろう。

インターネットプラスが「プラス」するのは、既存の各業界・業種だ。中国のインターネットの30年近い歴史の中で、インターネットは広告、小売り、銀行、通信などの既存産業と結びつき、バイドゥ、アリババ、ジンドン、テンセントなどのインターネットの優良企業を生むと同時に、中国経済のモデルチェンジおよびグレードアップに新しい道筋と貴重な経験をもたらした。われわれは、それぞれの既存業界は皆インターネットプラスのチャンスをはらんでいると考えている。しかし、既存企業の中には、インターネットプラスの黄金ルールと万能薬が見つかることに希望を託し、簡単に成功すると考えている所もある。

われわれは、インターネットプラスには万能薬もなければ万能ルートもないことを指摘する必要がある。それぞれの業界、それぞれの企業に、インターネット化の過程で自分だけに適応するルートが必ずある。企業は内部データと外部のビッグデータリソースの利用に基づいて、自らが属する業界と関連業界のエコシステムを充分に理解するべきである。戦略から意識、能力から技能、データマイニングから計量化戦略決定に至るまで、企業は上層部から現場のスタッフまで皆が思想と歩調を統一し、全身全霊でインターネットと積極的に結びつかなければならない。また、自社に適合したインターネットプラスの道筋を見つけ出し、インターネットを利用して、自らを改良、改造、場合によっては再構築までしなければならない。インターネット化の過程では、それぞれの企業が非中央集権化する。その核心は、自らの業界の本質を探りあて、それをインターネットと結びつけ、古い中心的存在をそぎ落とし、メリットがあり、より大きな規模で、より効率的な新しい中心部を作るのだ。

将来、全ての業界がインターネットと関係のある産業になり、全ての企業がインターネットと関連する企業になる。いわゆる「インターネット業界」「インターネット企業」は現在の「電力企業」「電力会社」のように、インターネットの基礎的サービスを行う業界や企業を指す言葉になる。

インターネットプラスを模索する過程で、われわれはまずユーザーがいる環境の変化に気を配らなければならない。われわれはすでに「マルチスクリーン」時代を生きている。各業界・業種が提供するサービスは、上述のインターネットプラスのセオリーの下に存在するようになり、今ある商品を改めて作り直すだろう。

ユーザーは今後、アクセスの方法や自分が使っているOSに関心を持つことはない。なぜならば、彼らの目の前にあるものは、インターネットに入るためのディスプレイであり、それらを通してユーザーとインターネット、企業が提供するアプリやサービスが時と場所を問わず一つにつながれば、それで充分だからだ。

起業家にとって言えば、このルートを熟知した後、「マルチスクリーンネットワーク全体がプラットフォームを超越する」という理念に基づき、業界と結びついてこそ、チャンスをとらえ前進できる。既存業界はそうなってこそ真のモデルチェンジが行え、新しい局面を生み出せるのだ。

インターネットプラスの実践の過程では、イノベーション面での選択において、形容詞は名詞より重要だ。例えば、かつて馬車会社は皆、客がより良くより快適な馬車を求めていることは分かっていた。しかし、「馬車」という名詞に注目した会社は歴史の灰燼と化した。「より良くより快適な」という形容詞に注目した会社は自動車を作った。そういうことだ。一方、イノベーションの実践の過程では、形容詞より名詞の方が重要だ。インターネット金融の本質がインターネットではなく金融であるように。インターネットそのものは新しい需給関係を生み出さない。インターネットはただの道具であり、各業界・業種がより広汎な成長の可能性を作り出すのを助けるだけのものだ。企業内外でインターネットプラスに言及されなくなってはじめて、その会社は本当にインターネット化の道を歩んでいると言えよう。

将来、インターネットと各業界・業種の融合が深くなればなるほど、高度なＡＩを備えたロボットがわれわれの生活へと進出してくる。おそらく２０２５年にはわれわれ全員が自分のロボットを持っているだろう。生物科学技術とインターネットが結びつけば、人類そのものもインターネットの一部になるに違いない。

蒸気機関が出現して、人類の生産効率は大幅に上がり始めた。画期的な技術は人類社会全体を大きく前進させる。インターネットプラス時代に生きていくということは、インターネットと手を取り合い、夢をはばたかせることだ。２０２５年のわれわれは、現在では考えもつかないことを成し遂げているだろう。

インターネットプラスが国家の行動計画に組み込まれた

情報化と経済のグローバル化は互いの進展を促進し合い、インターネットは社会生活のさまざまな面へと溶け込み人々の生産および生活様式を大きく変えた。わが国は今、正にこの大きな渦の中にあり、これらのことから受ける影響は日々大きくなっている。わが国のインターネットおよび情報化は明らかに発展し巨大な成果を得た。インターネットは多くの家庭にまで行き届き、インターネットユーザー数は世界一となり、インターネット大国となった。一方で、自発的なイノベーションの面においてはまだ後れており、地域差および都市と農村の格差が大きいことに、われわれは目を向けなければならない。特に、一人あたりの電波使用可能量は国際水準よりかなり低く、国内のインターネット発展のボトルネックは依然として明らかである。

2014年2月27日　習近平主席　中央網絡安全和信息化領導小組　第一回会議での講話

李克強首相は2014年の「政府活動報告」で「インターネット金融」という概念を初めて打ち出した。そして2015年の「政府活動報告」の中で「インターネットプラス（互聯網＋──以下、何かとつなげるときは主に『インターネット＋』、単独で使うときは主に『インターネットプラス』と表記）」という概念を提示し、インターネットプラス行動計画を策定するように指示した。李首相はインターネット金融の発展を大いに賞賛し、インターネット金融の突然の勃興を高く評価した。では、インターネットプラスとは何なのか。「＋」というのはどういうことなのか。また、何をプラスするのか、なぜプラスするのか、どのようにプラスするのか。インターネットプラスとイノベーション主導の発展や、「大衆による起業、万民によるイノベーション（大衆創業、万衆創新。中国政府のスタートアップ推進のスローガン）」、「中国製造2025」（2015年に呈示された中国政府の産業政策）は、どのような関係があるのか。インターネットプラス行動計画はどんな内容から始まり、どのように持続的な影響をもたらすのか。これらの疑問の解をさがしていこう。

インターネットプラスとは何か

2012年12月7日、習近平主席は、テンセントを視察した際に以下のように指摘した。「人類は、インターネット時代という歴史の一段階にすでに足を踏み入れている。それは、全世界的な潮流だ。また、このインターネット時代の到来は、人類の生活、生産活動、生産力の発展に対し、大きな推進力となる」。確かに、インターネットは社会生活のさまざまな部分に入り込み、深く社会全体の生産、生活、消費および社会管理のスタイルを変化させた。インターネットプラスという施策は、この一つの流れに対する深い洞察と知的反応に基づいて出されている。

インターネットプラス、それぞれの定義

政府や主なインターネット企業の「インターネットプラス」に対する解釈を比べてみよう。

公式[1]：インターネットプラスとは、インターネットによるイノベーションの成果を経済社会の各分野に深く融合させ、技術の進歩、効率の向上および組織変革を推進し、実体経済のイノベーション能力と生産力を向上させ、インターネットを、インフラおよびイノベーションの要素とした広汎な経済社会の成長の新形態を形成するものだ。

馬化騰[2]：インターネットプラスはインターネットというプラットフォームを基礎とし、情報通信技術および各業界の境界を越えた融合を利用し、産業のモデルチェンジとグレードアップを推進し、新商品、新業務および新モデルを作り続け、全てをつなげる新エコシステムを形成する。

アリババ[3]：いわゆるインターネットプラスとは、インターネットを中心としたひとまとまりの情報技術（モバイルインターネット、クラウドコンピューティング、ビッグデータ技術など）を経済、

社会生活の各部門に拡散して利用していく過程である。

李彦宏（ロビン・リー）[4]：インターネットプラス計画に関する私の理解は、インターネットと他の既存産業の融合モデルの一つ、ということだ。この数年の中国ではインターネットユーザーの増加にともない、現在、インターネットの浸透率は50％近くになっている。とりわけ、モバイルインターネットの登場により、インターネットの他の産業に対する影響力が高まりつつある。過去1～2年、インターネットに多くの産業が結びつき、奇跡的な復活を遂げるのを、大きな喜びを持って私は見てきた。とりわけＯ２Ｏ（オンラインからオフラインへの融合）の分野ではその傾向が強い。

雷軍[5]：李首相が活動報告の中でインターネットプラスに言及した。これは、インターネット技術およびインターネット的思考法と、実体経済を結びつけることが、いかに実体経済のモデルチェンジ、価値上昇、効率向上を促進するか、ということを意味する。

さまざまな解釈を分析し、われわれはその共通点と、細かな差を見出した。馬化騰版と公式版を比較すると、両者の言葉遣いは異なるが、全体的には基本的に同じことを言っているのが分かる。つまり、インターネットプラス政策により、経済成長および社会生活におけるインターネットの基礎的作用を発揮させる、ということだ。最終目標に関しては、両者の表現は多少異なる。

公式版の表現は「経済社会発展の新形態」となっており、馬化騰は「全てをつなげる新エコシステム」と言っている。前者の方がよりマクロ的に見ており、大局を重視している。一方後者は、より基礎的で、テクノロジーよりで、人間に主眼を置いている。

また、インターネットプラス活動計画に対して、政府の活動報告では、クラウドコンピューティング、ＩｏＴ、ビッグデータに代表される新しい情報技術と、現代製造業や生産者サービスなどの融合とイノベーションを重点的に促進するとしている。そのことにより、新興の業態を大きく成長させ、新しい産業の成長点を作り出し、「大衆による起業、万民によるイノベーション」のための環境を整え、産業のスマート化（ＡＩ等を利用すること）をサポートし、新しい経済成長のための動力を強化し、国民経済の質の向上、効率の改善およびレベルアップを促進する、と述べている。

インターネットプラスを理解するための4ポイント

まず、「インターネットプラス＝道具」という狭い視野から抜け出すことだ。実用主義の角度のみから、また自分のみを中心に考えて判断することはできない。インターネットプラスは、よりエコシステム的な要素を備えているものとして考えれば、われわれの生存環境であり、生活であり、命と不可分な存在なのである。

二つ目は、全ての人に自分なりのインターネットプラスがあるということだ。インターネットプラスはあなたの時間、空間、生活、事業、職業、人間関係、現実世界、バーチャル世界と密接に絡まり合っている。全ての人に、インターネットプラスの定義を行い、解釈する権利がある。それゆえ、本書では、その答えを探すヒントを提示し、読者諸氏が他人の決めた定義に惑わされないように手助けをしたい。本書を読む前と読んだ後では、あなたのインターネットプラスに対する見方は全く変わっているだろう。

三つ目。インターネットプラスは状況に応じて形を変えるが、あなたに簡単な予備知識としてのガイドラインを与えたい。インターネットプラスの特質を最も簡単に言えば、「境界を越えて融合し、全てをつなげる」の一言だ。もし「全てをつなげる」をインターネットプラスと未来を代表する言葉というなら、「境界を越えて融合する」はインターネットプラスが現在発生させている事象だ。独立ＴＭＴ（電信、電話、テクノロジー）アナリストの付亮も「インターネットプラスは全てをつなげる」という考えに賛同している。この越境と融合ということには、各種の可能性と不確定性がある。それゆえ、二点目で強調したように、インターネットプラスは流動的で、状況によって形を変えるものなのだ。

四つ目は、インターネットプラスをそれ単体として孤立したものとして見たり、解釈したりしてはいけないということだ。インターネットプラスはエコシステム的要素であり、エコシステム的要素には、当然、強い共同性、全局面性、体系性がある。実際、「イノベーション主導の成長」、「大衆による起業・万民によるイノベーション」、「中国製造２０２５」、「スマート市民生活サポート」などのコンセプトを総合的に見れば、それらは個別に分けることができず、一面だけを理解することもできないことが分かる。これらをつなげる糸が「インターネットプラス」だ。そういうと、これは誤読であり歪曲だという人もいるだろう。そういう人は、インターネットプラスというのはツールであり、選択肢の一つだと堅く思い込んでいる。幸いにもインターネットプラスは彼らの試行錯誤を許容する。なぜならインターネットプラスが主導するイノベーションのエコシステムは、試行錯誤のプラットフォームを提供してくれるからだ。

インターネットプラスは字面の上だけの概念ではない。また、将来、産業、経済および社会全体に対し大変長期的視野に及ぶ深い影響を与えるに違いない。より強くなりつつある力を集め、新時代の到来を推進するだろう。

「プラスする」とはどういうことか。そして、なぜ「プラスする」のか

インターネットプラスを理解するためには、さまざまなレベルから見て、全体を理解する必要がある。

「プラス」の五つのレベルを理解しよう

「プラス」を理解するには少なくとも以下の5段階に分けて考えるべきだ。その理解により、計画を立て、アウトラインをスケッチする必要がある。

レベル1　インターネット（互聯網）の意味を漢字の意味から考えること

インターネットとは何だろう。それは、つながり、インタラクションの形成、ネットワークあるいはバーチャルネットワークへの加入だ。一つひとつの個体は自覚的あるいは無自覚にさまざまな社会的グループやネットワークに分けられている。また、他の意味から考えると、インターネット産業の企業や関係者も、つながり・同盟・エコシステムの問題を抱えており、自らのごく狭いテリトリーに囲い込まれたり、あるいは、大企業ならではの問題をはらんでいた。それで、GEの号令の下、AT&T、シスコ、GE、IBM、インテルなどの企業がアメリカのボストンでIIC（インダストリアル・インターネット・コンソーシアム）を成立させ、技術の壁を打ち破り、物理世界とデジタル世界の融合を促進することを宣言したのだ。

レベル2　インターネット＋モバイルインターネット＋クラウドコンピューティング＋ビッグデータ＋クラウドセキュリティ＋IoT＋IoE＋産業インターネット（工業インターネット、エネルギーインターネット）

どんな名目であれ、つながることが目標で、通じ合うことが根本である。もし、単純にネットワークの一面のみを語るなら、それは、「つながり」さらには「全てをつなげる」ということとは矛盾する。同時に、万物をつなげれば、どのようなネットワークであれ、そのなかに孤島ができることはない。

レベル3　インターネット＋人

モバイル端末は、スマート化された人間の器官だ。ユーザーの触覚、聴覚、視覚などをオンラインにつなげておき、どこへでもつながれるようにする。「インターネット＋人」は、インターネットプラスの始まりでありゴールでもある。インターネットプラスという文化の決定的要素であり、インターネットプラスがより多くの要素、方向、レベルに向けて拡張できる動力源でもある。

レベル４　インターネット＋ほかの業種

インターネットプラスとつながる職業を、簡単に既存産業のどれかに分類することはできない。また、インターネット産業も自らを改革し、世代交代を繰り返さなくてはならない。新興業種はインターネットを積極的に受け入れる。また、起業・イノベーションはインターネットと切り離せないものだ。現在進展が最も早い「インターネット＋小売り」が生み出したＥＣや「インターネット＋金融」が生み出したフィンテックに加え、「インターネット＋通信」も日々成熟しつつある。

レベル５　インターネット＋∞：∞とは、無限大を意味する。この段階になると「全てをつなげる」段階となる

人と人、人と物、人とサービス、人とシーン、物と物。これらのつながりは時と場所を問わず発生する。さまざまな地域、時間、空間、職業、機関および考えや行為は全てつながりつ

つある。同時に、つながるもの同士には、各種の組み合わせがあり、そこには「インターネット＋X＋Y」というような基本モデルが含まれ、例えば、「インターネット＋自動車アフターサービス」は、保険、運転代行、救助、乗り合いなどのサービスと結びつく。そして、そうなって初めて、越境と融合が体現でき、細かい領域でのイノベーションを起こせるのである。

「プラス」そのものの構造化および再定義が必要だとしても、シーンによってその内容とスタイルは異なる。一般的に行って、「プラス」とはつながりを意味する。また、つながりの基礎、ルール、方法、持続などに至っては、おそらく状況をよく見なければならず、またそれらには大きな差違がある。

前出のアナリスト付亮は「プラス」にはあと二つ考え方があると指摘した。[6] 彼は、インターネットプラスの一つ目の「プラス」は何かを破壊することではなく「加速」であるべきだと考えている。インターネット全体が一つの加速するツールで、加速し続けている。われわれも現在常に加速を続け、速度を日々上げており、ここ数年はどの職業もインターネットと不可分となっている。二つ目の「プラス」は破壊的革新だ。比較的わかりやすいのがフィンテックで、古い枠組みを壊そうとしている。インターネット全体をみても、全ての業界への波及力がすでに現れており、どの業界もインターネットを軽視することはできなくなっている。

なぜ「プラス」するのか

なぜ「プラス」するのか。ここまでの分析を通して、その答えはすでに明らかだろう。経済学者の銭頴一博士にユニークな分析がある。現在は、インターネット、モバイルインターネットとインターネットプラスがよく話題に上る。インターネットはなぜ他の業種と「プラス」できるのか。それは、インターネット、クラウドコンピューティング、ビッグデータ等の技術が産業に革命をもたらすからというだけでなく、いくつもの産業の変化に関係するからだ。

ＩＴ関係の専門家である王俊秀は、データは全てをつなぐもので、データの力で改めて各業界を定義づけ、情報化も定義づけようと考えていた。マーケティング学者の馬旗戟もデータがもたらしたことが「プラス」する原因となったと考えていた。なぜＢＡＴ（百度、アリババ、テンセントの中国の三大インターネット企業）がインターネット時代にこのように権勢を誇っているのか。それは、情報やデータのおかげであり、彼らは人と人、全世界、全宇宙で発生する全ての変化を手にすることができ、その変化を呈示することができるからだ。生産要素（製品やサービスの生産に用いられるリソース）の組み合わせは、インターネットプラスが既存の経済形態のモデルチェンジに貢献する極めて重要な点だ。

出版人の盧俊は、次のように考えている。インターネットが体現しているのは「関係」だ。インターネットは全てをつなげる。人と人、人と物、人と情報の間の関係が新しい価値を生む。この点にビジネスチャンスをかぎ取る中国人の能力は世界中のどの国よりも上だ。中国はここで、ショートカットして他の国を追い越した。情報産業やインターネットにおいて、一歩前に出たのだ。インターネットプラスは、インターネットとあらゆる業種の可能性を提供する。これは大変重要なロジックだ。

ＳＦ作家の韓松の指摘によると、２０１５年の両会（全国人民代表大会、中国人民政治協商会）で李首相が「政府活動報告」で語ったことの中核は、創造力を解き放つ、ということだ。人民には無限の知恵があり、インターネットは、特に大型インターネット企業にとって、積極的な社会動員力と文化影響力を発揮し、多くの人の夢を実現することができる存在なのだという。[7]

当然、インターネットプラスが国家戦略となったのには、国家による洞察、産業推進、競争のための必要性以外に、新興産業の利用の急激な発展という要素も見逃せない。ＥＣ、ＳＮＳ、インターネット金融はインターネットプラスの先兵隊であったことは否定できないだろう。それらがまずチャレンジしたことで、ペインポイントが見つかり、モデルが改革され、経験を積み、問題に気づくことができた。インターネット金融、ＳＮＳ、ＥＣの創意ある挑戦がなければ、インターネットプラスが国家のアジェンダに入る日は来なかっただろう。国信弁（国家信息化工作弁公室）の魯煒主任は、インターネットは国の経済成長の中の最も明るい点だと明言した。「ネットワークの共有により、中国のＥＣの年取引額は1兆ポンドを超え、経済成長への貢献率は10％を超え、国民経済の最大の成長ポイントとなっている。それは中国でも世界でも同じだ。インターネットは現在人々の生活を深い部分から変えつつあり、社会の進歩を促進し、国の発展を牽引し、世界の未来を創造している」[8]

インターネット金融の「前世」と「今生」を細かく見てみると、分かることがある。その発端は西洋にあるが、成就したのは中国だ。インターネット金融はＥＣの発展とともに生まれ、成長してきた。特に、インターネット決済は第三者決済という新方式を生み出した。ＥＣと従来型小売業も、第三者決済とＥＣも、インターネットを利用した越境した融合であり、共にイノベーションを起こした好例である。

１９９８年、ペイパル社が米国で設立された。同社は既存銀行の金融ネットワークシステムとインターネットの間で、企業にオンライン決済というルートを提供した。それに加え、アマゾンペイ、グーグルウォレットなどの第三者決済企業なども登場し、アメリカは世界のインターネット決済の主要なシェアを独占した。しかし、２０１３年、歴史が書き換えられた。米国が中国に追い抜かれたのだ。その背景としては、モバイル通信技術の急速な発展とＥＣの急速な浸透の他に、アリペイやイーペイ（易宝支付。２００３年設立のフィンテック企業）、テンペイ（財付通・テンセント傘下）など第三者決済ツールがイノベーション能力を強化したことが大きい。

インターネット金融は意外なところから勃興した。正に、インターネットプラスの特徴とインターネットプラスによるニーズ、すなわち越境的な融合の現れだ。「インターネット＋金融」は融合によってイノベーションを実現し、価値を発見し、効率と競争力を向上させた。インターネット金融はインターネットプラスのイノベーションが最も強力な分野であり、李首相をして「意外なところから急成長した」と感嘆せしめた。既存業界との衝突と提携はまるで演劇を見ているようで、恨みや敵対心がなくなったとは今も言いきれない。しかし、多くの面で、争いが友情に転じ、過去の恨みを忘れ、智慧が生まれた。それゆえ、インターネット金融について理解することは、「インターネット+他業種」の大きな参考になる。

2015年4月頃、全国で初の習近平主席の重要講話アプリ「学習中国」が正式にリリースされた。メディアは、これは再び中国の指導者が積極的にインターネットを迎え入れるいう決意を表したものだ、と論評した。中央党校中国幹部学習網の陳健才・常務副総編集長は、「理論学習が一般大衆と完全にリンクしていなければ、民族全体が理論に関する自信を高めることができない」と表明した。

インターネットプラスと国家の影響力

インターネットプラス——新常態、新エンジン

インターネットプラスと「二つのエンジン（既存産業のグレードアップと起業・イノベーションの促進）」は「リコノミクス（李克強首相の経済政策）」の最新かつ大部分を占める政策だ。新常態（ニューノーマル）というものは、自然に軽やかに登場するはずがない。根本的な変革を経て、正に今、理想的な新常態を迎えているのだ。中国という巨大な経済体は、自動車のギアチェンジやアクセルのように簡単に動かせるものではない。この巨大な存在は構造上少なからぬ問題を抱えている。動きのバランスが悪く、調整能力が低い。過去の慣性もあるので、切り替えは難しく、その過程における苦労は想像に難くない。皆が我慢強く、智慧を集めなければならないのだ。

新常態は新しい駆動力、新しい手本への転換を要する

リソース主導からイノベーション主導への転換により、思想の転換だけでなく、システムや体制の変革、新モデル、新軌道の受け入れへの不適応や排除などの課題に直面する。そこで、インターネットプラスは、構造の変化・融合の推進・イノベーションの発生を助ける。工業情報化部（工信部）の苗圩部長（日本の大臣に相当）曰く、「新しいテクノロジー革命および産業の変革において、各国ともいかに新しい成長の〝制空権〟を取るかを研究している。われわれは、インターネットと既存工業界の融合を、重視し掴み取るべきチャンスだと考えている。これがいわゆる〝制空権問題〟だ。また、切り込み点の問題もある。あるいは主な攻撃ポイントと言ってもいい。われわれは研究を通して、スマート製造が攻めるべき方向だと考えるに至った。そして、ここ数年われわれは一つの模索を行った。例えば、両化融合（情報化と工業化のハイレベルな深い結合を指す）のモデルの試行を行い、それに基づきスマート製造を掌握することは、わが国の製造業を『大』から『強』への体質転換させるための道筋である」

新常態は新エンジンを模索する

２０１５年の経済活動に対して、李首相は明確に「二つの目標（中高速の成長とミドルウェアおよびハイエンドへのシフト）」、「二つの結合（安定した政策と安定した経済成長の結合／改革促進と構造調整の結合）」と「二つのエンジン（大衆による起業と万民によるイノベーション／公共財および公共サービスの増加）」に言及し、中国経済のレベルアップという全体の考え方に沿い、要求をかなえようと考えた。

二つのエンジンのコネクターは正にインターネットプラスそのものだ。経済学者の李稲葵は以下のように論評した。「私の理解によれば、これは初めて提示された概念だ。最初のエンジンは市場の力で、主にイノベーションにおいて体現される。万民によるイノベーションは中国経済の細胞一つひとつを動かす。こうすれば、中国経済は希望を持つことができ、調整とグレードアップが順調に進むだろう」

新常態は新エコシステムの生育を促進する

これは、言ったり見たりしているうちは簡単だが、やってみるとかなり難しいことだ。改革開放の30数年、われわれはテクノロジー市場、イノベーション市場、知的財産権市場で力を発揮してきたが、知的資本が威力を示す方面では人のまねをしてきた。エコシステムは十全ではなく、ものごとがうまくかみ合っていなかった。また、オープン性が十分発揮できない等の問題が長きにわたり存在し、新しいエコシステムを育てるという重責を果たすには、まだ程遠かった。インターネットプラスがエコシステムを融合させ変革させるというロジックは、「図1-1」を参考にされたい。

グローバルイノベーション指数

郭蓮の研究によると、現在、国際的認知度が最も高いイノベーション指数報告は「グローバルイノベーション指数報告」である。この報告はイノベーションを「経済と社会の価値を生む発明

新興産業、イノベーションエコシステムの勃興と成長

生産サービス業、人工知能および深層機械学習、
インターネット＋生命科学産業、メイカーズスペース、スマート仲介など

既存業界のグレードアップとモデルチェンジ

工業、農業、金融、交通、エネルギー、
建築、小売り、物流、コミュニティ

産業インターネット	インターネット金融	サービスインターネット
工業インターネット エネルギーインターネット	第三者決済 / クラウドファンディング /P2P/ インターネット証券・保険 / インターネット銀行	生活サービス / 社会サービス / データサービス / 生産サービス / イノベーションサービス

インターネット産業同盟

インターネット産業エコシステムの改良
インターネットプラスエコシステムの成長の促進

インターネットプラス

情報通信技術	クラウドコンピューティング	ビッグデータ	IoT

図 1-1

と創造の融合を導く」ものとして描いている。２０１４年グローバルイノベーション指数において、中国は29位だった。同年の報告は「イノベーションにおける人的要素」をテーマにしており、その目的は人的資本がイノベーションの過程において及ぼす作用を探ることだった。

グローバルイノベーション指数は合計7種類の指標により構成されている。それらは、それぞれ、①制度（政治環境、マネジメント環境およびビジネス環境）、②人的資本と研究（教育と研究開発）、③インフラ（ＩＣＴ、エネルギーおよび一般的インフラ）、④市場成熟度（融資、投資および貿易の競争）、⑤企業成熟度（知識労働者、イノベーションチェーンおよび知識の吸収）、⑥知識と技術のアウトプット（知識のイノベーション、知識の影響、知識の拡散）、⑦イノベーションのアウトプット（無形資産創造力、イノベーション製品およびサービスとオンラインのイノベーション）である。七つのレベル１の指標と21のレベル２の指標、84のレベル３の指標がある。[9]

中国の成績が比較的低い指標は、オンラインのイノベーション（１３６位）、起業のしやすさ（１１８位）、教育公共支出が国民総収入に占める比率、環境成果（１１１位）、非農産品市場アクセス（１２８位）、通信、コンピューターおよび情報サービスの輸入（１０５位）であった。

グローバルイノベーション指数のリーダー国は、緊密な関係の新エコシステムを構築している。このシステムにおいて、人的資本に対する投入と強大なイノベーションインフラが結びつき、高度の創造力をもたらしている。特にグローバルイノベーション指数の上位25位の国は多くの指標で得点が高く、以下の分野で優位性がある。

・ICTのイノベーションインフラ
・知識労働者、企業のイノベーションチェーンと知識吸収の成熟度
・クリエーティブな商品およびサービスと、オンラインにおける創造性などのイノベーションの創出[10]

グローバルつながり指数

ICTがいかに国と業界の競争力を上げるかを評価し検証するために、ファーウェイは2014年に「国家つながり指数」「業界つながり指数」を含む、「グローバルつながり指数(GCI)」という算定基準を開発し、正式発表した。これは、業界初の国家および業種のつながりの水準に全面的かつ客観的に数量化した評価を行ったものだ。GCIの調査研究の目的は、全世界のそれぞれの国および業界のつながりの水準とつながりがもたらす価値について評価することにあった。

ファーウェイは『共建全連接世界白皮書(つながった世界建設のための白書)』の冒頭で「つながりは新常態になる」という総括を提示している。2025年には、全世界には1000億の端末が存在し、つながるようになっており、65億人のインターネットユーザーが80億台のスマホを使っている。このことは世界のつながりが緊密になりつつあることを示している。

国家つながり指数は、全世界のGDPの78%と人口の68%をカバーする25カ国の「つながりのレベル」を調べたものだ。さらに、ICTの、イノベーション推進/究極のユーザーエクスペリ

エンス（ＵＸ）の提供／起業の育成などの面における機能をも反映している。

業界つながり指数は、10の業界におけるＩＣＴ分野の投資と利用について調べたものだ。また、企業の効率とイノベーションおよび客とのインタラクション関連に対するＩＣＴの影響も勘案されている。この指数を通じて、われわれはどの業界が現在積極的にＩＣＴやそのメリットを取り入れているかを見ることができる。また、この指数は、全てがつながった世界で多くのチャンスをつかむために、ＩＣＴインフラと中核的技術の進化が業界におけるイノベーションと変革をいかに助けるかを映し出している。

この指標の中で、中国は14位に位置しており、上位10位に入ってはいないものの、政府の投資の絶対値はトップで、依然として全世界で最も潜在力のあるＩＣＴ市場の一つである。ブロードバンド中国戦略の実施と４Ｇ時代の幕開けは、「第十二次五カ年計画（十二五）」後３年間の成長目標に達成する助けになるだろう。

トップはドイツで、二つの総合指標「つながりの現状」と「成長の可能性」がそれぞれ世界の第３位と先進国の中での第２位となっている。その強力なＩＣＴという優位性を背景に、ドイツは率先して「インダストリー４・０」革命を起こした。ＣＰＳ（Cyber-Physical Systems）を用いて工場をつなげ、製造からスマート製造へのグレードアップを行い、工業生産効率が30％上げられると考えられている（図1-2）。

グローバルつながり指数の調査研究から、つながりはすでに国家の競争力を測る重要な要素となっていることが明らかになった。ファーウェイは二つの次元の16の指標から、以下のような分

中国　14 位、60 ポイント

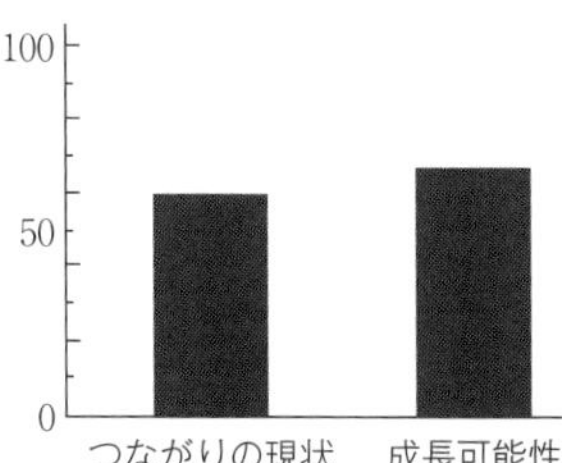

優位性

スマホユーザー数、固定ブロードバンドの価格の市場適応度、モバイルアプリのダウンロード数

課　題

一人あたりの国際インターネット接続速度、一人あたり IP (Internet Protocol Suite) 数、モバイルブロードバンドの価格の市場適応度

ドイツ　1 位、76 ポイント

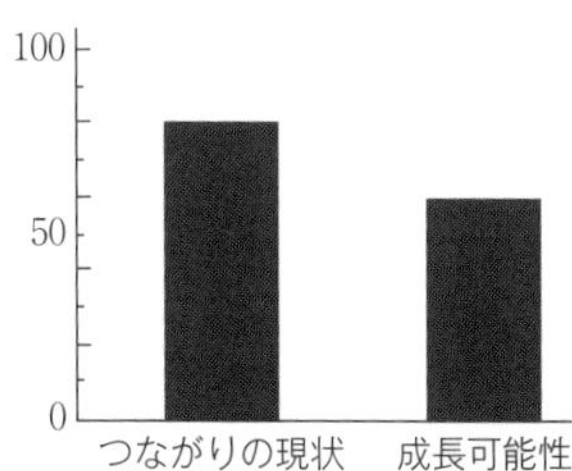

優位性

一人あたりの国際インターネット接続速度、固定ブロードバンド浸透率、モバイルブロードバンド市場適応度、モバイルダウンロード平均速度

課　題

固定ブロードバンドユーザー成長率、一人あたり IP 数増加率

図 1-2　中国、ドイツの国家つながり指数の対比図

資料：ファーウェイホームページ、グローバルつながり指数より

析を行った。つながり指数が1ポイント上がるごとに、一人あたりのGDPは1・4〜1・9%上昇する。発展途上国の上昇率は先進国よりも明らかに高い。

ICTは、「全てをつなげる」紐帯であり、持続的成長をするためのレバレッジだ。今日のICTシステムは過去の支援システムから、価値創造を後押しする生産システムへと変化した。つながりは、土地、労働力、資本、技術の後に続く新しい生産要素になっている。

ファーウェイは以下のように予測する。2025年までに、全世界で1000億の端末が接続されており、その接続のうちの90%以上がそれぞれ各種のスマートセンサーからのものになっている。このことはつながりに加わる企業が日増しに増えることを意味する。将来全ての企業はインターネット企業になり、つながりの力を借りて、業務プロセスを短縮し、コストを下げ、効率を上げ、生産業のイノベーションの巨大な潜在能力を発揮し、イノベーション主導の焦点を消費インターネットから産業インターネットに移動させる。このような、巨大な規模の産業インターネット時代が到来しつつあるのだ。

ファーウェイは、全てがつながった世界を共に創造するという夢を率直に表した。ブロードバンドは全てをつなげ、あまねく行き渡る。迅速なイノベーションは境界を突破し、全てを覆い尽くす。究極の体験は人々を漏れなく救い、全ての人に行き渡る。これらの最先端の情報通信技術と理念によって、社会の進歩が絶え間なく進み、業界と手を取りあって、人と人、人と物、物と物の全てがつながる世界を作り上げようと考えている。[11]

国家の知的資本は世界をつなげるための中核的能力だ

知的資本は人的資本、構造資本（組織の持つ、リーダーシップなど目に見えないものを指す資本）、関係資本の総和であり、ソフト／ハードのパワーを考慮に入れた、現在および長期的な価値である。知的資本はソフトパワー、スマートパワーに影響し、知的資本の差が大きいほど、優位性のある側はより強くなり、競争の形勢はより固定的になる。経済的実力はもとより重要だが、知的資本と文化・思想の支えがないと、国は「大きいが弱い」という状態になる。国家の知的資本は世界をつなげるための中核的能力であり、国家の競争力の最良の表出である。

以前は、「人性（人間らしさ。感情のみならず、人間工学的な視点をも含む概念）」と個人の価値創造があまり尊重されておらず、教育環境と施策、個人の成長環境と成功メカニズムの整備が大幅に劣っていた。また、文化的発育と経済成長のバランスも極めて悪かった。改革開放以来、わが国の国力は明らかに向上したが、上記の点でわれわれの成長は不十分であった。そのため、人的資源全体のレベルがわれわれと釣り合わなくなったのだ。

構造資本はこの国の無形資産の総和である。構造資本は文化、制度、プロセス、慣例、メカニズム、ルール、基準などを含んでいる。また、リソースの組み合わせ方や、蓄積した各種の協力関係、融合の能力、情報化という基盤をも含む。それに加え、この国の全ての知的財産権もその中に含まれる。インターネットプラス時代において、境界を越えた融合と、全てをつなげることは、構造資本を拡大する強力な方法である。エコシステム化は、現在の構造資本の重要な要素である。具体的には、イノベーションのエコシステム、起業のエコシステム、新しい業態に対する許容性、試行錯誤への寛容さ、各要素の向上・協力・マッチング、資本市場の接続などがこれにあたる。わが国では、オープンなイノベーションシステム、寛容な価値観、イノベーション文化、整備された法環境などが未成熟なことに加えて、腐敗や過度の利益追求、利益集団などがリソースの配備と価値の分配をねじ曲げたことなどにより、構造資本の価値は良好な蓄積と開放が行えていない。

関係資本から、歴史的要素、地縁、政治の要素、東部と西部の対立の要素などを取り除くと、過去のわれわれの国家関係資本における功績と努力のバランスはとれていない。しかし、一帯一路、アジアインフラ投資銀行（ＡＩＩＢ）、中韓および中国マカオ自由貿易区などは全て創造的な施策だ。インターネットプラスという大きな背景のもと、つながりを作り、相互交流を強化し、時代の脈動を理解し、リズムを整え、信用を確立すれば、国家の関係資本は飛躍的に伸びる可能性がある。

インターネットプラスは新しいスタートラインだ。そこに立つ現在は新スキームの構築、新文明の再生の変革期であり、他を追い抜くか、隅に追いやられるかの重要な時期である。これは決して大げさではない。ＡＩＩＢの協力システムは、深く解析しアピールする価値がある。これは教科書のような理想例だ。その背後にあるものの中心は何だろう。それは実は構造資本と関係資本の結合だ。今は東洋の価値の再生、伝播の新しい新時代のはじまりであり、工業化思想の呪縛から解放され、国を治める新しいスキームを作り始める時期である。さらには、西洋のイノベーションシステムやエコシステム構築の経験、知的資本と知的財産権運営の知恵を借りて学ぶ時期である。それゆえ、適切な時期に国家の知的資本を確立する計画を強く提言する。

インターネットプラスとはイノベーションにより成長を導くものである。そして、その中核は国家の知的資本をあるべき地位に押し上げ、適切に、構造設計・システム調整・イノベーションと融合・成果の確立に力を注ぎ、訓練を積み、真にソフトパワーを生み出し、国家の競争力を継続的に向上させるよいスパイラルに乗せ、適切に競争し、位置エネルギーをコントロールすることにある。

グローバルな影響力と制御力を作り上げる

インターネットプラスの目標は全てをつなげることだ。オープンであることはエコシステムの基礎である。われわれは影響力と制御力を持つために、われわれの「つながり力」を作り上げなければならない。決まった位置で状況を観察し、さらに重要な「つなぎ目」を押さえる必要がある。相手の「人間としての本質」を細かく観察し、パートナーが経験することの質を上げ、各自の信用を高める。そうして、つなぎ目のトラフィックや質を上げ、しっかりとゲームルールを決める際の発言権をにぎるのがいい。ＡＩＩＢはその好例だ。

このほかに、インターネットプラスの越境性・包摂性・融合性・人間に対する尊重・イノベーションの継続・臨機応変な調整は、完全にわれわれと世界の対話における新しいテーマ・新しい価値・新しいコネクター・新しいカルチャーパワーになれる。

インターネットプラスという新時代には期待するに足る理由がある。この時代は中国のものであり、あなたと私のもののなのだ。

インターネットプラス——コンセンサスを融合させ、協力して行動する

国が2014年に発表した「中国インターネット状況」白書では次のように述べている。「インターネットは人類の智慧の結晶だ。20世紀の重大な科学技術の発明であり、現在の先端的な生産力の重要な指標である」。習主席は2014年2月27日、中央網絡安全和信息化領導小組（中央ネットワーク安全・情報化指導チーム）の第一回会議において、中国をインターネット大国から、インターネット強国へと変え、インターネットの発展の成果を全国の人民にもたらし、全人類とシェアしようと語っている。インターネットプラスとその行動計画をアジェンダに上げたことは、正に前向きなスキームの具体化であり、操作を可能にする措置である。

インターネットプラスとは行動であり融合である

政府は、国民経済の成長の加速、科学技術の進歩の推進、社会サービス情報化の加速、人々の生活の質および国家競争力向上に対して、インターネットが代替不可能な効果を発揮することを充分認識している。そして、既存のルートを踏襲していては、生産力向上の成果を得るのがかなり難しくなっていることも分かっている。そのため、インターネットプラスは国家の意志、全国民の意志であるべきであり、どちらか一方だけの意志であってはいけない。インターネットプラ

ス行動計画は協力して皆が一致して実行するべきだが、さまざまな地域、機関、主体が実情に基づいてそれぞれに合わせたアレンジを行うべきでもある。

中央から地方、組織から個人にいたるまで、上下皆が心を合わせなければ、方向がずれてしまい、力を合わせることができない。コンセンサスをもって、全面的にインターネットプラスとインターネットプラス行動計画を見ることが必要だ。

「インターネットプラス」の意義を五つのポイントからまとめよう。

①全てを力バーする社会的創造性の実験である

なぜインターネットプラスを実験と呼ぶのか。それは、オープンで、イノベーションに端を発するからであり、また、知恵を集め、協力し融合することが必要だからだ。また、インターネットプラスは既存業界を改造し、人々の生活に影響を与え、社会を治めるシステムを進化させ、エコシステム改善を促進するからだ。これらには決まった形はなく、たどるべき既存の道筋はない。

②ライフスタイルの根本的な変革である

「インターネット時代には、人類の生活、生産活動、生産力の向上の全てが進化を促進される」（習主席）。インターネット時代は、われわれの学び、娯楽、人との交際、衣食住、移動の全てに大きな影響がある。これからは、スマート時代であり、スマート生活が最も主流のライフスタイルになる。

③関係モデルの再構築である
インターネットでは、民主、オープン、参加、エコシステム、融合、つながり、非中央集権化が重視される。このことは、多元的な関係モデルに対し、持続的に大きな影響を与える。

④新エコシステムの再構築である
ここで言う新エコシステムとは、社会の新エコシステム、イノベーションと起業の新エコシステムを指す。新エコシステムは構造資本の一部であり、一定程度において、新常態も新エコシステムと言える。インターネットプラスによって、新エコシステムを育み、改良すれば、さまざまな要素を揃えてマッチングするよう促すこともでき、越境型の融合をも促し、イノベーションと起業のエコシステム化を自由に促進することができる。

⑤新しい生産要素の発見であり、生産力エネルギーを触発する集団的実践である
つながり、信頼、知的資本は日々、新しい生産要素として見られるようになりつつある。またイノベーションと起業のエコシステムの構築と改良、O2O、業界を跨いだ深い融合により、個人のイノベーションの能動性を引き出し、効果的に生産力に対する制約を解消することができる。

インターネットプラスはイノベーション主導を守る

中国共産党第十八回全国代表大会（2012年）で、イノベーション主導の成長戦略を実施する重大な戦略決定がなされた。テクノロジー改革を社会の生産力および国の総合力を高める戦略の支えと位置づけし、国家の成長全体の中核的位置に置いた。第一回世界インターネット大会への祝辞で、習主席は、「インターネットは日々、イノベーション主導の成長の牽引力になりつつある」と述べた。インターネットプラスはこの種の牽引力の助けを借り、またその牽引力を盛り立て、個人のイノベーションや起業および研究と企業が結びついたイノベーションと産業化を推進する。イノベーション主導ということとイコール新常態とするならば、インターネットプラスはその秘密兵器だ。イノベーションとモデルチェンジを促進し、イノベーション主導による成長の新モデルの構築を後押しすることができる。

リソース、顧客、イノベーションは何によって動かされるのか。その道筋によって、結果は、全く異なり、その差は極めて大きい。改革開放以来、われわれは誇るべき成果を出してきた。しかし、成長の質は高くなく、イノベーションに続く力は十分ではなく、持続性は低い。動力となる要素の選択肢を、GDPによる推進、利益集団による巻き込み、失速リスクによる制約などの、既存モデルにとどめておくことはできなくなった。少しずつ新しいモデルを作る必要があるのだ。

イノベーションの流れ・規律・教育、およびエコシステムの研究を強化するために、国家や競争力を変革するための比較研究を強化する必要がある。2008年の金融恐慌の時期、広東省は

「騰籠換鳥（鳥かごを空にして鳥を入れ替える。具体的には労働集約型産業を珠江デルタ地域以外の場所に移し、産業構造を変革すること）」という政策を提唱し、十数の産業の進化と技術の今後の方向を集中的に研究した。同様の公共サービスも強化が待たれている。

われわれは、先頭に立ち、イノベーション主導の成長を提唱するが、旧モデルを急に変えることも難しい。実際に成長のルートをすぐに軌道に乗せることはできないだろう。われわれは経済大国になったが、イノベーションレベルはまだ経済力と釣り合いがとれていない。イノベーションへの投入は少なく、イノベーションの効果は目立ったものではない。われわれはイノベーションに対峙し、将来に向き合う謙虚さが必要であり、イノベーション大国に学ぶべきである。

2014年11月、シンガポールは、「スマート国家構想」を提唱し、「国民が幸福で有意義な生活を送り、技術を通じてシームレスにつながりあう」ことを期待すると表明した。彼らは全世界の若い起業家を集めて、全体の創造力のレベルアップを図った。また、これらの施策全てはデータ連結、データ収集、データ理解に関係している。

イノベーションに関して尊敬に値するもう一つの国はイスラエルで、この国は「イノベーションの国」と呼ばれている。同国の面積は珠江デルタの3分の1しかなく、人口は北京の3分の1に満たない。この資源の乏しい戦乱の地で、ナスダックに上場している新興企業総数は欧州の総計をこえ、日本、韓国、中国、インド4カ国の総計さえも超えている。イスラエルのイノベーターは毎年500以上のベンチャー企業を作っており、イノベーション密度は米国さえも超えている。なぜイスラエルのイノベーションはこんなにも勢いがあるのか。イスラエルでは、全ての起業が人を巻き込んで行われ、多くが技術主導だ。そのアクセラレーターとインキュベーターはハイテクに関連して一つの産業のまとまりになっており、企業クラスタも非常に有効な協力効果をもたらしている。

米国は先の金融恐慌の発信源であり、欧州よりも復興が早かったが、それは根拠のない幸運によるものではない。その最大の要因は骨の髄からのイノベーションの遺伝子およびイノベーションの産業化を推進するエコシステムにあった。例を挙げると、米国で1980年に制定された「バイドール法」（連邦政府の資金による発明でも、その成果に対し大学や研究者が特許権を取得できる）は、合理的な制度の整備により、政府、研究機関、産業界の協力を通じて、政府の資金援助による研究開発の成果の商業利用に、制度による効果的な奨励を行い、技術革新の成果を産業化するための歩みを早め、米国がグローバル競争において技術的優位性を維持し続けることができ、経済的繁栄を促進できるようにした。

インターネットプラスが改革の深化を迫る

インターネットと情報技術の急速な発展に伴い、インターネット経済が世界経済の成長のための新エンジンとなり、人類の生産、生活、消費のスタイルにおける未曾有の大革命を引き起こす。これは、中国が今後の成長の「制空権」を押さえるための戦略的選択である。インターネットプラスは改革に対しての強制力となり、改革の更なる深化を促進するに違いない。

以下に改革の深化における注意点を挙げる。

①権限の委譲において揺らいではならない
以下に挙げた項目において、コンセンサスを形成する必要がある。審査・認可制度や許可制度に対する改革、各種の管理監督に関する改革、産業政策と規制、縦割り・横割りに分割された境界の打破、国有企業改革の推進、市場に配置されたリソースの決定的作用の発揮など。

②イノベーション主導の成長において揺らいではならない
これは重要な問題で、後戻りはできない。リソース主導からイノベーション主導へ変わると、多くの場所で、新しい条件に適応できないという状況が生じる。過去には単純に成長の速度を重視し、成長の質やGDPによる審査に目を向けていなかった。そのような態度は改め、cGDP（cとはイノベーションを差し、中国語でchuangxin（創新）。イノベーションがもたらす成長を考えること）による評価、iGDP（internet GDP）による評価と競争力による評価に変えるべきだ。

iGDPはインターネット経済の経済成長に対する作用を考察して算出される。マッキンゼー・グローバル・インスティテュートがiGDPという指標を提唱しており、iGDPとはインターネットがGDPに占める比率を指す。同機関が発表した「中国のデジタル化へのモデルチェンジ――インターネットが生産力および成長に与えた影響」というリポートによると、

2010年の時点では中国のインターネット経済はGDPのたった3・3%を占めるに過ぎず、大多数の先進国より後れていた。しかし、2013年には、中国のiGDPは4・4%にまで上がっており、全世界の先進国のレベルに達していた。全世界の10大インターネット企業のうち、中国発のインターネット企業は4社である。マッキンゼーは中国のiGDPの計算に対して大変興味深い説明を付している。「大部分の国では、再販市場の取引におけるC2C（消費者間取引）のオンライン小売りモデルは主に個人が行っており、その比率は低い。しかし、中国では、主に未登録の零細企業がC2Cを行っている。C2Cが計算に入っていれば、中国のiGDPは7%に上昇し、G7のどの国よりも上になるだろう。中国のインターネット企業の台頭およびその世界的な影響力は人々を震撼させる。その中のリーダー企業のオリジナル技術の応用とビジネスモデルは日々増えている。インターネットは、グローバル経済の再編にとって産業革命と同列で語ることが可能になっている」

グローバル経済の再編においてインターネットに必要とされることを以下に挙げる。

①断固として独占を解消し、障害を取り除き、公平を唱えるということ

イノベーションを奨励する公平な競争環境を作り、業界の独占と市場の分割を阻止することが重要である。重点的に、体制・競争・立場の独占を打破する。国家経済と国民生活に関する特殊な領域を除き、市場の前では人は皆平等で、インターネットプラスの前でも人は皆平等だ。公平で、皆が利益を受ける状態を実現する。社会における民間組織の育成のために適

切な条件を整え、それらを社会エコシステム一体化の中の重要な構成要素とする。

②断固として国有企業改革を深化させるということ

国有企業は一人っ子ではない。国有企業改革のためには非常な困難を打ち破る必要がある。国有企業はインターネットプラスと「中国製造2025」において、率先垂範し、インターネットプラスの見本にならなければならない。国有企業改革において、インターネットプラスだけではなく、「インターネット+国有企業+他の社会的組織」という形を作らなければならない。また、民間企業と提携し、パートナーと共に走り、海外へと進出し、連携して最前線へ向かうのだ。国有企業の内部の活力が弱く、イノベーションのエネルギーが不足しているのは、一種の持病のようなものだ。内部のイノベーションや協力してのイノベーションに対する障害を取り除き、生産関係を再編し、その中でも市場からのサービス購入に対しては、少しずつイノベーションのエンジンとしての作用を発揮していかなければならない。国有企業の膨大な産業資本の作用の優位性を発揮し、活性化して使いこなせば、「インターネット+産業資本+メイカーズスペース」を通して、イノベーションや起業のエコシステムの進化を促進し、プラスの社会的価値をアウトプットできる。

③断固として社会を治めるシステムを変革し、思想や知恵を育成すること

思想市場を育成することは、将来につながる最良の選択であり、公共サービスや社会管理を

革新する唯一の道でもある。習主席は「われわれは国を治めるのに、必ず各方面の知恵を集め、広汎な力を凝縮することに長けていなければならない」と強調している。党の第十八期中央委員会第三回全体会議で採択された「改革の全面的深化における若干の重要な問題に関する中共中央の決定」では、中国の特色を強めた新型シンクタンクの建設と健全な方策諮問制度の確立を明言している。これは中国共産党の中央文書における初めての「シンクタンク」という概念への言及だ。２０１４年10月27日、中央全面深化改革リーダーチームの第六回会議において「中国の特色ある新型シンクタンクの建設に関する意見」が審議され、その中で、比較的影響が大きく、国際影響力を持つハイレベルのシンクタンクの設置に言及され、専門的なシンクタンクの設置が重要視された。中国の国際競争力の向上において、経済の総量はその一面に過ぎず、科学と思想は、より強い浸透力を備えた持続的要素となる。それゆえ、インターネットプラスは思想市場の醸成、規範化に深い影響を与える。また、インターネットプラスはサービスの概念や統治構造に対する変革である。インターネットプラスを推進するには、上から下へ、下から上への結合が必要であり、共同で出す知恵が必要である。

清華大学国情研究院の胡鞍鋼院長は以下のように主張する。「われわれは中国らしい新型シンクタンクの創設を加速し、広汎にグローバルなシンクタンクの競争に参加しなければならない。世界の舞台で、さらに鮮明に中国思想を展開し、高らかに中国の主張をし、タイムリーに中国の声を上げる。全面的に小康社会を作り、中華民族の『中国の夢』復興を実現する過程で、より独創性と重要性を備え、より上質な知識の貢献と思想の貢献をしなければばならない」

インターネットプラスは集団的知性を作る

習主席は何度も「全ての人が有用な人物になることができ、全ての人がその才能を存分に発揮する生き生きした局面を切り開く」と強調している。また、李首相は「達人は民間にいる。繭を破れば蚕が出てくる」と指摘した。これは、党と国家の最高指導者が表明した共通認識だ。人的資本には力があり、人の創造性を解放することは生産力を解放することなのだ。

人間の本質を尊重し、創造力を触発し、生産力を解放する

人力の資本化、労働のイノベーションの尊重、知財権の価値の重視を行ってこそ、イノベーション主導の成長を支えられ、また、教育と社会の問題解決、運営管理をすることができる。また、人間というものを尊重してこそ、インターネットプラスの威力を発揮することができる。インターネットプラスは、新しいシステム、新しい流動的な取り決め、新しい議事規則のように、スマートな主体が人的資本を拡大し、インタラクティブ、越境、協力を奨励することで、スマート化された体験を提供する。そのことにより、権力が従来の消費者に譲渡され、顧客が、創造・生産と販売の融合・コミュニティーの社会グループ化・創造された価値のシェア・責任による制約に参加し、その普及を拡大する。

インターネットプラスは、イノベーションにおける「中国の夢」の中で、人間らしさをより輝

かせる。インターネットの最も本質的なカルチャーは人間らしさを大事にすることだ。人的資本の価値の発見から、国の知的資本の構築まで、AIの利用によるスマート市民生活を推進し、一人ひとりの成長を「中国の夢」の最重要構成要素とする（メイカーズスペースなど）。全ての人がそれぞれの専門知識、経験、知恵、リソースと人間関係を持っており、独自の思考様式と行動モデルを持っている。その能動性と創造力は充分に活かされておらず、大量の個人のアイデア、イノベーション、創造のスイッチはまだ「半開き」状態に留まっている。それゆえ、もし、縛りを取り除き、価値中心に、万民によるイノベーションが行われれば、生産力を解放することによる効果の実現に充分に近付く。左曄・全国政治協商会議委員は次のように言う。「まだ成長期にある中国のメイカーズは中国のイノベーションに三つのものをもたらしてくれるだろう。それは、無限の潜在力のあるプロダクツ、イノベーションに尽力する精神、オープンでシェアする態度である」

シュンペーターは最初にイノベーションという概念を経済学に引き入れた経済学者だ。彼の名作『経済発展の理論』（邦訳：岩波書店）では、経済成長の根本的動力と原因は、企業家が内部から経済構造を改革する「イノベーション」から来る、と指摘している。シュンペーターの最初のイノベーションの定義は「要素の新しい組み合わせであり、知識、技術、企業の組織・制度、ビジネスモデルなどの無形の要素を利用して、元から持っている資本、労働力、物質的資源などの有形の要素と改めて組み合わせて、革新的な知識と技術により、物質的資本を改造し、物質的資本の生産性を上げ、物質的資源の節約と世代交代を行うこと」というものだ。当然、シュンペーターはさらに企業家精神を持っている人の価値の重要性を強調した。シュンペーターがインターネットプラス時代にいたなら、彼は大衆の力や群衆の能力を軽視しなかったに違いない。

個人を光らせ、大衆や群衆を輝かせる

群体知能という概念は、自然界の昆虫の集団の観察から生まれた。群棲する生物が協力によって表現するマクロな知能行為を指す。現実の生活の中で、人類のある概念あるいは世界に対する認知において、集団は、一定期間の反復的コミュニケーション、集合、修正、進化を経て、安定に向かう共通認識を形成する。派生して言うと、自然界の生物集団の行為をまねることで人工知能を作る助けになり、また群体知能は、コンピューターの優位性と人の優位性を有機的に結合したものである。オープンソースのソフトウェア、オープンプラットフォーム、ウィキペディアなどは皆この種のプロセスの再現である。また、集団的知性と群知能は違うと言うことを知っておくべきだ。しかし、両者は共に、「大衆の参加者」という要素を重視し、大衆の知恵、大衆の共同作業の価値も重視する。

インターネットプラスは新しい人同士の組み合わせ、相互作用、融合方式を提供した。親しい人とのシェア、社会グループのコミュニケーションは全て群体知能の発生を促す可能性のある要素である。アカデミー会員の李徳毅はかつてネットワークのインタラクションと群体知能の関係について研究しており、「人が基本の、認知ＩｏＴ時代はすでに到来している」と話している。彼はビッグデータの源を三つの分野に分けた。地球、生命、ソーシャルだ。彼は、ネットワーク化されたビッグデータマイニングによって、まず、人々が全て複雑につながっている状況下におい

て、特定の問題のあるコミュニティを見つけた。そして、コミュニティの構成員を研究するため、彼らの関係や彼らのコミュニケーションの態様を研究した。外から見える形態には、評論、感想の表明、保存、購入、評価、賛同と反対、シェア、転載、友達追加、招待などがあった。これらの統計データは全てマイニングの基礎となった。外から見えない形態には、サイトのジャンプ、閲覧、元のページへのリターン、聴取、視聴、おしゃべり、クリック、取り消し、会話の中断、ブラックリストなどがあった。李は、頻繁性、増量性、主体性、広汎性、多様性、持久性からコミュニティの構成員のつながりの強さを研究した。徐志斌[12]の『ソーシャルボーナス2・0』という書籍では、別の角度からコミュニケーションの価値を研究している。

インターネットプラスがメイカーズ経済を生み出す

「人は皆、有用な人物になることができ、その才能を最大限発揮できる」から、「人は皆、イノベーションを起こすことができ、イノベーションは人々を利する」となり、さらには「大衆による起業、万民によるイノベーション」に至るまで、全てに通じるものがある。国家がイノベーション主導の成長を実現するために、着眼点を人々、大衆、万民といった「細胞」においたのは、人間というものを尊重し、WE衆経済（人同士がつながることで成立する経済活動）、メイカーズ経済を開拓しようとしたからだ。

「クラウドソーシング」はまだなじみが薄い言葉だ。インターネット、エコシステム化は企業のハードルを下げるのを助けると同時に、さまざまな協業、協力の可能性を提供した。また、さらに運営のコストも下げた。自らが最も得意とし、競争優位性に最も影響を与えることを行い、パートナーと提携できる事柄は、アウトソーシングする。これは起業する際に必要であり、重要なことだ。アウトソーシングという考え方は、政府、インキュベーター、メイカーズスペース等にとって、大変参考になるものだ。たとえば、メイカーズスペースでは全てのサービスリソースやサービス能力を備えることができないので、当然外部の第三者と協力することになる。

クラウドファンディングは米国に端を発する。株のクラウドファンディング、債権のクラウドファンディング、製品のクラウドファンディング、公益のクラウドファンディングなどがある。現在、このうち後半数種は中国国内でもすでに試されている。株のクラウドファンディングはひっそりと試している機関があるが、まだ見込みは付いていない。株のクラウドファンディングに関する管理監督部署の意見はすぐ発表されるだろうし、イノベーションと起業は多元的な資金調達を行う段階を迎えるだろう。

メイカーズスペースはネットワークの発展に適応し、大衆による起業、万民によるイノベーションの推進という流れを受けて、一人ひとりに向けた起業サービスプラットフォームを構築する。そのことは、何億という群衆の創造への活力を刺激し、大学生を含む各種の青年を育成するイノベーティブな人材とグループに対し、就業機会の拡大をもたらす。また、企業サービスプラットフォームを作ることには、重要な意義がある。メイカーズスペースは一つのコネクターであり、イノベーションと起業のエコシステムの中の重要なピースである。また、イノベーションの価値をビジネス的価値へと転化したり、拡大する存在でもある。メイカーズスペースはクラウドファンディングやクラウドソーシングなどの思想を融合して、エコシステム性と融合性も備えている。

李徳毅院士は、さらに一歩進んで「クラウドコンピューティングが生み出すクラウドソーシングという考えは、すでに多くの人々に受入れられている。映画業界であれ、最もよく使われている『捜狗』（中国の大手ポータルサイト・検索エンジンの名称）の文字入力法であれ、あるいは、撮影した写真のシェアであれ、Tシャツのデザイン購入であれ、全てクラウドソーシングがどのように生産と購買を完成するかを説明している。そのため、われわれは次のように想像する。インターネットの環境においては、人の認知と大衆の間の相互作用を利用し、コンピューターのメモリーとビッグデータマイニングを融合させ、群知能を作り上げることができる。こうすれば、われわれは新しい概念を提示できる。それが『クラウドマイニング』だ。多くの人がマイニングを行い、ビッグデータの価値を掘り起こすのだ」

インターネットプラスという方法を通じて、一人ひとり、あるいは一つひとつの組織をつなぎ合わせて、皆が融合と創造を行えば、われわれが共通して望む未来を迎えることができる。クラウドソーシング、クラウドファンディング、クラウドマイニング、クラウドデザイン、クラウド創造に、相互作用、共有、シェアを加えれば、WE衆経済を生み出すことができる。一つひとつの組織のアイデア、イノベーション、創造の能動性と活力を充分に発揮させ、WE（私たち）にまた何かを足して、何かと結びつけて、何かと融合させる。それはとどめることのできないイノベーションの潮流であり、イノベーション主導の成長の主旋律になる。この分野では中国のみが優位性を持っている。われわれはこの時代を受け入れるべきなのだ。

張暁峰（価値中国会連合会長、「インターネットプラス100人会」発起人、「価値中国智庫叢書」主編）

注

1 国務院「関於積極推進〝互聯網＋〟行動的指導意見（インターネットプラスを積極的に推進する行動に関する指導意見）」国務院［2015］40号

2 馬化騰 2015年3月15日人民代表会議提言「関於以〝互聯網＋〟為駆動、推進我国 経済社会創新発展的建議（インターネットプラスを駆動力とし、わが国の経済社会のイノベーションと発展に関する提言）」

3 阿里研究院「互聯網＋研究報告（インターネットプラス研究報告）」

4 「李彦宏談互聯網与伝統産業結合：化腐朽為神奇（ロビン・リー、インターネットと既存産業の融合を語る。無から有へ）」中国新聞網 2015年3月11日

5 「譲雷軍告訴妳：〝互聯網＋〟加的是什麼？（雷軍に語らせろ。インターネットプラスで足すのは何か）」湖北網絡広播電視台 2015年3月14日

6 ウィーチャット公式アカウント「騰雲」「雲中智庫専家研討：你眼中的互聯網＋（雲中智庫〔テンセントのシンクタンク部門〕専門家の議論――あなたの見るインターネットプラス）」2015年4月3日

7 注6に同じ。

8 国家信息化工作弁公室・魯煒主任のＩＣＡＮＮ（The Internet Corporation for Assigned Names and Numbers）ロ

ンドン会議開会式の基調講演「共享的網絡共治的空間（インターネット共同ガバナンス空間を共有しよう）」新華網　２０１４年6月23日

9　郭蓮「全球創新指数的背後（グローバルイノベーション指数の背後）」『学習時報』２０１４年3月17日所収。

10　世界知的所有権機関（ＷＩＰＯ）「２０１４年全球創新指数排行榜（２０１４年グローバルイノベーション指数ランキング）」知庫　２０１４年8月13日

11　ファーウェイ「共建全連接世界白皮書（つながった世界建設のための白書）」２０１４年9月16日

12　李徳毅「大数拠挖掘（ビッグデータマイニング）」２０１４年5月第六回中国クラウドコンピューティング大会講演。

第2章 インターネットプラス時代の六大特徴

人類は、インターネット時代という歴史の一段階にすでに足を踏み入れている。それは、全世界的な潮流だ。また、このインターネット時代の到来は、人類の生活、生産活動、生産力の発展に対し、大きな推進力となる。

2012年12月7日　習近平主席、テンセント視察時のコメント

インターネットプラスの神髄を完全に理解しようとするなら、インターネットプラスとは何かを理解するだけでなく、時代という視点から考え、分析する必要がある。また、インターネットプラスという潮流とこの時代の間には、どのような関連があるのかをよく研究し咀嚼しなければならない。なぜ今インターネットプラスという動きが出てきたのか。また、なぜ今インターネットプラスの行動計画を立てるべきなのか。それは、そうしなければ、現在と未来を完全に理解し、しっかりと学び、実践し、戦略を立てることができないからだ。

以下に、六つの面から注目すべき点を上げる。

境界を越えた融合

インターネットプラスの本質を、簡単に表現するならば「境界を越えて融合し、全てをつなぐ」という言葉につきる。

「プラス」が意味するのは、「境界を越える」と言うことであり、変革、開放、融合を表す。勇気を持って境界を越えてこそ、イノベーションの基礎はより確固たるものになる。融合・協力すると、群体知能が生じ、研究開発から産業化までのルートがさらに垂直統合される。融合というのは社会的役割の融合を表す。顧客が消費ではなく投資をしたり、パートナーがイノベーションに参加したりするなど、いろいろなケースが考えられる。融合すれば開放度が上がり、順応性が向上し、排斥、排他などが生じなくなる。インターネットが全ての業種と融合したら、相手が既存産業でもインターネットでも、必ず良い結果になる。イーペイ（易宝支付。2003年設立のフィンテック企業）のケースのように、B2Bモデルは企業の重要なポイントに入り込み、全体的な協力を進め、効果の向上を促進し、クロスマーケティングを実現する。インターネットと全ての業種の融合というのは非常に創造性に富んだ例で、インターネットがビジネスを変える一つの方向性である。テンセントのようにコネクターになると、プラットフォームを開放し、多くの人、もの、サービス、機関をつなげることができる。そうして、つながりによる価値をもたらし、われわれの知的生活のスタイルや世界との対話スタイルに影響を与える。

植物の接ぎ木は往々にして驚くべき変化をもたらす。研究によると、接ぎ木の成否に影響を与える主な要素は台木と接ぎ木との親和性によるもので、その次に必要なのが接ぎ木の技術や接ぎ木を行った後の管理だという。親和性とは、接ぎ木と台木の内部組織の構造、整理および遺伝的な双方の同質性や近似性を指し、その強さを「親和力」という。接ぎ木の成功率は親和力が高ければ上がり、低ければ下がる。このメカニズムと「インターネット＋X（インターネットに何かをプラスすること）」は、どこが似ているのだろうか。「プラス」が要求するのは一方ではなく双方の親和力だ。親和力とはそれぞれの融合度、つながり度、相性、オープン度、エコシステム度だと考えてもよい。

インターネットが他の産業にもたらした衝撃は、必然的かつ不可逆的なものだ。例えば、インターネットがわれわれ一人ひとりに与えた影響は大きくないと言えるだろうか。インターネットと共に過ごしたこの20数年の間に、われわれはどのように、インターネットを認め、受入れ、融和してきただろうか。それぞれの業種や企業において最も能動的で創造的なのは人間だ。われわれがインターネットを恐れたりしなければ、馬化騰の言うように、インターネットは昔の蒸気や電気と同様に工業に貢献するが、工業に取って代わるものではない。融合とは一種の気概であり、力であり、勇気であり、追求だ。融合によりわれわれは適者生存し、エネルギーを制御することができる。産業への衝撃は普遍的なものだが、産業が転覆させられることは少ない。インターネットによる産業の融合は広まるはずだ。

投資家のチャーリー・マンガーは「越境」という考え方の持ち主だ。彼はその考え方をハンマーに喩え、イノベーションが必要な問題を釘に喩える。「ハンマーを持った人には、全ての問題が釘に見える」。ここから「越境（境界を越えること）」という考え方のイノベーションに対する重要性がわかる。

今日、われわれが生きている時代と直面している環境には大きな変化が起こっている。この変化の背後にある、それらを突き動かすものと越境することの相関性は非常に高い。従来の工業の構造化モデルは、インターネットおよびビッグデータ技術の衝撃の下で、現在まさに転覆されつつある。ただし、この旧来モデルの転覆がもたらしたのは産業間の融合と新興産業の出現および台頭である。これらは全て、越境を実現するための土壌である。越境という思想は「ユビキタスな智慧」につながる。イノベーションが行われる場合のみに越境が求められるわけではない。また、境界を越えなければならないときになって初めてその準備をすればいいということでもない。境界を越えるためには、まず、頭の中の境界を越えなければならない。越境とは一種の行動様式であるべきなのだ。

インターネットプラスであれ、業界を跨ぐことであれ、実際に試されるのはシステムの再構築能力であり、その能力は越境する際にカギとなるものだ。多次元化とは本質的に異なり、越境とは、自らの領分を越えたり、業界を拡張したりすることではない。組織体系の境界を越えて再構築することだ。越境に対する本質的な認識は、いわゆる物理的な面にとどまらず、むしろ企業が内外のリソースを統合できるか否か、また同時に、自らの組織の境界と構造体系を打ち破れるか否かにまで及ぶ。この認識によると、越境するためには、企業のシステム再編とシステム再生能力の強靭さが求められる。越境するために越境するならば、それは非常に危険な行為だ。足を踏み入れた領域に詳しくなく、また求められる能力がない場合、対処できないからだ。

越境という行為は、外在するビジネスモデルを転覆させるだけではなく、組織の内部システムも180度逆転させる。もし、思想、戦略において境界を越えても、組織管理の各部でシステムの調整が行われなければ、成功する確率は低い。協調・融合ができている組織でなければ、状況に合わせて適応することができず、そのイノベーションの原動力は阻まれてしまう。それゆえ、組織内部には流動性、柔軟性、協調性が求められる。臨機応変で柔軟な組織を作れば、一致協力して外部に境界を越えさせることができる。

多角的企業グループの「楽視」はスーパーテレビで有名だが、現在はスマートフォン、自動車も製造している。かつてアップルのエコシステムの欠陥を批判していた楽視の責任者・賈躍亭は、2015年までの10年間の楽視の発展はユーザーを基本とし、常に境界を越えたイノベーションを実行してきたことによると考えている。またそのことが楽視のエコシステムの最も中核的な優位性だとも認識している。中国の巨大なインターネット能力と電子業界の製造能力が結び付き、スーパーテレビのような多くの成功した製品を生み出し、そのモデルは、スマホやIoTなど多くの業界で再現可能となっている。

イノベーションによる推進

われわれの生きる時代は、情報経済、データ経済の時代などとも呼ばれる。メイカーズ経済（インターネット、3Dプリントなどの先端技術を利用した小規模な製造業者を「メイカーズ」と呼ぶ）、つながり経済の時代が来たなどと言う人さえいる。このことは時代が変化のさなかにあることを示しており、また、一方ではそれらの要素がこの時点でその重要性とリーダーシップを強く示しつつあることを示している。

2006年、『キー――知的資本と企業戦略の再編（原題『関鍵：智力資本与企業戦略重構』この章の筆者、張暁峰の著書。2006年中国経済出版社発行）』において筆者は、推進力となる重要な要素を三つに分けた。それは、リソース、顧客、イノベーションだ。改革開放前の30年以上の期間、リソースが主な推進力であり、顧客はそれを補うものであり、イノベーションによる推進力はわずかだった。それゆえ、個人から見れば、中期的な中国の経済成長の制約に関する懸念はなかった。生産力はまだ充分解き放たれておらず、再構築するエネルギーも充分に解放されていなかったため、イノベーティブな創造がまだ活発化していなかったからだ。リソースというポイントをしっかりと掴みさえすれば問題はなかった。

中国の大雑把なリソース推進型成長スタイルはもはや継続が難しく、イノベーション推進型成長に路線変更する必要がある。同時に、独占的状況と自らを制約する枠組みを破り、生産力の伸長を制約する要素を排除し、越境し、協力し合い、融合可能な環境を作ろうとした。これがまさしくインターネットの特質であり、いわゆるインターネット思考を用いて変化を求め自己改革を行うことである。そうすることでより一層イノベーションの力を発揮することもできる。

科学技術のイノベーションは国家の発展全体の中でどのように位置づけられるのだろうか。2015年3月、国務院が公布した「関於深化体制規制改革加快実施創新駆動発展戦略的若干意見（体制・メカニズムの改革深化によるイノベーション主導型成長戦略の実施加速に関する若干の意見）」は明確にその問いに答えている。曰く、科学技術のイノベーションを国家の発展全体の中核的位置に置き、科学技術体制と経済社会領域の改革全体を指揮する。また、国が科学技術、管理、ブランド、組織、ビジネスモデルのイノベーションの推進を全面的に主導する。同様に、軍と民間の融合、誘致と海外進出の連携におけるイノベーションを進め、科学技術と制度のイノベーション及びオープンで革命的かつ機能的な統合と発展を実現する、というものだ。

政府から発せられるシグナルと政策はすでに明確だ。国家は現在イノベーション主導の成長へとモデルチェンジする重要な時期に入っている。中国では将来、アイデアとイノベーションと起業と創造が成長を推進するようになる。また、成長は規制という垣根を打ち破ることによって達成される。また、中国の未来は、より多くの人の創造しようとする精神、協力によるイノベーション、境界を越えたイノベーション、融合したイノベーションにかかっている。これは最も見逃せない「新常態」だ。

CCTVがこの件について公表した論評は大変適切である。「成長の動力を、個別の要素による推進からイノベーションによる推進へと変化させれば、資源・人員などの投入や規模の拡張への過度な依存という轍を踏むことはないだろう。各種の個人や機関のイノベーティブな活動に対する積極性を十分に刺激し、企業を主体とし、産学連携したイノベーションのシステムを構築し、科学のイノベーションに市場という肥沃な土地の中で常に成果を積み上げさせれば、中国という大きな船はさらに豊かな動力を持ち、着実に遠くまで進むことができる」

この成長モデルの転換のリスクはある部分においてすでに低減しており、輸出の不振、個別の業種の不調、経済成長の減速などはそれぞれ緩和されている。さまざまな力が旧来型のリソースによる推進モデルに戻そうとするに違いない。また、多くの短期的利益や、お役所の事情に直面したり、立場の強い各種の利益集団の目に見えない抵抗や妨害を受けたりするだろう。

推進する要素そのもののエネルギーがどのような形で現れるか。またそれが、核融合を触発したり、ときには生み出したりすることができるか、ということはより大きな課題だ。その能動性と創造性の間にはどのような関係があるのだろうか。アイデア、イノベーションそのものの価値をどのように評価するのか。いかにして研究開発から製品化・産業化へつながる過程を短くし、よりエコシステム化された調整を行うのか。それらの問いに答えるため、インターネットプラスという政策が選ばれるのは決して偶然ではなかったのだ。

構造の再構築

構造の再構築はすでに始まっている。情報革命、グローバル化、インターネット業は、既存の社会・経済・人間関係・地縁関係・文化の構造を打ち破り、構造の再構築を行うと同時に、権力・人間関係・つながり・規則と対話スタイルといった多くの要素を変化させた。影響の大きいこれらの要素についてこの後全面的に整理する。

インターネットは人間関係の構造を変え、固有の「立場」をなくした。例えばユーザー、パートナー、株主、サービス提供者などの立場が、一定の条件の下で自由に切り替えられるようになったということだ。インターネットは地理的境界を書き換え、既存のルールおよび管理モデルを変化させた（情報伝達のルールは根本的に書き換えられた）。

ビジネスモデルは常に変革され、管理ロジックにも大きな変化が起きた。生産者と消費者の力関係にも大きな変化が見られる。「つながること」と「関係」は企業がより一層強く求める要素になりつつある。例えば、管理監督と制御、トラフィックと遮断といった新時代と旧時代を代表する言葉には、新しい含意と思考スタイルがある。

インターネットは既存の境界を打ち破り、情報の非対称性を低減させた。情報・参加・創造の民主化がすすみ、個別化や負け犬精神などの事象が日々広がっている。インターネットにより社会構造はいつでも不確実性と直面するようになり、社会的グループやシェアといった存在や行為が一般化している。人とのタッチポイントの設定や人を巻き込むやり方のデザインは企業の管理職の必修科目となった。また、注意力やブームを起こすポイントが、ビジネス運営およびブランド普及におけるポイントとなった。

インターネットは組織、雇用、提携というものを再定義し、人々はインターネットID（身元表示番号）をほしがるようになった。現実世界とバーチャル世界は、ときによって分裂したりシームレスになったりする。自分を自分で雇用したり、状況に合わせて自ら組織を作ったり、セルフメディアを立ち上げることが流行した。

インターネットは社会全体のビジネスコストを下げ、運営効率を上げた。例えば、チケット。以前は売り場までわざわざ足を運んで購入していたが、今は1分もかからず、どこからでもモバイル端末で買える。モバイルインターネットは私たちに常にオンラインでいることを促す。モバイル端末は人の「スマート器官」となり、どこでもつながれるようになった。ユーザーの通信・情報・伝播・娯楽・買い物などのニーズを満たすのは、モバイルインターネットに移りつつある。ユーザーを惹きつけて放さないための最高の方法は、彼らを理解した上で、ユーザーに対する感知能力を上げ続けることだ。彼らが喜ぶ方法で彼らとコミュニケーションをとる必要がある。特に80後、90後ひいては00後（80年代、90年代、２０００年代生まれ）は、インターネットとの結合度が高く、「デジタルネイティブ」もおり、独自のライフスタイル、コミュニケーションスタイル、消費習慣がある。ブランドの伝播スタイル、チャネル、シーンがもし彼らの感覚と合わなければ、彼らに受入れられるのは難しい。

インターネットでは選択権がユーザーにゆだねられている。以前は、ユーザーの目の前にあるのは一つの黒い箱だけで、情報は完全に不対称であった。現在、情報は豊富にあり、主体性は人の手に戻され、それぞれの人が別々の体験をすることができる。個別のオーダーメイドはインターネットの力を借りて大々的に広がり、ハイアールが建設したインターネット工場のように、顧客の個人ごとのニーズに合わせて空調設備をオーダーメイドできるものまである。

インターネットはユーザー同士をつなげることもできる。情報をより直接的にシェアできるようにし、より実態に近い評価を下すこともできる。これは過去においてはほぼ想像できないことだった。何かに対する評価を知りたくても、昔は親しい人の意見しか聞くことができなかった。他の人の意見を知りたいと思っても、どうすればいいのか分からず、適切な相手を探すのに高いコストが必要だった。現在は、例えばホテルに泊まりたいときや、あるレストランのどの料理に人気があるかを知りたいとき、気軽にそれらの情報を得ることができる。

インターネットは大衆の知恵を集めることができ、ユーザーは設計やイノベーション、伝播、コンテンツの制作に参加することができる。ユーザーは、物流や料理の評価の管理に実際に参加している。インターネットは一人ひとりを基とした「WE衆経済（人同士がつながることで成立する経済活動）」を生み出した。クラウドソーシング、クラウドファンディング、クラウド製造、クラウドマイニングなどは社会の新構造であり、ビジネスの新形勢であるだけでなく、新しいライフスタイル、経済の新モデルでもある。ウィキペディア、オープンソースなどというものは、インターネットがなければ生まれることはなかったであろう。「クラウド」とは大衆であり、小衆（小さなグループ）、個人でもある。クラウドとは、自分、パートナーでもあり、外部の世界でもある。また、標準でもあり、個性でもある。同時に、集中でもあり、民主でもある。

他の角度から政府の政策にも含まれる「大衆による起業」について見てみよう。ユーザーとパートナーが、あるプロジェクトや商品に参加する深度と密度は往々にしてブランドや口コミと直接関係している。インターネットはあなたのために無数の株主を探しだし、パートナーとあなたは共に起業し、共にブランドを立ち上げ、共にサービスを構築する。インターネットは「クラウド」を流行語にし、長らくその勢いは衰えていない。それぞれの人や機関は自分が希望する部分に参加することができ、自分が望んだシーンに没入し楽しむ。テンセントは「WE」という言葉でこの認識を表現する。将来のゲームではより多くのインタラクションが実現し、小説や映画のように、プレイヤーがそのプロセスに影響を与えることができるようになる。

「人性（人間の本質的性質）」を尊重する

百度百科（ウィキペディアのような、百度のサイト）曰く、「人性」とは人類が持って生まれた基本的な精神の性質である。人類社会の全ては、基本的に「人性」の反映である。『孟子・告子上』に「人性の善不善を分かつこと無きは、なお水の東西を分かつこと無きがごときなり」という記述がある。簡単に言うと、人性とは人の本質的な性質である。具体的には、勝利への渇望、尊敬という感情への重視、人との交際への欲求、新しいものへの好奇心などがそれに当たる。当然、怠惰さや放埒さの追求も「人性」の一部である（日本語で言えば「人間らしさ」が近い）。

人性の輝きは進歩を進める主要な力である

人性の輝きは科学の進歩、経済の成長、社会の進歩、文化の繁栄を推進する根本的な力である。

人性を尊重することはインターネットの最も本質的なカルチャーである。インターネットは温もりのない技術ではなく、その力は、最も根本的には人性に対する最大限の尊重と、ユーザーエクスペリエンス（UX）に対する畏敬の念、人の創造性に対する重視から来るものだ。例えば、UGC（ユーザー作成コンテンツ）、巻き込み型マーケティング、シェアリングエコノミーは、全て人性をよく見通し、人性を尊重した結果である。

人性とは体験であり、畏敬の念であり、動力であり、方向であり、市場であり、ニーズであり、協力である。人性は「つながり」の最小単位であり、最良のルールであり、最後のロジックである。人性はつながりの帰着点であり、融合の起点でもあり、存在理由でもある。小さいものは1回のインタラクションから、大きくは一つのプラットフォームまで、全て人性に基づき考えられ、開発され、設計され、運営され、イノベーションされ、改造されているのだ。

人性は検証の尺度であり、人間関係の中核である。人性を重視し、尊重する機関はサービスの価値を上げられる。ご存じの通り、飲食チェーン店の「海底撈」、「外婆家」にはなぜ毎日あんなにも多くの人が行列を作り、1時間も待たされても平気なのか。従来の業界、過去のサービスがモデルチェンジを語り、レベルアップにこだわるが、最も根本的な出発点は初心を忘れないこと、すなわち、「人性」に基づいたサービスをするということだ。

人力という資本の力を探せ——達人は民間にいて、繭を破れば現れる

李克強首相は2014年度国家科学技術奨励大会の席上で、「国家の繁栄発展の新エネルギー

は、『万衆創新（万民によるイノベーション）』の巨大な力の中にある」と指摘した。現在、中国の進歩は重要な時期にさしかかっている。イノベーション主導の成長の道をしっかりと進み、人々は皆イノベーションを行い、イノベーションは人に恩恵を授けるという状態が望ましい。李首相は、「人民はイノベーションの主体である」と指摘する。より多くのリソースを投入する対象は人であって、物ではない。勇気を持って若者に大役を任せ、栄誉を与えよう。

２０１５年のダボス会議で、李首相は「二つのエンジン」について語った際に、「万衆創新は中国経済の細胞の一つひとつを動かす」と協調し、中国経済の発展の新しいエンジンを作り出そうとした。

２０１５年の両会（全国人民代表大会・全国政治協商会議）終了時の質疑で、国内外の記者から質問をうけた際に、李首相は「私は多くのカフェ、メイカーズスペースへ行き、そこで若者が多くのユニークな考えと思考パターンを持っているのを見ました。彼らが開発した製品は市場のニーズを動かせると言っていいでしょう。正に、達人は民間にいる。繭を破れば蚕が出てくる、です」と答えた。

中国人民政治協商会議全国委員会常務委員（以下、政協常委）、北京大学社会科学部主任の励以寧は、われわれに馴染みのある「数量規模の拡大」と「投資による推進」という手法が新しい状況に適応できなくなっていると考えている。将来は、幅広い人民のイノベーション精神と起業に頼る必要があるという。

イノベーション主導というのは、メカニズムの改革であり、体制の再編でもある。間違いなく、イノベーションのエコシステム、コラボレーションのエコシステム、起業のエコシステム、価値実現のルールを再構築する。また、イノベーションによる推進は人性に基づいた、違うレベルの意味の「開放」でもある。過去の対外開放を主としたものから、内部への開放を主としたものへ転換し、内在的活力と一人ひとりの創造性を刺激する。そうして、全体のオープンエコシステムの構築を推進する。それゆえ、李首相は「大衆創業、万衆創新（大衆による起業、万民によるイノベーション）は実際には一つの改革である」と言うのだ。

個人にとってもそれは同じだ。

その人がどんな組織に属しているかは、その人がどこで、より多くの時間を自ら望んで過ごしているかや「上質な時間」を過ごしているかによって決まる。「自ら望んで」というのは、企業や組織に完全に雇用されているのではないということだ。また、「上質な時間」とはその人が個性を活かしているかどうか、また、活性化された状態で物事を行ったり、イノベーションを実現したり、レベルアップを行ったりしているかどうかによっても決まる。これは人的資源の実質に関わるものだ。実はこれは今後の企業の管理が直面する最大の課題でもある。

エコシステムの開放

イノベーション、アイデア、イノベーション主導を通じ、同時に境界を越えて融合し、提携しようとすれば、エコシステムを改良しなければならない。企業、業界内部のエコシステムを改善し、外部のエコシステムとも結合し、エコシステムの融合性を保たなければならない。さらに重要なのは、技術と金融が結合したエコシステムや、産業と研究開発がつながったエコシステムなどのイノベーションのエコシステムだ。

いいエコシステムは創造性を刺激し、創造力を伸ばし、アイデアをはらみ、変化を促進し、社会的価値の革新をもたらす。逆に悪い環境、成長を阻む規制、欠陥あるエコシステムは成長する前にイノベーションを握りつぶしてしまう。

「開放度」が業界と企業の命運を決める

未来のビジネスはボーダレスな世界だ。この重要な前提のもと、企業の越境能力の重要な要素を評価してみよう。重要な要素とは、オープン度やエコシステムとしての完成度を指す。もし世界を変えるようなイノベーションを閉じたシステムの中で進行させようとするならば、そのイノベーションの実現は難しいだろう。オープンな精神をもって、自らの境界を越えるような戦略を深く考察することができなければ、新しいビジネスモデルを考えたりデザインしたりすることはできない。

オープンにしなければ融合はできない。これは「越境」という思想の中核のうちの一つだ。オープンなエコシステムの中で、境界を越えてこそ、外にある他の要素との共通点を見つけることができるからだ。当然、この事実を基礎として、越境して協力し合うためのルールを探すこともできる。将来は、企業の内部のエコシステムを拡大し、越境するようになる。外部のエコシステムと協力・融合し、インタラクション、越境を行ってこそイノベーションが推進できるのだ。

アイデア、イノベーション、起業、エコシステムの重視

アイデア、イノベーションが条件や環境による制約を受ければ、イノベーションのための努力は悲劇に終わる。アイデアとイノベーションはエコシステムの中の一要素であり、エコシステムには種だけでなく、土壌、空気、水分が必要だ。国家が積極的に「大衆による起業、万民によるイノベーション」を奨励するのは、多くのイノベーション型零細企業が育まれ、その中から将来の経済成長を牽引できる中核企業が出現し、新しい産業の業態と経済の成長点を創出するようにするためだ。そして、その目的達成のための最重要要件は、アイデア、イノベーション、起業のエコシステムだ。エコシステムの構築は、周到に設計される必要があり、また、それぞれの要素がつながり、能動的であることが求められる。エコシステムの内外で、有機的な情報交換が行われる必要があり、自らが閉じた構造を作ってはいけない。各要素間で、インタラクション、シェア、融合、協力がいつでも自在に発生し、同時に独立性と個性および互いへの尊重を保持していなければならない。

深圳はかつて「山寨（コピー商品）の都」と呼ばれていたが、現在では、「メイカーズの城」となっている。彼らの更なる野心は、グローバルな「メイカーズドリーム・ファクトリー」となることだ。「フォーブス」中文サイトは米国のハードウェア企業グループのSPARK創始者ザッカリー・カルギー博士の話を以下のように引用した。「もし、あなたがエンジニアで、5日あるい

は2週間のうちに創作のアイデアを実現したいと考えたら、どこがいいと思う？　深圳だ！　深圳に行けば、あなたは1キロ以内の範囲でそのアイデアを実現するために必要な全ての材料を見つけることができ、一週間あれば、『商品の原型―商品―小ロット生産』の過程全てを完成してしまうことができる」

現在、イノベーション、起業というものは根本的に変化している。政府主導から市場主導へ。一部の人主体から、大衆主体へ。イノベーション能力を内部で組織するスタイルからオープンな協力イノベーションへ。供給主導から需要主導へ。このような新しい特徴が数多くある。イノベーションファクトリー、起業カフェ、メイカーズスペースに代表される新しいインキュベーターが雨後の筍のごとく生まれている。これらのイノベーション型インキュベーターは、政策の集約とコラボレーション効果の連結、イノベーションと起業の連結、オンラインとオフラインの連結、インキュベーションと投資の連結などのメリットを発揮して、多くのイノベーティブな起業家のために、低コストで利便性の高いオープンかつ全面的なメイカーズスペースの初歩的形態を構築している。

前出の「体制・メカニズムの改革深化によるイノベーション主導型成長戦略の実施加速に関する若干の意見」では、障害を排除し、イノベーションを奨励する公平な競争環境の運営に充分配慮している。業界の独占および市場の分割の打破を重要ポイントと定め、新技術、新製品、新ビジネスモデルの発展を制限する不合理な障害を排除しようとしている。「科学技術部たいまつセンター」の楊躍承主任は以下のように強調する。「現在、中国は、インターネットに象徴される新経済時代と、大衆化に象徴される起業黄金時代を迎えている。党中央、国務院は大国によるイノベーションの道筋の選択および経済成長の新常態における各要素の変化について明確な指示を出している」

インターネットプラスに関して、エコシステムは非常に重要な要素である。また、エコシステム自体はオープンなものである。われわれはインターネットプラスを推進するが、その中の重要な一つの方向に、これまでイノベーションを制限していた、分割主義（全体を細かく分割する方式）からの脱却がある。孤島型イノベーションをつなぎ合わせ、研究開発が「人性」にもとづき決めた市場を推進主体とし、起業して努力をした者が価値を実現する機会を得られるようにする。

イノベーションの阻害要素を取り除くことは進むべき方向の一つである。それに対するもう一つの重要な方向は、人を中心とし、市場を基礎として、イノベーションと産業、技術と資本、知的財産と価値などを、中国をイノベーションするという要求と合致させることだ。同時に、発展、社会価値のイノベーションという要求とも合致させる。また、イノベーションと起業、オンラインとオフライン、インキュベーションと投資をつなげなければならない。科学技術部（科学技術関連事業を管轄する、国務院に属する行政部門）はメイカーズスペースの指導性を推進する文書を公布し、「創業中国行動綱要」（創業とは起業のこと）を制定し、起業やイノベーションのモデルプログラムを始動する。

イノベーション文化は、イノベーション、アイデア、起業エコシステムの最も重要な構成要素だ。李首相は2014年度国家科学技術奨励大会で以下のことを強調した。「模索を奨励し、失敗に寛容で個性と創造を尊重する環境を運営するために、イノベーションを一種の価値の方向性、ライフスタイル、時代の息吹とし、濃厚なイノベーション文化の気運を醸成しなければならない」

実際、「ダブルエンジン」はここで不思議な交流を行いうる。北京市科学技術委員会の閻傲霜主任曰く、メイカーズスペースの建設の目的は、大衆によるイノベーションと起業に奉仕することである。そのため、各方面の力を調整し、市場に配置されたリソースの機能を十分に発揮させ、政府は重点的に公共財および公共サービスを提供し、メイカーズスペースの発展に適した政策環境を作り、発展のための力を形成するとのことだ。

インターネットプラス行動計画の核心はエコシステム計画である。教育エコシステム、イノベーションエコシステム、コラボレーションエコシステム、バーチャル空間エコシステム、リソースの配分および価値実現メカニズム、価値分配ルール等を再編する必要がある。最も構築が急がれるエコシステムのあり様を以下に挙げるが、求められているのはそれらのみではない。

・創造的触発が内在する教育エコシステムであること。専門教育および職業教育を同等に重視すること。中学・高校までの教育と大学教育の間、および大学教育と応用教育の間のギャップを解消すること。
・社会的価値を変革して引き出すアイデアがあり、革新的なエコシステムにより、アイデアとイノベーションと価値創造の間の架け橋をかけること。
・共同イノベーション、融合イノベーション、価値ネットワークの再編を行うエコシステムが、知的財産権、人的資本および努力を、期待される成果と釣り合わせること。

上記のエコシステムは、より深層に及ぶ改革を引き起こすだろう。

全てをつなげる

馬化騰はインターネットプラス政策の提言において、全てをつなげるエコシステムの構築に言及した。このときの定義は非常に人間の本質にかなったものだ。当然、インターネットの将来が、この社会や世界にどのような影響を与えるかを、より一層明確にするものでもある。インターネットプラスを理解するには、インターネットプラスと「つながり」ということの関係を理解しなければならない。境界を越えるためには「つながり」が必要であり、融合するためにも、イノベーションを起こすためにも「つながり」が必要だ。つながりは一種の対話スタイルであり、存在様式でもある。つながりがなければ、インターネットプラスもない。つながりのスタイル、効果、質、システムが、そのつながりの広さ、深さ、持続性を決める。

つながりの要素と段階

つながりには段階性がある。つながれるということは、違いがあるということだ。つながりの価値とは、違いの大きさだ。「全てをつなげる」というのがインターネットプラスの目標である。

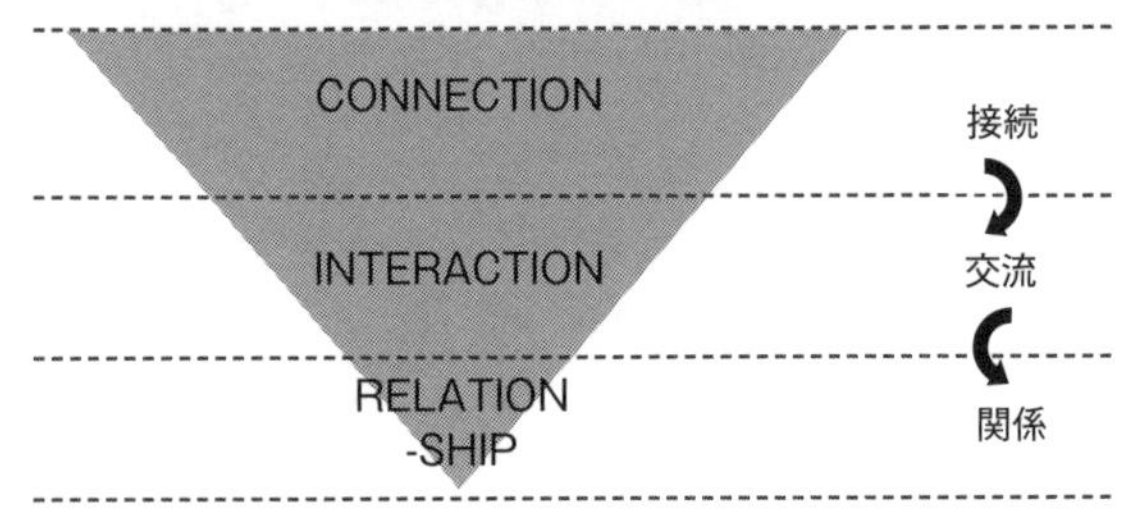

図 2-1 「つながり」三層

つながりのレベルは、次の三つの英単語にまとめることができる。「connection」「interaction」「relationship」だ。この三層のつながりのスタイル、内容、質はそれぞれ異なる。一層目の connection（つながり）は、多くの機関及びサービスにおいて行うことができる。例えば、アプリストア、ある種のゲームやプログラムなどは、短期間に多くのトラフィックを集めることができる。第二層の interaction（インタラクション、相互作用）は鍵となるポイントだ。上部の意思を下に行き渡らせても、相互作用がなければ、トラフィックを分岐させたり、誘導したり、信用し、頼りあう関係を構築することは難しい。研究者の汪小帆は、「社会物理学を一言で表すと『インタラクション』ということになる」と言っている。最終層の「relationship（関係）」はつながることの目的であり、イノベーションの動力であり、ビジネスの中核である。蓄積された信頼関係はつながりの最終的な到着点であり、ビジネスの段階的な目標であり、社会的な価値のイノベーションの基礎である（図 2-1）。

「全てをつなげる」には基本的ないくつかの要素がある。それは、技術（インターネット技術、クラウドコンピューティング、IoT、ビッグデータ技術など）、シーン、関係者（人、モノ、機関、プラットフォーム、業界、システム）、話し合い、インタラクション、信用などである。多くの人にまだ理解されていないが、信用は、最も重要な要素のうちの一つだ。なぜならインターネットは情報の非対称を緩和させ、つなぎ目を変えやすくするからだ。信用のみが、つなぎ目あるいはコネクターを評価する要素である。信用は、「プラス」を成立させ、つながりの他の要素と情報の間の流れの閉塞・停滞を防ぎ、つなぎ目が遮断されたりしないようにする。

インターネットプラスという環境下で生き生きと活動したければ、信頼できる関係を蓄積することが重要になる。責任、エコシステムやオープンであることやシェアする気持ちを忘れた人や機関やプラットフォームは、必然的に信用されなくなる。信用があれば、他の人はあなたを通じて、つながりあったり、あるいはあなた自身とつながりたいと考える。それゆえ、信用を失うということはつながりを失うということだ。企業の存亡、成長速度、発展の持続可能性は、どれだけ信用があるかにかかっている。人も同じだ。そのことにより、インターネットプラスは一種の強制力を作り出し、誠実さ、信用を再構築した。これは「人性」が推進した社会の進歩の最高の証拠品だ。

インターネットプラスを背景とすると、昔は入り口やポータルと呼ばれたものを指すものが、つなぎ目となる。船に喩えるなら乗船チケットを指すのがコネクターとなる。一つの入り口のトラフィックが驚くべき量であっても、それをストックに変えられず、トラフィックを誘導したり分岐したり個人に合わせたマッチングができなければ、その価値も、有限であり持続できないであろう。テンセントの「ウィーチャットをインターネットのコネクターにしなければならない」という考えの中にある野心は、ウィーチャットがインターネットプラス社会において人、物、機関の唯一のＩＤになることだ。また、テンセントの野心の最大の支えは長年積み上げた信頼による関係からきている。

大手通信機器メーカーのファーウェイは毎年「全世界つながり指数」を公表している。これは、「つながり」を中核的な要素として企業や地域の将来的な価値と発展の可能性を評価、分析、判断している数値だ。また、ファーウェイは「つながり」を土地、資本、労働力などの量と同等に見ており、一種の生産要素と考えている。

一部の企業はすでにインターネットプラスを実践している。例えばウィーチャット自体が大変よいコネクターになっており、また、馬化騰はテンセント全体をインターネットのコネクターと位置づけている。これは言葉だけではない。２０１５年の両会期間だけでも、テンセントが「オープン」のために費やす力は大変大きい。ウィーチャットのハードウェア開発板の開放を申請しただけでなく、商用プラットフォームのウィーチャットペイを開放し、ウィーチャットのセルフ申請も公表した。ウィーチャットはコネクターとしての機能を日々強め、開放度は日々上がっている。モーメンツ（フェイスブックのタイムラインのような機能）のルールに関しては、ユーザー体験と私的所有権に対する尊重と保護を強めている。

北京インターネット金融センターは既存のホテルをリノベーションしたもので、現在の入居率は90％を超えている。アントフィナンシャルなどの多くのインターネット金融の機関が入居しており、北京市海淀区政府は入居企業に家賃の優遇（1年目から3年目まで、各年50％、50％、30％減免）を行い、その他の援助も行っている。センターと行政は共同で5億元の基金を設立し、四大投資機関とともに入居企業に総合的なサービスを提供している。なぜならば、全ての入居者がインターネット金融と関係があり、機関の壁を越えた交流と協力関係がいつでも発生するからだ。

張暁峰（価値中国会連合会長、「インターネットプラス１００人会」発起人、「価値中国智庫叢書」主編）

第3章 いい風に乗れ——どの「風」に乗るか

最近、インターネットでは「風口（風の吹くところ＝急成長が望める場所）」という言葉が流行っているが、思うに、インターネットプラスの風の吹くところに立ち、勢いに乗れば、中国経済を飛び立たせることができるだろう。

李克強

「順勢而為」という四字熟語は、普通に考えれば、「成功するにはいい流れに乗り、流れに逆らってはいけない」という意味だ。「世界の流れは雄大で、これに乗ればよし。これに逆らえば滅びる」という孫文先生のことばがこの熟語の意味をよく表している。「勢」とは、大勢、趨勢、潮流、エネルギーを表しており、その力を借り、物事の趨勢を理解するのが必要だということだ。

では、インターネットプラス時代に、観察し、それに順応し、その力を借りるべき「勢」はどこにあるのか。また、どうやってそれを見分ければいいのだろうか。

情報とネットワーク技術の「潮流」

情報通信技術

21世紀初頭のG8「グローバルな情報社会に関する沖縄憲章」ではこう言っている。「情報通信技術は、21世紀を形作る最強の力の一つである。その革命的な影響は、人々の生き方、学び方、働き方及び政府の市民社会とのかかわり方に及ぶ」（外務省HP参照）

国際社会では、皆IT技術に対する国家戦略および技術進歩の戦略を決めている。米国、EU、日本、韓国、インドなどは皆明確なタイムスケジュールを組み、社会全体の隅々にまでそれを浸透させている。彼らはITを、危機から脱し新しい成長ポイントを開発するための手段と考えているのだ。

スマート端末の普及およびモバイルアプリの進歩は、モバイルインターネットの爆発的な成長を促した。統計によると、無線の業務用トラフィックは毎年100％に近い速度で増えており、そのことは、今後10年で無線データのトラフィックは1000倍増加することを意味している。将来、5Gが生活や仕事のさまざまな方面をサポートするだろう。モバイル決済、モバイルオフィス、スマートハウス、位置情報サービス、遠隔医療などは、同時に電気、交通、医療、住居関連などの既存産業と深く融合していくにちがいない。

クラウドコンピューティング

クラウドコンピューティングの長所は、水道や電気などのサービスを利用するようにインターネットのリソースを購入できることだ。使う分だけ買うことができ、自分でそのための設備を敷設、所有する必要がない。

これは１９８０年代の大型コンピューターから「利用者端末―サーバー」の組み合わせという一大変化のあとの大変革である。ユーザーはもはや「クラウド」内のインフラの詳細を理解する必要はなく、利用者には、専門知識も管理も必要ない。クラウドコンピューティングサービスの提供方法はさまざまで、ＳａａＳ（Software as a Service）、ＰａａＳ（Platform as a Service）そしてＩａａＳ（Infrastructure as a Service）等がそこに含まれる。

これらのサービス能力はもはや単なる技術サービスの革新ではなく、インターネットに基づくサービス能力のアウトプットをより重視したものだ。例えばテンセントクラウドのクラウド技術はＩＴ技術の単なる進化形ではなく、テンセントの大エコシステムに基づき、ゲームやＳＮＳなどの膨大なインターネットサービスの経験に基づいた、インターネットを通して提供するサービスである。最初はＩａａＳから始まり世界中のユーザーに提供されたクラウドサービスは、その後すぐさまその能力を、オープン性を重視したＰａａＳ、ＳａａＳに広げた。そして、各種のプロバイダーを引き入れ、開発者および企業に十全なクラウドサービスを提供した。これは、クラウドプロバイダーと既存のＩＴプロバイダーの本質的な違いでもある。前者はインターネットの

ＤＮＡを持っており、歩みは軽快かつ迅速で、全世界に対しサービスを提供でき、顧客側のアクセスコストも低い。このような環境の中で生まれたクラウドプロバイダーは以前のＩＴプロバイダーよりも、成長の張力と想像力がある。彼らは既存のＩＴというリソースの供給モデルを打ち壊し、同時に、全く新しいビジネステクノロジー時代を作り上げた。

ユーザー側から言えば、クラウドコンピューティングはＩＴ利用における既存モデルを打ち壊し、企業等の内部の運営モデルを１８０度転換させ、ＩＴ施策の決定者に大きな衝撃をもたらした。例えばホテルグループがＩＴ全体をクラウド化した場合、各店舗の開店プロセスを迅速に進められ、同時に、各店舗の人員配備などの管理コストを下げることができる。他にも、例えば、製鉄会社でもデータを全てクラウドに上げれば、各業務チェーンの連携を進められ、各注文の進捗状況を顧客にオープンにすることができる。

ビッグデータ

ビッグデータ分析は必ずクラウドコンピューティングと関連している。ビッグデータ技術の戦略的意義は膨大なデータ情報を把握することにあるのではなく、それらに含まれた、意味のあるデータに専門的な処理を施し、データに対する加工能力を上げ、加工することでデータの価値を上げることにある。

技術面からすると、ビッグデータとクラウドコンピューティングはコインの裏表だ。ビッグデータは、必然的に単体のコンピューターで処理することはできず、分散型スキームという方法を採らなければならない。その特徴は大量のデータに対し分散型のデータマイニングを行うことにあるが、クラウドコンピューティングの分散型処理、分散型データベースおよびメモリー、仮想化技術、データマイニング電気ネットワーク、拡張可能なメモリーシステムに依存する必要がある。

ビッグデータの特徴は、普通四つのVで表される。ボリューム（データの大きさ）、バラエティ（タイプの多さ。例えば、ブログ、動画、画像、位置情報など）、ベロシティ（処理速度。各種のデータから迅速に価値の高い情報を取り出すこと）、バリュー（価値密度の高さ。データの合理的利用と、正確かつ精密な分析を行うことで、高い価値報酬を得られる）だ。

ＩｏＴ（Internet of Things）、クラウドコンピューティング、モバイルインターネット、コネクテッドカーシステム、携帯電話、タブレット型コンピューター、ＰＣおよび世界各地にあるさまざまなセンサーは、全てデータの源あるいは、データ集積の手段である。ブログ、ＲＦＩＤ（無線自動識別）、センサーネットワーク、社会ネットワーク、社会データ、インターネットテキストおよびドキュメント、インターネット検索エンジン、通話料金詳細記録、天文学、大気科学、ゲノミクス、生物地球化学、生物学、そのほか複雑かつ学際的な研究開発、軍事偵察、医療記録、映像保存資料、大規模ＥＣなどがそこに含まれる。

スモールデータ

スモールデータとは何か。簡単に言えば、ビッグデータは他人のビジネスと関係があり、スモールデータは、あなた自身と関係があるものだ。スモールデータは、スマート家電、コンピューター、携帯電話、パネル型コンピューター、ウェアラブル製品などを含むさまざまな方法であなたの一挙一動を記録したものだ。データの統合により、可視化され、あなたにあなた自身を理解させる。現時点でのスモールデータ利用は、まだ未成熟なものだが、比較的成熟したスポーツ用リストバンド、スマートウォッチなどは、身体情報を集積し、あなたに毎日の運動量を知らせる。スモールデータ収集が自動化された場合、収集できる情報はそれに留まらない。例えば、飲食の健康度、閲覧習慣とリコメンド、消費分析と個人財務などが、データのスマート化の重要な方向性である。

スモールデータは、「数値化された自分自身」とも言える。その利用目的はビッグデータと同様、人に意思決定の材料を与えることだ。データそのものは、あなたにあなた自身のことを知らせることしかできず、どのように改善するかについては、自らの決意と胆力が重要となる。スモールデータの収集においては人の怠惰さが考慮されており、自動化されたデータ入力システムが提供され、私たちは入力する必要がない。また、スモールデータの扱いにはプライバシーの保護が求められる。データは個人が自らを理解するためだけに使われる。また、スモールデータにより強く求められるのはさらに共通の基準と、データの統合である。[1]

ビッグデータは現代医療に含まれるさまざまな領域を変化させる。例えば、ゲノミクス、プロテオミクス、メタボロミクス等がそれに当たる。しかし、個人のデジタルトレースにより進められるスモールデータ研究は、個人の医療に変革をもたらす可能性がある。特に、ウェアラブルデバイスがより進化すれば、モバイルインターネットが継続的かつ安全にあなたのデータを集めて分析することができる。そうすれば、あなたの仕事、ショッピング、睡眠、食事、トレーニングと通信のデータをトレースすることで、あなたに関する健康の「自画像」を作ることができる。

モバイルインターネット

モバイルインターネットはモバイル通信の一つの概念で、いつでもオンラインにつながり、ネット上にログインしているという社会的ネットワークの考え方だ。モバイルインターネットは劇的な発展の様相を見せており、全国民がネットにアクセスする時代に入った。ある予測によると、２０１５年のモバイルショッピングの比率は68・３％に増え、固定インターネット使用料金の比率は低下が続く。モバイルインターネット市場全体の規模は２兆３０００億元を超え、ユーザーは増加を続け７・９億人になるとみられる。

ＩｏＴ

ＩｏＴの「物同士がつながる」と言うことには二段階の意味がある。一つ目は、インターネットという基礎の上に伸びて拡張したネットワークであるということだ。二つめは、全ての物がユーザー側端末となり、その全ての物の間で情報交換と通信が行われるようになると言うことだ。[2]

ＩｏＴはインターネットが拡張したものであり、情報化および遠隔管理、スマート化を実現するものだ。ＩｏＴはインターネットとインターネット上の全てのリソースを含み、インターネット上の全てのアプリとつながることができる。しかし、ＩｏＴの全ての要素（デバイス、リソース、通信など）は、全て個別にカスタマイズされ、個人所有となっているものだ。また、ＩｏＴはネットワークの実体というよりも、業務と利用を指すべきものだ。

２０１３年中国のＩｏＴ産業の規模は６０００億元を突破した。２０１３年以後、センサー技術、クラウドコンピューティング、ビッグデータ、モバイルインターネットは融合して発展し、全世界のＩｏＴ利用は実際的な推進段階に突入した。そこで、中国は最初に「縦型一体化」ＩｏＴ政策システムを構築し、比較的完璧なＩｏＴ産業システムを作り上げた。試算によると、２０１６年ＩｏＴ産業規模の予測は1兆元を超した。[3]

調査機関大手の「ガードナー」の専門家の予測では、２０２０年には道路を通行する自動車のうち2・5億台には自動運転機能や車載ネットワークサービスが搭載されているという。また、ＩｏＴは人と人の生活を中心としたものだ。家庭用品は自動でつながり、テレビのディスプレイは人の動きを感知して作動し、音楽はイヤホンとスピーカからシームレスに聞こえてくる。音声による家電のコントロールも可能だ。

IoE (Internet of Everything)

ＩｏＥは「ＩｏＴ＋ＩｏＨ（Internet of Human）」の発展型で、万人、万物、万事をつなげる。シスコの元ＣＥＯジョン・チェンバースの予測では、ＩｏＥの貢献は公共プロジェクトに対するものだけで4兆６０００億ドルに達する。彼は、ＩｏＥは全てのものに対して大きな影響を与えると確信している。都市計画、緊急救援、軍事、健康およびそのほかの数十のシーンがその中に含まれる。

市場調査会社ＩＤＣの予測では、２０２０年、インターネットデバイスの使用個数は２２００億個（米国の市場調査会社、IHS Technology の２０１８年の予測によれば、３９４億個）に達する。これらのセンサーは、無線機や家庭内の自動システムなどのデバイスのなかに搭載されるが、それらは企業のモバイル処理機の中にも設置することができ、携帯電話やタブレット型コンピューターに充電することができる。

ＩｏＥは次に来る大きな波だ。もし、それらを完璧にドライブしようとすれば、セキュリティ、プライバシー、ハードウェア互換、ソフトウェア互換、同期、有線ネットワーク、無線ネットワーク、データマイニング、データ分析などの数十項目の技術的問題を解決する必要が今も残っている。[4]

社会再構築という「潮流」

前章では、構造再編について分析を行った。ここで、他のいくつかの面におけるトレンドを見てみよう。

メイカー化

筆者は、より深い角度からメイカー達およびイノベーションについて研究したいと考え、『キラークエスチョン』（邦訳：CCCメディアハウス）の著者、フィル・マッキニーと話をしたことがある。マッキニー曰く、彼は、読者に全ての人がメイカーになれると教えることを目指しているという。あなたが大企業に勤めていても、スタートアップの人間でもいいし、自分の家で「一人メイカー」になることだってできる。

メイカーという概念を提唱した目的は、一番簡単な方法を提供し、一人ひとりの創造性の潜在能力を解き放つことだ。市場には本当の勝者がいる。彼らは、一目で分かる凡庸な答えを決然と無視し、常識を打ち破り新しいやり方で事をなした人だ。もし、あなたがそのように行動できず、ライバルが上記のように行動したら、あなたは取り残されてしまうだろう。

個人が大企業に比べて有利な点は、実行のスピードである。大企業は何をするにせよ、より長い時間がかかる。ヒューレット・パッカードのような大企業の場合、32万人のスタッフがおり、長い時間をかけて一つのことを行う。一方、例えばフィンランドのヘルシンキにある5人の零細企業なら、スピーディーに計画を実行に移せる。「アングリーバード」というゲームのように。つまり、零細企業にはリソースはあまりないが、「スピーディーな行動」という成功の鍵があるということだ。

人間関係、信用と社会資本

インターネットは、最初はただのツールだったが、少しずつ生活の一部分になり、最終的には生活そのものになった。インターネット利用経験者はほぼ全員この意見に同意するだろう。インターネットが人、コト、モノをつなげ、経済、社会生活の各部分に拡散し利用されるようになる過程で、最も大きく変えたのは、われわれと他人および物同士の社会的ネットワークだ。

1973年、カルバン・ゴットリーブ等のコンピューター学者が、自由、プライバシー、就職、教育、セキュリティといった重要な社会問題に対するコンピューターの影響について述べた。そして、今日に至るも、そのうちの多くの問題が依然としてインターネットの社会的役割に関する重大な問題のままである。

インターネットを通じてつながって以来、社会ネットワークは社会資本となった。同時に、人々がインターネットを利用する最終目的は社会資本を得ることになった。社会資本とは、人脈、さまざまな関係、そして信用である。

ネットワーク1・0時代には、ポータルでも検索エンジンでも、人々はそれを使って情報を得ているだけだった。この時期には、インターネットはツールに近く、生活の効率を上げるための手段に過ぎなかった。ソーシャルネットワークができて以降は、「関係」というものが直接社会の「風の吹くところ」になった。ソーシャルネットには、初期のインスタントメッセージ（IM）ツールや、後のSNS、モバイル時代のウェイボー、ウィーチャットが含まれる。このように緊密につながり合えるツールはこれまでなかった。

商売人は気配を感じるとすぐ近寄ってくる。商業機関にとっては、人が多く、出入りがあるところは自分たちの戦場だ。人と商業機関はこのようにして関係を結んだ。あなたが望もうと望むまいと。人々が働いているさまざまな組織もこの渦に巻き込まれた。従業員との連絡に最適な手段だからだ。ＳＮＳという基礎の上には、業務用ＳＮＳ、企業ソーシャルツールがどんどん生み出されてきた。

シンプルに考えると、インターネットは多くの点が結びついた網だ。つなぎ目があり、つながりがある。情報論の角度から見ると、つながりとは何だろう。それは、各種の「情報関係」をつなげることだ。つなぎ目になるのはさまざまな物だ。情報、人、物体……。つながりはさまざまな媒介となりうる。ケーブル、無線信号から電線まで。網状の構造は最も平等で安全なトポロジー構造だ。つまり、ネットワーク上の任意の二点の間で一つ以上の通路があるということだ。

インターネットの着想は、冷戦時代の米国の国家戦略による。米国のどこか一つの通信ポイントがソ連（当時）の武器によって破壊された場合も、米国はネットワーク構造を通じて、迅速に通信を行うことができるようにするためだ。

スマート化のレベルで考えると、インターネットにはいくつか進化段階がある。まずは、情報ネットワークだ。その後に、人のネットワーク、それからＩｏＴが来る。そして現在はスマートネットワークの段階で、最後はおそらくブレインネットワークだろう。

インターネットは、人類にとってバラバラな個々人の行為を社会的ネットワークへと変え、最終的に、関与した者を利する社会資源に昇華させる。

米国の経済学者ジョセフ・Ｅ・スティグリッツが言ったように、社会資本は参加した者に報酬をもたらす資産であり、物質的財産および精神的財産とは異なる第三の財産の形だ。スティグリッツの観点からすると、まず、社会資本とは、暗黙知のことであり、ある部分では結束力を生み出す社会の「糊」のような存在だ。また、系統だった認知能力であり、素養でもある。次に、社会資本は、一つのネットワークだと考えられており、社会学者の言う「社会グループ」である。人はあるグループに入った後、社会化され、帰属先を得て、共通のルールを作る。そして、社会資本は社会的評価の蓄積でもあり、どのように評価されたいかを選ぶ方法でもある。最後に、社会資本には組織資本も含まれる。その組織の運営者は、管理、奨励、実践、議論による解決メカニズム、マーケティングのあり方などを通して、組織資本を発展させる。

パラダイムシフトの「潮流」

情報、データ、知識の資本化

『インターネットと社会』という書籍の計算によると、現在のホームページの総数は75億近くもあり、一秒に1サイト見るとして、現存する全てのサイトを見るのに230年かかる。YouTubeには毎分72時間分以上のコンテンツが追加される。ウィキペディアには英文で毎日400万字の情報が書き込まれる。ツイッター、Eメールも同様に急増しており、人類の受容能力を遥かに超えている。簡単に言えば、新しく生み出される情報と情報に注目するための注意力を比べると、明らかに供給過剰状態になっている。それゆえ広告が消費者の注意をひくためには、相応のコストが必要になっている。

インターネット時代において情報は爆発的に増えるが、価値のある情報は依然として少ない。

インターネット出現後、人々は本来関連のない物事をどのようにつなげるかについて考え始めた。この問題の本質は、インターネットが結局何をつなげるか、ということだ。その答えは「データ」である。データがなければつながることはできない。人類社会の各種の活動と情報（データ）の産出、伝達および使用には直接関係がある。ＩＴの絶え間ない進化は、少しずつその流動性を高め、ＩＴの使用範囲と価値を高め、最終的に経済と社会の運営効率を上げる。

情報（データ）は独立した生産要素となった。半世紀近い情報化の過程を経て、ＩＴのめざましい進化により、人類の経済社会もビッグデータ時代に突入したのだ。

データの課題を再び未来に向けて考えてみよう。データから情報へと向かい、再び知識へと向かう。現在、「知識資産」の最も著名な研究家であるスペインＥＳＡＤＥビジネススクールのマックス・アンリ・ボイソ（１９４３〜２０１１）は知識資産をデータ、情報、知識に三分し、データより情報の方がよりスマートで、さらに情報より知識の方がスマートだ、とした。続けて、今後は、知識からさらにスマート化が進むとした。全世界のインターネットにおける最も初期の起業家であるノバ・スピヴァックは、スマート性とは「生命のある知識」だと指摘した。人類が過去に伝えてきたのは知識のみだが、つぎはスマート性の伝播だという。近年、彼はネットワークに基づく「グローバル脳」という概念を提唱している。まず、全世界のネットワークをつなげ、次に、人類の全ての脳を一つにつなげ、それを独立させて「グローバル脳」に進化させる。これは今日の知識の連結から、進化した将来の「スマート」の連結へと進むと言うことだ。

知的資本

張暁峰博士は、『関鍵：智力資本与戦略性重構（キー――知的資本と戦略の再構築）』（中国経済出版社、2006年7月）の中で、知的資本について「価値を備え、企業に価値を創造させる、企業が持っている中核的能力」と改めて定義している。企業の競争優位性は、実質的には知的資本が決める。中国の科学の発展のためには、知的資本を通じた価値のさらなる掘り起こしが必要であり、そうすることが、将来も持続可能な基礎となる。

企業の知的資本の源泉は三つある。

一つは人的資本。スタッフ、顧客、パートナーは皆おそらく知的資本の持ち主である。人的資源は、刺激を受ければ企業の知的資本に転化することができる。マネジメントに関して言えば、協力関係ではない単純な雇用関係は人の資本化を阻害するだろう。では、なぜ顧客も企業の知的資産になり得るのか。現在、ニューエコノミーは、顧客主導および顧客参加のイノベーションを体現しつつある。シャオミのスマホはその好例だ。

二つ目は構造資本である。構造資本には、以下のものが含まれる。企業戦略とポジショニング、物事を進める道筋、価値観と文化、知的財産権、制度、規則、プロセス、ビジネスモデル、バリューネットワークの創造、組織構造と統治構造、プラットフォーム（EC、製造業者との相互作用）など。

三つ目は関係資本である。顧客との関係管理、スタッフとの関係管理、パートナーとの関係管理、社会関係の管理の方法を掌握すること。これは、企業を持続可能にする、企業管理者に求められる基本的な条件である。

過去には、われわれも、管理する企業が供給、研究開発、製造、マーケティングと財務、人的資源、マネジメントなどの個別の職能にこだわりがちなのを見てきた。それとは異なり、知的資本は、さらに一歩進み戦略的視点を備えている。企業が持続的に成長しようとすれば、これらの要素の管理と運営を正しく行わなくてはならない。

シェアエコノミー

米国の有名なニューエコノミー学者で、『第三次産業革命』（邦訳：インターシフト）の著者ジェレミー・リフキンは、資本主義時代は今過ぎ去りつつあり、われわれの生活を変えるニューエコノミーモデルである「共同体」と「共有型経済」が生まれようとしていると考えている。そのモデルは、過去の交換型経済とは全く異なり、シェアを基盤とするものだ。最終的には、何がニューエコノミーの出現を後押しするのだろうか。その中で非常に重要なのが「限界費用ゼロ」という考え方だ。「限界費用ゼロ社会」においては、協力することを通して、無料に近い形で、グリーンエネルギーと一連の基本的商品およびサービスをシェアする。これは最もエコロジカルな成長モデルであり、最良の持続可能な経済成長モデルだ。

スマート化、知性化という「潮流」

知性ある地球

２００８年11月、ＩＢＭは「スマーターープラネット」を提唱し、２００９年1月には当時の米オバマ大統領が公にＩＢＭのこのコンセプトに賛同の意を示した。２００９年8月、ＩＢＭは「スマーターープラネット・ウィン・イン・チャイナ」計画書を公表し、正式にＩＢＭの「スマーターープラネット」の中国戦略を展開し始めた。

ここ2年間で、ＩＢＭの「スマーターープラネット」戦略は各国に認知され、デジタル化、ネットワーク化およびスマート化は、未来社会の発展の趨勢だと認められている。また、「スマーターープラネット」と密接な関係のあるＩｏＴ、クラウドコンピューティングなどはさらに科学技術先進国の重点発展戦略となっている。２００９年以降、米国、ＥＵ、日本と韓国などが自国のＩｏＴ、クラウドコンピューティングに関した成長戦略を打ち出している。

「スマーターープラネット・ウィン・イン・チャイナ」計画書において、ＩＢＭは中国にあわせて、六大スマートプランを作成した。「スマート電力」「スマート医療」「スマートシティ」「スマートモビリティ」「スマートサプライチェーン」および「スマートバンク」だ。２００９年以降、ＩＢＭのこれらの計画は続々と中国の各部分でさまざまな事業を推進している。

相対的に見て、中国は「スマータープラネット」という領域において、少なからぬ問題に直面している。技術ルートの選択、過剰投資、過剰建築、市場リスクの問題および大量のデータ管理と情報セキュリティの問題などだ。

インダストリー4・0

本節では工業インターネットとインダストリー4・0に関して簡単に紹介しておこう。簡単に言うと、「インダストリー4・0」はスマート製造が牽引する第四次産業革命だ。これは、ITと工業技術の高度な融合、ネットワーク、コンピューター技術、IT、ソフトウェアおよびオートメーション技術の深部からの融合を背景とするものだ。ドイツ人はこのことをインダストリー4・0と称している。その戦略の主旨は、ITおよびネットワーク空間のサイバーフィジカルシステム（CPS）を統合した手段の利用によって、製造業のスマート化へのモデルチェンジを推進するということだ。

インダストリー4・0というコンセプトは大きく三つのテーマに分けられる。スマートファクトリー、スマート生産、スマート物流である。ドイツの製造業は世界でも最も競争力の高い分野の一つだ。同国は全世界の製造設備の分野においてリーダー的存在である。インダストリー4・0戦略の実施は、ドイツを新世代の工業生産技術（情報——フィジカルシステム）の供給国に押し上げ、市場を主導できるようにするだろう。また、ドイツはこの施策により、国内の製造業の発展を持続するという前提の下、再び、自らのグローバルな競争力を高めていくだろう。

中国のモデルチェンジという「潮流」

中国経済のビジョンとモデルチェンジの向かう方向は、世界的に注目されているテーマである。一部の懸念は、主に過剰生産、過剰投資および債務負担の三つの分野に集中している。

改革が直面している新形勢と任務を全面的に深化させる

中央財経リーダーチーム事務室の楊偉民副主任は、2014年、「中国発展ハイレベルフォーラム」において、中国の新しい「全面的に改革を深化させる指導思想」について述べ、いくつかの新しい潮流について強調した。

まず、中国はすでに中の上に近い収入の国家になっていること。一人あたりのGDPは6700ドルだ。中国は、正に先進経済体になるべく努力しているところである。歴史的に見てこの任務を成し遂げた国家は多くはない。

次に、国際貿易などの国際環境は以前ほど有利な状況ではなくなっていること。その原因の一部は、高収入経済体は構造的に疲弊しやすく、また、中国経済が相対的に他の経済体に比べて明らかに大きい点にある。

最後に、中国経済自体が変化していること。潜在成長率はすでに7~8%に下がっており、その理由には、労働年齢の人口の減少、過剰生産が中国の標準から考えても充分深刻になっていること、金融リスクも一部上昇していること、その推進要因が地方政府の債務であること、不動産バブルやシャドーバンク類の成長であることなどがある。中国の都市化のレベルは50%を超えているが、多くの都市で環境汚染を含むさまざまな問題が発生している。資源集約型成長モデルは、すでに極限にきており、特に水資源にその傾向が見られる。

2014年11月に承認された「関於全面深化改革若干重大問題的決定（改革の全面的深化における若干の重大問題に関する決定）」は、次の改革の青写真だ。同決定では、重大な制度および政治改革を推進すると述べ、その中には「行政審査批准制度」から「法治」へのモデルチェンジが含まれる。市場がリソースの配置において決定的な作用をもつべきだとされている。同時に「中央政府のマクロな調整の職責と能力を強化し、地方政府の公共サービス、市場監督、社会管理、環境保護等の職責を強化する」必要があるという。

インターネットプラスは新しいエンジンを作り出す

李克強首相が記者の質問に答えたところでは、政府にはまだ多くのとりうる施策があり、多くの調整・コントロール手段が使用可能だ。このたび、首相が自ら推進しているインターネットプラス戦略もその中に含まれる。この戦略は経済の深層構造のモデルチェンジを促進するためのものだ。

インターネットプラスとは、インターネットと既存産業の浸透と融合を指し、両者を足し合わせるだけではない。また、既存産業が単純にインターネットに触れればそれで浸透と融合が完成するものでもなく、インターネットプラットフォーム、インターネット的思想を通して、既存産業に思考モデルおよび経営モデルを180度転換させ、インターネットと既存産業を深部から融合させる。そうして、新しい成長エコシステムと全体的なチャンスを作り出す。インターネットプラスの既存産業への浸透と、既存産業の融合には二つの方向があると考えてもよい。

インターネット産業側の視点

これまでのインターネット業界について言うと、単純にオンラインということに基づいた成長モデルはすでにボトルネックに近付いている。将来の成長の方向は、必然的にオンラインとオフラインの深い融合、そして「インターネットから既存産業へ浸透し、既存産業と共に成長することによるインターネット経済の規模の迅速な拡大」ということになる。

既存産業側の視点

インターネット側からの主体的な働きかけだけでなく、新興経済との生存競争、新興産業からの攻撃に直面し、自己革新および自己レベルアップに対する意欲が強くなっている。既存産業にとって、インターネットに対するポジティブな態度は、「歓迎する」と言うことであり、「衝突する」と言うことではない。

インターネットプラス戦略は中国経済の成長にとって大変重要である。

まず、インターネットプラスは知識のイノベーションと越境を促進する。イノベーションとは、実質的には知識のイノベーションのことなのだ。例えば、「持続可能な成長」は、実質的には経済成長に使われる知識を増やし、経済成長のために消耗するエネルギーを減らすことである。また、「越境」の実質は、知識の境界を越えることだ。知識を革新すれば、産業の境界も再定義される。産業の境界は知識の境界である。境界越えの成果とは、正に境界をなくしてしまうことなのだ。

または、インターネットプラスとは全ての産業の「インターネット化」ということだ。多くの中国の既存産業は、情報化さらには工業化のレベルがまだ低い。「インターネット化」によって、既存産業を「より十分な工業化」および「より普遍的な情報化」に向かわざるを得なくさせ、二つの方向から境界を越えた発展を進めさせる。

２０１５年「政府活動報告」で言及されたインターネットプラスというコンセプトはインターネットを更なる高みに押し上げるだろう。同時に、イノベーションの国家経済に対する促進作用ももたらす。インターネットプラスという概念の提唱はさらにわが国の経済のモデルチェンジとランクアップを促進し、中国経済の活力に対する、既存の固有経済モデルによる束縛を打ち破るだろう。

林永青（価値中国ネット創始者兼ＣＥＯ、中国衆融会発起人会長、「価値中国智庫叢書」主編）

注

1　「小数拠已到来、大数拠閃開（スモールデータはすでに訪れている。ビックデータは身をかわす）」、台湾『聯合報』2015年1月21日

2　「物聯網（IoT）」百度百科より。

3　新華社「2013～2014年中国物聯網発展年度報告（2013～2014年中国I0T成長年度報告）」2014年9月25日

4　ベン・バジャリンのタイム掲載の記事を、2014年5月18日に「網易科技」へ転載した記事「下一波大趨勢：万聯網」より。

第4章

インターネットプラス
――インターネット企業の最大の社会的責任

インターネットは人類の知恵の結晶である。20世紀の重大な科学的発明であり、現在の先進的生産力の重要な指標である。

中国インターネット状況白書

インターネットプラスを駆動力とし、わが国の経済社会の革新と発展を推進する[1]

インターネットプラスは、インターネットというプラットフォームを基盤として、ＩＴ技術を用いて、各産業と境界を越えて融合するものだ。また、インターネットプラスにより、産業のモデルチェンジとグレードアップを推進し、絶え間なく新商品、新業務および新モデルを作り出し、全てがつながる新しいエコシステムを建設することができる。

現在、中国経済は正にモデルチェンジとグレードアップの重要な時期にさしかかっている。成長スピードの鈍化、生産過剰、外需の不振などの厳しい課題に直面し、「安定的な成長、改革の促進、構造の調整、生活への貢献」が現在の経済成長の主要な課題となっている。イノベーション主導というのが現在わが国の経済成長の新しいエンジンだ。長年、革新および発展を続けてきた中国のインターネット企業は、現在では世界でもトップクラスに位置しており、わが国の情報経済の成長のために堅牢な基礎を築いている。同時に、インターネットによって、情報の非対称を解消し、取引のコストを下げ、専門化による分業を促進し、リソースの分配を改善し、労働生産効率を向上させたことにより、わが国の経済のモデルチェンジおよびグレードアップに重要な道筋と発展のチャンスがもたらされた。

インターネットプラスの中国経済社会発展への深い影響

モバイルインターネット、ビッグデータ、クラウドコンピューティング、ＩｏＴとＡＩ等の新技術や新業務および新エコシステムの進歩に伴い、各種の産業がインターネットをプラットフォームとして融合と革新を続けており、インターネットプラス高速成長時代に突入している。

インターネットプラスは産業のモデルチェンジとグレードアップ、融合と革新の重要なプラットフォームとなるインターネットは既存産業を再編し、ＩＴと既存産業の全面的な融合を進めつつある。「広さ」という点から見ると、インターネットプラスは情報通信業を起点として、第三次産業において全面的に利用され、フィンテック、インターネット交通、インターネット教育などの新業態を生み出した。また、現在第一次、第二次産業に浸透しつつあり、工業インターネットが、消費財工業から設備製造およびエネルギー、新素材などの工業分野に浸透しており、既存の工業生産方式の転換を全面的に促進している。農業インターネットもＥＣなどのオンライン販売という領域から生産分野にまで浸透し、農業に新しいチャンスをもたらし、成長のための広大な可能性を提供した。「深さ」という点から見ると、インターネットプラスは、情報伝達から、販売、運営および製造などの産業チェーンのさまざまな部分に浸透している。同時に、インターネットをさらに進展させ、ＩｏＴを通じてセンサー、コントローラー、機械と人を一つにつなげ、人と物、物と物の全面的なつながりを作り、産業チェーンのオープン化と融合を促進し、工業時代の大規模生産から、ロングテールの個別のニーズを満足させる新しい生産モデルへと転換させている。

インターネットプラスは産業エコシステムの共存と繁栄を推進し、大衆による起業、万民によるイノベーションを促進する

イノベーションはインターネットの発展のための生命線だ。例えば、ウィーチャットに代表される「高速イテレーション」型のイノベーションモデルなら、迅速にユーザーのニーズに応え、ユーザーのペインポイントを解決できる。また、同時に、オープンアクセスおよびオープンプ

ラットフォームにより、「エコシステム協力型」の産業革新を推進し、新商品、新モデル、新エコシステムをもたらす。そうすることで、大衆による起業、万民によるイノベーションを促進することができる。テンセント、アリババ、バイドゥ、シャオミなどのプラットフォーム型のインターネット企業は一定規模の産業エコシステムを構築しており、それらのプラットフォームを基盤に、また新しい業態を生み出している。例えばO2O、モバイル決済、ウェアラブルデバイスなど。各プラットフォームはユーザーというリソース、技術のリソースをパートナーに開放している。ビッグデータ分析と個別化されたマーケティングを通じて、中小零細企業やスタートアップが市場に参入するハードルを下げ、起業の成功率を上げ、互恵的共生エコシステムを作り上げている。テンセントオープンプラットフォームを例に取ると、アプリ総数は240万を超え、タイプ別に見ると、娯楽、生活および教育などのさまざまな分野に属し、起業家総数は500万に達し、全国の一級から三級都市（いわゆる大都会）をカバーしている。パートナー企業全体の評価額は2000億元を超えている。

インターネットプラスは公共リソースの配分を統合整理、および改良し、最大限市民生活を利する

インターネットプラスは情報の非対称を解消し、中間過程を削減することで、労働生産性を上げ、リソースの使用効率を上げている。インターネットプラスの発展は、多くのニーズがある社会的グループの中に公共サービスを行き渡らせ、地域を超えた革新的なサービスを提供する。

また、教育や医療などの、不足している公共リソースの均質化のために、全く新しいプラットフォームを提供する。インターネット教育が国内の地理的障壁を打ち破り、全世界の良質な教育リソースをつなげたように。また、三級、四級都市および僻地の農村の学生にも新しい選択肢を提供する。現在、テンセントは多くの教育機関と提携して「テンセント教室（騰訊課堂）」を開設し、小中学、高校、大学、職業教育、ITスキルの養成などさまざまな人にカリキュラムを開放している。参加者は週あたり約7・3万人で、カリキュラムの総数は3万以上になっている。また、「インターネット＋医療」という取り組みでは、一般市民が医者にかかるために、迅速かつ効果的なソリューションを提供している。現在、全国で100近くの医院がウィーチャット公式アカウントを通して、モバイル診察サービスおよびスピード決済を行っており、累計1200以上の医院がウィーチャットを通じた受付を行っている。これらのサービスは、合計300万人以上の患者に提供されている。その結果、患者全体で600万時間を節約できており、診察効率を大幅に上げ、公共資源を節約することができた。また、「インターネット＋公共サービス」という取り組みでは行政のサービス能力と効率を上げ、市民の利便性を上げた。例えばウィーチャットの広州都市サービスでは、病院の受付、交通違反、自動車の車検、出入国手続きなど17の公共サービスを含む手続きが可能になった。

インターネットプラスはシェアリングエコノミーの成長を促し、資源の利用効率を上げる

シェアリングエコノミーの核心は、お互いのためにシェアすることを提唱し、需要と供給を効

率よくマッチングすることだ。また、遊休資源の利用率を上げ、省エネ・環境保護と、資源の再利用におけるイノベーションのモデルを提供している。現在、ビジネス用高級乗り合い自動車、一般乗合自動車、ＡｉｒＢｎＢのような部屋の相互利用、中古品売買、家事サービスに代表されるシェアリングエコノミーモデルが急速に発展しつつある。例えば、ビジネス用高級乗り合い自動車は、「カーシェアリング」を通じて社会の遊休資源を活用し、サービスの質を上げ、都市の交通渋滞を緩和させ、市民の外出難（交通機関が不便なために外出しにくいこと）を解決している。同時に、需給双方を効率よくつなげ、遊休資源の活用率や労働生産性をあげ、タクシーなどの空走率を下げ、都市の省エネ・環境保護に貢献する。将来カーシェアリング、タクシー、公共交通などを多元的に融合したモビリティ・ソリューションが作れれば、人々の移動は大幅に便利になり、大量の就業と起業のチャンスも提供できる。

上記の通り、インターネットプラスはわが国の経済社会の発展を強力に促進している。推計によると、２０１４年のわが国の情報関連消費の規模は2兆８０００億元、前年同期比18％増で、ＧＤＰのうち0・8％を担っている。２０１５年末には3兆２０００億元となり同約15％増。ウィーチャットはモバイルインターネットの主要サービスとして、一定規模のエコシステムを構築しており、２０１４年には９５２億元の情報関連消費をもたらし、同年の中国の情報経済消費の総規模の内の3・4％を占め、１００７万人に就業の機会をもたらした。２０１５年には、ウィーチャットがもたらす情報関連消費は１４２８億元に達するとみられている。

インターネットプラスの発展における主要な問題

インターネットが中国に入って20年弱。モバイルインターネットはスマートフォンの普及に伴い、一般大衆の生活に浸透してきた。インターネットプラスもそれに伴い発展し、経済社会のさまざまな方面に浸透しつつあり、急速に発展する様相を見せ、わが国の経済社会の革新と発展に新しいプラットフォームを提供している。インターネットプラスの持続的かつイノベーティブな成長と、より広範な普及を確実にするためには、インターネットプラスの成長に関する問題に注目する必要がある。

インターネットプラスに対する正確な認識の不足と、インターネット受容に対する積極的な心理的姿勢の未確立

まず、一部の企業と個人に、インターネットプラスに対する正確な認識の欠如がある。一つは、インターネットプラスに対する認識不足で、現実において主体的にインターネットプラスを運用する理念とモデルが欠如しているということだ。第二は、インターネットプラスが自らのビジネスモデルやライフスタイルを転覆させるのではないか、という恐怖だ。第三は、インターネットプラスに対し、産業ごとに認知度に差があることだ。インターネットプラスモデルは、小売業、金融、交通などのサービス業においては比較的高い認知度を得ており、製造業でも一部認知されている。だが、伝統的な農業や一部の従来型製造業においては、認知度が比較的低い。また、インターネットプラスに対する正確な認知の欠如により、インターネットを積極的に受入れられな

いという心理が社会全体にまだ残っているのも問題だ。具体的に見てみよう。まず、インターネットの受入れに対して傍観的な姿勢の企業や、インターネットプラスの巨大な力とポジティブな作用を信じていない企業など。二つ目は、インターネットプラスの効果を充分に認識しながら、自らの怠惰さや、過去の習慣などの理由により、主体的に変化を生み出そうとせず、ビジネスモデルを改革するコストを負担するのをいやがり、従来の経営モデルや既得利益を手放そうとしない企業があることだ。

社会全体において、インターネットプラスに対する正確な認識が確立し、インターネットを受入れる積極的な心理状態を醸成できなければ、インターネットプラスの拡張と発展は難しいだろう。

インターネットプラスのインフラには更なる完成度が求められる

インターネットプラスのインフラには三つの階層がある。ネットワークインフラ、データインフラ、そして標準的なアクセスというインフラだ。まず、ネットワークインフラにおいては、「ブロードバンド中国」戦略の実行を加速させなければならず、ブロードバンドモバイル通信網の構築にも一層力を入れる必要がある。そうすれば、わが国はネットワークインフラにおいて、他のインターネットの先進国家を追い越すことができる。次が、公共データの開放をデータインフラの基盤とすること。それが相互連結およびデータの共通化の重要な道筋になることで、各領域の情報の孤立という状態を解消し、公共データを開放し社会全体での情報リソースの開発と利用を推進する必要がある。最後は、新興業種の生産サービスの基準の遅れと関連のアクセス方法の不統一がインターネットプラスの発展の大きな障害になっていることだ。越境的な融合において、アクセスの不統一により、重複開発や効率の低下といった多くの問題が起こっている。

既存のインターネットプラットフォーム活用の更なる掘り起こしが求められる

現在多くの企業が、既存のインターネットプラットフォームを充分に活用できていない。特に、中小零細企業にとっては、情報化に対するニーズは極めて高いが、情報化のためのコストも大きな負担となる。そのため、いかに低コスト、高効率なインターネットプラットフォームを活用し、中小零細企業の競争力を上げるかが重要になっている。インターネットは大量のユーザーを一つにまとめ、企業、公共サービス、起業家に対し、ユーザーへの重要なアクセスポイントを提供し、企業の商品やサービスが大量のユーザーにコンタクトするための中核的な突破口となった。しかし、各業界のインターネットを通じたユーザーへの接触はまだ不十分だ。次に、フィンテックについて言えば、IT技術を通じて融資、需給双方の高効率なマッチングおよび段階的な信用調査システムを構築すれば、中小企業の資金調達難が解消できる。第三に、ビッグデータ、クラウドコンピューティングは、企業のデータストックと、精密なレコメンドのために、優良な技術的ツールおよびプラットフォームが提供できる。第四に、インターネットというプラットフォームは企業の管理に、より良い利用法を提供できる。例えば、ウィーチャット企業アカウントはウィーチャットプラットフォームの延長として、迅速に産業の川上と川下のパートナーをつなげ、スタッフの出張や移動に関する管理事務、企業パートナー間の注文管理および、協業に対応できる。このようにして、最前線のセールスや、マーケティング代理、アフターサービス、店舗などの巡回検査およびバックヤードのセキュリティなどを支え、組織間の共同運営の効率を大幅に上げる。しかし、現在、企業や事業機関と政府部門の同プラットフォームの利用率は高くない。

国の政策とインターネットプラスの急成長のミスマッチ

かつて、電気の誕生は電灯やテレビおよび電話などの新製品をもたらした。インターネットプラスも各種の産業に入り込むことにより、産業革新をもたらすだろう。しかし、越境的な融合を顕著な特徴とするインターネットプラスは、既存の職業の管理システムと管理方式に一定の衝撃をもたらす。過去1年で、フィンテック業界では、急激な成長から関連業務の一時停止を経験し、そして、政策の規範化まで、政策に合わせるために一連の調整を行った。ビジネス用高級乗り合い自動車も、同様の苦境に陥っており、一部では、行政の管理監督による圧力を受けている。一連の問題は全てインターネットプラスが各分野に浸透した後に、国家の政策とインターネットプラスのミスマッチが顕在化したものだ。

インターネットプラスの革命的な発展を推進する政策提言

インターネットプラスの全面的発展を推進する国家戦略の制定

グランドデザインのレベルから、国家のインターネットプラス成長戦略を定め、インターネットプラスの健全な発展を推進するための指導意見をできるだけ早く公布する。また、インターネットと各産業の融合とイノベーションを促進し、技術、基準、政策などの多くの面で、インターネットと既存産業を十分に連結し、「インターネット＋金融」、「インターネット＋医療」等の新業態を発展させる。さらに、市場に参入しやすくし、部門間の共同監督管理を強化し、迅速な反応と連動した措置を実現する。そうして、融合した市場の監督管理の力を合わせ、良好な政策環境を運営する。同時に、政府はイノベーション奨励という原則の下、段階的に新しい生産サービス方式を完成させ、規範化し、安全を保証できる状況下で新しい物に発展の機会と可能性を与える。

公共データの開放を推進し、データセキュリティおよびその関係者の利益保護の保障体系を構築する

わが国の公共データ開放戦略を研究および公表し、政府の公共情報およびデータを率先して社会全体に向けて開放することで、業界の情報の孤立を解消する。また、情報リソースの供給と伝播を強化し、利便性と利用率を上げ、一般市民がいつでも公共情報を取得し使用できるようにする。同時に、段階的にデータのセキュリティシステムおよびデータの開発利用の基準を作り、データの有効利用および関係者の利益を確保する。

社会全体のインターネットの広汎な利用を推進し、経済社会の発展と進歩を推進する

既存のインターネットプラットフォーム上にある多くのサービスおよびアプリは各業界の情報化とサービス能力の向上を助けている。政府の管理に対して、「インターネット＋公共サービス」という取り組みの推進を提言し、政府が新メディア、SNS等のインターネットプラットフォームを利用し、「スマートシティ」という管理およびサービスシステムを構築する。同時に、行政の市民生活サービスプラットフォームは「オープン」という原則に基づき、市場の各分野の協力を得て、分類して段階的に関連データおよびアクセスを開放し、企業の参入・運営のコストを下げる。それと同時に、関連の成熟事例を全国の他の都市に拡張することを奨励し、その例に倣うように指導する。企業の情報化において、多数の中小零細企業がさらに低コスト、高効率なインターネットというプラットフォームのリソースを開発し利用することをサポートし、推進する。そのことにより、インターネットの価値を掘り起こし、企業の競争力を全面的に向上させる。事務作業の環境、情報資源、政策による補助、資金調達プラットフォームを含む総合的な起業の助けとなるものを統合し、スタートアップ企業をサポートし、中小零細企業の発展を後押しする。

モバイルインターネットによってスマート市民生活の発展を推進する

わが国のモバイルインターネットの普及度は、他国に比べて明らかに高い。そのモバイルインターネットの強力な優位性により、わが国では、モバイルインターネットの市民生活における普

及と利用が加速している。「人と公共サービス」をデジタル化によって全面的につなげ、社会全体のサービスの効率とレベルを大幅に上げ、スマート市民生活を実現しつつある。

「モバイルインターネット＋市民生活」はスマート市民生活を実現する新しい道だ

モバイルインターネットは社会資源の分配を改善し、公共サービスの供給モデルを革新する。市民が情報の恩恵を受けるようになると、交通、医療、環境保護、公共安全などの市民生活における情報化の進歩に新しいチャンスがもたらされる。

モバイルインターネット技術は人々のライフスタイルを根本から変える

モバイルインターネットは、全方位的に人々のライフスタイルに影響を与えている。「中国インターネット情報センター（ＣＮＮＩＣ）」のデータによると、２０１４年の中国のインターネットの一人あたりの一日の使用時間は3・7時間で、２０１０年より1・1時間増えていた。使用状況から見ると、モバイルインターネットはすでに人々の生活サービスのための重要なプラットフォームとなっている。仕事、娯楽、ショッピング、学習、医療、資産運用などの日常生活に大きな変革をもたらし、より効率的で、使いやすい方向へ進化している。モバイルＥＣを例に取ってみよう。人々は時と場所を問わず即座に買い物ができ、ネットショップを経営するハードルは低くなった。ビッグデータシステムによる個人に合わせたカスタマイズやリコメンド、およびインタラクティブでシェアしやすいというソーシャルの特性などにより、ショッピングは一種のソーシャルな体験となった。

横の広がりから考えると、モバイルインターネットは、広大な後進地域の人々にもデジタルによる恩恵を享受させ、包摂的成長を推進し、デジタルギャップを縮小する。従来のPCインターネット時代には、ネットワークにつながりたいという国民のニーズを満たすために、国家は巨額の資金を投入してブロードバンドを敷設する必要があった。モバイルインターネット時代には、国民は、スマホによってより素早く低コストでネットにつながることができ、同時に、スマホ操作が簡単になったため利用へのハードルが大幅に下がった。この点は広大な農村地域にとって、より重要な点だ。現在、わが国の農民のネットユーザーの規模はすでに1・78億人に達し、50％以上の農民ネットユーザーが携帯電話のアプリを通じて人付き合いや、情報の取得、学習、娯楽を行っている。また、遠隔医療、オンライン教育のより深い利用は、家庭教育や良質な医療リソースの不足などの穴を埋め、農民の生活の質を上げている。

モバイルインターネットは政府の公共サービスレベルの向上に対し顕著な効果を上げている

現在、行政サービスは管理中心から市民生活サービス中心へと転換している最中だ。ウィーチャット、ウェイボーはすでにわが国の政府部門の、情報公開・市民とのインタラクション・公共サービスの提供において重要なプラットフォームとなっている。ウィーチャット、ウェイボーなどのSNSサービスは政府のネットワークPRの効果を最大限に発揮させ、透明かつオープンな政府をつくる助けになっている。政府のウェブサイトに比べて、ソーシャルメディアの伝達形式にはより親しみやすさがあり、人々の注意をひきやすい。そのため、政府の情報の伝播効率を最大限に高め、市民とのポジティブなインタラクティブと世論の誘導を行いやすくする。統計によると、118カ国の政府部門がソーシャルメディアを使って情報公開やオンラインQ＆Aを行っており、70％の国家がそれらを電子政府の進展に利用している。

行政ウィーチャット、行政アプリなどの利用により、ユーザーはモバイルデバイス上で、役所に行ったようなワンストップ型サービスを受けることができる。例えば、広州市はウィーチャット「都市サービス」機能を利用することで、医療、交通管理、交通、公安、戸籍関連業務、出入国、料金納付、教育、公共積立金など17項目の市民サービスを一つのプラットフォームの上に集め、市民は一度のアクセスですぐに必要なサービスを見つけられるようになった。例えば、戸籍関連の事務など基礎的なサービスも、何度も公安の事務窓口へ行く必要がなく、スマホを使えば一度で完結する。現在、このアカウントはすでに91万の広州市民にサービスを提供している。広州市以外にも、2014年末までに各レベルの行政府がすでにウィーチャット上に2万近くの公式アカウントを作り、各種のサービスを提供している。

モバイルインターネットは、病院の診察の大変さ、教育リソースの不均衡およびスモッグ対策などの、市民生活における新旧の重大問題の解決を助ける

モバイルインターネットは人が中心だ。時間と空間の制約を突破し、一般市民に比較的公平なリソースを得るチャンスを与える。また、各種のリソースのよりよい分配と最大限の利用の助け

にもなり、市民生活の重大な問題の解決に新しいチャンスを与える。現在、モバイル医療、オンライン教育、配車ソフト、インテリジェントパーキングなどのオンラインとオフラインを結びつけたサービスモデルが人気となっている。例えば、ウィーチャット公式アカウントや、アリペイのサービス窓口プラットフォームのモバイル医療モデルでは、患者はスマホで直接診察予約、支払い、診察の順番待ち、報告の問い合わせなどができる。もはや病院のロビーで何度も並び直す必要もなく、医者にかかるプロセスを短縮できるのだ。「丁香医生」、「春雨医生」といったスマホの医師Q&Aアプリは、医師のオンライン問診を通じて、遠距離でも患者の問い合わせの30～40%を解決できる。患者が病院に行って診療を受ける回数を減らし、医療リソースの緊迫をある程度緩和することができる。

このほかに、大気の質を測定するアプリ、公共交通のカスタマイズアプリなどは、環境汚染防止、都市の交通渋滞緩和などの問題における重要度が日々増している。大気の質測定アプリでは、一人ひとりがリアルタイムで自らの家の前の空気の質と状況を知ることができ、前もって外出への準備を行うことができる。また、大気を汚染するような行為や現象を見つけたら、オンラインで通報でき、全市民が環境保護に参加することができる。車載スマートシステムやカスタムメイド公共交通などのアプリはグリーンモビリティやエネルギー消費の低減に大きな効果をもたらした。

将来、インターネットプラス的思想が浸透するに伴い、より多くのモバイルインターネットを搭載した市民生活アプリが開発され、より多くの人に利益をもたらすだろう。

現在直面している主な問題

ここ数年、モバイルインターネットは、社会管理および公共サービスの改革の分野で、頻繁に利用されており、比較的明確な効果が現れている。しかし、スマート市民生活サービス、情報による市民へのサービスの最終的な目標からするとまだ道は遠い。解決が待たれる問題は以下の通りである。

モバイルインターネットの市民生活への貢献に対する理解

モバイルインターネットを利用した市民生活へのサービスは、全世界的に発展の初期段階にあり、わが国ではまだ始まったばかりだ。規範となるソリューションおよび再現可能な運用モデルがまだ形成されていないので、各地方政府ではモバイルインターネットの市民生活サービスにおけるメリットと価値がよく理解されていない。一部の都市では、情報化に関してまだ過去のイメージから脱せておらず、ハードウェア・ソフトウェアのインフラの投入を重視し、利用の促進や開発を軽視している。情報システムのコンテンツと機能を設計する際に、サービスのスピード、深度、使い勝手、一体化されているかどうかに関する考察が不十分だ。同時に、統一されたシステムの配備や移転などの基準が欠けているため、構築されたモバイルアプリシステムは互いにつながり合えない「情報の孤島」となってしまっている。

モバイルインターネットの市民生活サービスへの利用の更なる進化の必要性

物質的な生活水準の上昇に伴い、一般市民の公共ニーズは、単なる生存に関するニーズから発展に対するニーズへと変化している。しかし、各地の経済成長の程度、教育レベル、伝統的観念、社会習俗などが違うため、人々の公共サービスに対するニーズおよび消費能力には大きな差がある。また、現在市場に存在するインターネット商品およびサービスは汎用型が中心で、市民生活に特化しカスタマイズされたモバイルアプリ商品やサービスは十分ではなく、実際のニーズとの間に大きな乖離がある。例えば、医療などの比較的プロセスが複雑なサービスに関して言うと、現在あるアプリの操作は複雑であり、機能が単一的であるなどの欠点がある。特に、農民向けの「誰でも使える」インスタント式アプリが不足している状態だ。

同時に、モバイルインターネットの融合と革新は、すでにモバイル決済、位置情報サービス、モバイル医療、オンラインレッスンなどの産業の壁を越えた新しい利用を促した。しかし、技術と業務基準、情報リソースの共有および法律方面では、統一的な計画が不十分で、そのことが、モバイルインターネット利用の普及に影響している。

公共データのオープンおよびシェアの程度の進化の必要性

公共データは、生活サービス用アプリの開発、公共サービスの革新に大変な価値を持つ。米国、ＥＵ等の国や地域は、相次いでデータの開放を国家の成長戦略に組み入れた。２０１４年４月現在、すでに63の国家が政府データ開放計画を制定している。その中で、経済成長および市民サービスのニーズに関わるデータの、開放データにおける比率は最大であった。現在、わが国の市民サービスの情報システムは基本的に各部門がそれぞれ別々に主導して構築したものだ。オープン、シェアおよび協力という点の考慮が欠けており、「条塊管理（行政管理における国と地方の二つの体制）」という体制的な理由も加わり、情報の孤島、データの障壁という現象がよく見られる。同時に、情報リソースの開放とシェアの、市場化および産業化のレベルが比較的低いため、公共データは有効に開発や利用がされておらず、その価値が充分に掘り起こされてはいない。

提言

グランドデザインにより「スマートシティ」「情報化市民サービス」実現のためにモバイルインターネットを幅広く利用する

数年来、国はＩＴの市民生活の分野における利用を非常に重視してきた。国会が公布した「情報による国民福利プロジェクト実施の加速に関する通知（関於加快実施信息恵民工程有関工作的通知）」（発改高技（国家発展改革委員会ハイテク局）〔２０１４〕46号）、「スマートシティの健全発展の促進に関する指導意見（関於促進智慧都市健康発展的指導意見）」（発改高技〔２０１４〕１７７０号）は、国民生活の利便性向上と国民の利益を最終目標としたものだ。上記文書ではさまざまなレベルの行政府に、「スマートシティ」「情報化市民サービス」などの作業を推進するよう提言する中で、モバイルインターネットのスマート市民生活サービス、情報化市民サービスに対する重要な効果と意義を充分理解するよう国民に求めている。市民生活におけるモバイルインターネットの利用と普及の推進の加速を作業全体の中に位置づけ、関連リソースを調整し計画を進めることで、穏やかに計画を進めていく。同時に、環境保護を審査基準とした、成長に対する評価法を確立し、省エネの指標を国のスマートシティなどの工程の審査基準に入れる。

モバイルインターネット環境下の電子政府の評価システムを完成させ、電子政府の公共サービス機能を強化する

国家の統治能力の近代化のためには、管理型政府からサービス型政府への転換が必要だ。「公共サービスの提供方法を一新し、基本的な公共サービスシステムをより改善する」ことを主要なミッションの一つとして、「国家新型城鎮化（＝都市化）計画２０１４〜２０２０」に組み入れる。しかし、事案の重要度の判別方法やノルマシステムにおいて、既存の評価体系と政府の公共サービスの職能強化の間には、まだ大きな隔たりがある。そのため、モバイルインターネット環境に適応した電子政府の評価システム確立の加速が求められている。電子政府化を推進するだけでなく、サービス型政府の確立、統治システムの近代化を積極的に推進する必要がある。また、ポジティブな評価・奨励システムによって、モバイルプラットフォームに基づいた電子政府システムを構築し改良するように誘導する。また、クラウドコンピューティング、モバイルインターネット、ＩｏＴ、ビッグデータなどの新世代の情報技術の、社会管理および公共サービスにおける深層的応用をより深め、モバイルインターネット時代の政府の公共サービスおよび管理能力を高める。

各種産業の環境をより完璧なものにし、スマート市民生活アプリのターゲティングの精度を上げ続ける

税金の減免、資金の助成などの財政・税務政策を通じて、企業と開発者に、市民生活関係のモバイルアプリのイノベーションを促し続ける。同時に、公共サービス部門に対し、ソフトウェア、ハードウェア関係の企業や、インターネット企業との提携を強めることを推奨する。そうして、スマートシティ、スマートモビリティ、オンライン教育、モバイル医療などの公共サービスにおけるモバイルインターネットの利用を進める。また、農村のモバイルインターネットの発展に対し、特定項目資金による誘致やサポートを行い、三農（農業、農民、農村）の間で強まりつつあるモバイルへの需要を満たす。例えば、三農向けのモバイル総合情報プラットフォームを作り、三農における情報取得方法にイノベーションを起こし、三農向けモバイルインターネット商品やサービスの開発ために、データを提供する。このほかに、スモッグや都市の交通渋滞などの市民生活における深刻な問題に的をしぼり、リソースの集中、社会全体の力の動員、積極的なビッグデータ・ＩｏＴ・モバイルインターネットなどの技術の利用を行い、例えば大気の状況のリアルタイム観測、予報や警報などのピンポイントのアプリやソリューションを開発し普及させる。

公共データの開放を推進し、公共データの集積地を作る

政府部門は、モバイルプラットフォームに基づき、大量の市民生活関連のデータを集めること

ができる。これらのデータというリソースの開発および利用レベルを向上させるために、プライバシーデータなどを操作し、プライバシーの侵害の予防やセキュリティ対策を行っているという前提の下、政府データの開放計画の制定を通して、市民生活と関係する公安警察、交通、医療衛生、教育、信用、社会保険、地理、気候などの政府のデータの社会全体に向けた開放を推進する。このほかに、政府は情報システムの開放のグランドデザインを強化して「情報の孤島」をなくし、国民生活向けの公共データリソースの集積地を作り、データのシェアと利用を推進しなければならない。統一のデータ保存プラットフォームを通じて、モデルとデータの基準、データサービスを集約し、データというリソースを分散して所有するのではなく、一つに集めてシェアし合うようにする。同時に、ビッグデータ分析能力のあるプラットフォーム企業・機関が、それらのデータに基づき、より多い市民生活向けのアプリを開発するように導く。また、収集したデータを公共データの集積地に公開し、社会全体でビッグデータをオープンにする風潮と好循環を生み出す。

テストを進め、重視する領域や改革を決める

まず、情報化の程度が比較的高く、基礎ができている都市をテストパターンとして、範囲が広く、需給のバランスが特に悪い重要な分野（例：教育、高齢者対策、医療、交通、環境保護など）において、政府が道筋を作り、企業が主導するという協力モデルによって、モデルケースを試行する。そして、重点的に、情報のシェア用ツールの設置、公共データの公開モデル、公共サービスプラットフォームおよび利用システムの完成、モバイルインターネットの十分な利用などにおいて、

まず模索を行ってから、推進可能な体系的ソリューションを作り上げる。

馬化騰（テンセント主要創始者、取締役会首席、ＣＥＯ）

注

1　本文は馬化騰による第十二回全国人民代表大会第三回会議における提言。

第5章 皇帝ペンギン——インターネットプラスで未来とつながる

この時代、私たちの見えないところで情報技術を中核とした新しい科学技術革命が育ちつつある。インターネットは、イノベーションによる成長のリーダーとしての力を強め、根本から人々の生産活動や生活を変え、社会の発展を力強く後押ししている。インターネットは正に世界を「地球村」に変え、国際社会は互いに分けがたく緊密に結びついた共同体となった。

2014年11月19日　浙江省烏鎮での第一回世界インターネット大会に寄せた習近平主席の祝辞

2015年4月13日、テンセントの株価の終値は170香港ドルを突破し、時価総額が1兆5984億香港ドル（約2062億米ドル）となった。このとき、テンセントの時価総額は初めて2000億米ドルを超えた。BAT（バイドゥ、アリババ、テンセント）の中で、現在、アリババの時価総額は2125・51億米ドル、バイドゥは751・34億ドルだ。人々はテンセントを「皇帝ペンギン」という愛称で呼ぶが、その理由は人気サービスのインスタントメッセージ「QQ」

のシンボルマークがペンギンだからというだけではなく、規模の大きさとイメージの良さからきているのであろう。

テンセントはインターネット企業の目で、常にユーザーを観察して、日々未来を見ている。では、テンセントはなぜ「全てをつなげる」ことが未来に通じると考えたのだろうか。なぜ積極的にインターネットプラスを推進しようとするのか。なぜ何かと何かをつなぐコネクターになろうとするのか。そして、未来に向けてどのような行動計画を描いているのか。本章では、馬化騰の近年の主要な講演、文章、提言から、このコネクター企業のリーダーの思考回路をまとめてみよう。

ニューノーマル、新エンジン

インターネットプラスの波はすでに起きている。まだ広がっていないだけだ。２０１３年、中国ではフィンテックサービスが時代の勢いに乗って台頭してきた。翌２０１４年は、インターネットと各種の企業が融合した変革を進め、新しい潜在能力を刺激した1年であった。政府のインターネットに対する重点的な予測的観測と戦略的配置が、インターネットプラスを経済のモデルチェンジとグレードアップを推進するエンジンとしたのだ。

馬化騰とテンセントにとってのインターネットプラス

馬化騰は２０１５年の人民大会における提言でインターネットプラスを以下のように定義した。

インターネットプラスとは、インターネットというプラットフォームを基礎とし、情報通信技術と各業種の境界を越えた融合を利用し、産業のモデルチェンジとグレードアップを推進し、新しい商品、業務、モデルを作り続け、全てをつなげる新しいエコシステムを構築することだ。

インターネットプラスは常にイノベーティブな形で姿を現し続ける。「プラス」される要素は何か。それは、さまざまな既存の職業である。「プラス」のもう一つの含意は、情報通信技術、ビッグデータ、クラウドコンピューティング、セキュリティクラウドドライブラリ、ひいては深層機械学習に代表されるＡＩに至るまでの多くのものを融合させることだ。そうして、力を合わせて、産業のグレードアップ、機能の向上のためにサービスを提供する。「プラス」は、インターネット、モバイルインターネット、工業インターネット、ＩｏＴ等の融合を指す。当然、国家によるネットワーク空間の管理、ネットワークのセキュリティの結合もその中に含まれる。後から生まれたインターネットが、逆に既存産業を養うこともできる。それゆえ「＋既存産業」が実行されなければならないのだ。また、そうしなければ、モデルチェンジによる力を発揮し、つながりの価値を生み出すことはできない。

ここでいう「つながり」と「延伸」は点から面への絶えざる拡張だ。中国のインターネットの過去十数年間における発展の中で、インターネットに何が「プラス」されてきただろうか？「＋通信業」は最も直接的な例で、「＋メディア」はすでに立場の逆転を始めている。将来は「＋エンターテイメント、オンラインゲーム、小売業」となる。小売業に関して言うと、かつてはＥＣのシェアは少ないと考えられていたが、現在はもはや引き返しようもなく、オフライン売買との立場逆転に向かっている。現在最も注目を集めるフィンテックに関しては、平安（保険）グループの馬明哲会長が、今後10年で、現金とクレジットカードは半分が消えるだろうと予測している。

インターネットはさらに多くの分野に進出する。とくにモバイルインターネットがそうだ。馬化騰はモバイルインターネットこそが真のインターネットだと明言する。モバイルインターネットの利用時間から見ると、現在、人々は、寝ている時間を除き、ほぼ16時間スマホと一緒にいる。PCと比べると使用時間は10倍以上に上る。モバイルインターネットの可能性はとてつもなく大きい。モバイルインターネットの端末のビジネスモデルは、ゲーム、O２O、モバイルEC、モバイル広告などが比較的わかりやすいが、それ以外にもまだあるだろう。モバイルインターネット時代には、既存の各分野はイノベーションを起こさなければ、必ず、巨大な試練に直面し、場合によっては速やかに淘汰されてしまうだろう。

馬化騰は、第十二回全人代第三回会議の提言（4章所収）の中で、体系的な分析を行った。彼は、全体的に見て、現在インターネットは、既存産業を再構築し、情報通信技術と既存産業の全面的な融合を進めているところだと考えていた。広がりという点から見ると、インターネットプラスは、情報通信業を始まりとして、第三次産業全体に広がり、フィンテック、インターネット交通、インターネット教育などの新業態を生み出した。また、現在、第一次産業、第二次産業への浸透を続けており、工業インターネットなどは、消費財工業から設備製造およびエネルギー、新素材等の工業分野に広がり、全面的に既存工業の生産方式を変えようとしている。農業インターネットも、ECなどのネットワークを通じた販売から生産という分野へと浸透しつつあり、今後、農業に新しいチャンスをもたらし、成長する場を与えるだろう。また、「深さ」という点から見ると、インターネットプラスは情報伝達から、少しずつ販売、運営および製造などの産業チェーンの各部に浸透しつつある。インターネットをさらに拡張し、ＩｏＴを通じてセンサー、コントローラー、機械、人を一つにつなげ、人と物、物と物の全面的な連結を行い、産業チェーンの開放と融合を促進し、工業時代の規模重視の生産から人の個性を満足させるロングテールニーズ対応の新しい生産モデルへと転換させる。

この馬化騰の提言は、明らかに上述の視点と背景を踏まえたものだ。その内容は、全ての産業、全ての業界、国家、社会にとって、有益かつ貢献可能であることを望む提言となっている。同時に、馬化騰はテンセント自身の専門的能力を発揮できる事を望んでおり、第一線企業以外の多くの企業にも、彼らが理解していない業界の知識を理解したり、自らの潜在能力を見つけたりしてほしいと考えている。馬化騰はテンセントには実は多くのアイデアがあることに気づいており、それを提示し、皆とシェアするべきだと考えている。また、彼は、国にこの分野により注目するようにと声を上げてもいる。

勢いを理解する――インターネットは第三次産業革命の重要な構成要素だ

18から19世紀の第一次産業革命では、蒸気機関が発明され、19から20世紀には電気技術が発明された。それ以来多くの産業が大きく変化してきた。また、興味深いのは、蒸気機関が発明されてから、その動力により、印刷のスピードが大きく向上し、書籍が大量に出版され、学校も増え、知識を伝播し、多くの知識ある人材を育成したことだ。これは、現在のインターネットの伝播や通信の特徴と大変似ている。

また、電気の発明により、電力が多くの発明を後押しした。電球、ラジオ、テレビ、電話など、全てが情報の伝播とやりとりに資する物だ。インターネットは、誕生以来情報の伝播に大きく貢献してきている。インターネットは第三次産業革命なのか？　あるいは、その重要な一要素なのか？　テンセントはそのことについて大変深い考察をしている。

40年以上前、最初に「つながり」を実現して以来、コンピューターは、猛スピードで発展してきた。後に、世界の全てのコンピューターがつながり、そのことが多くの問題を生み出した。われわれにとって、これは全く新しい世界だ。それゆえ、多くの企業はインターネットをニューエコノミー、バーチャルエコノミーであると考え、自分たち既存産業には関係がないと考えた。しかし、これは一つの大きな流れだ。インターネットはもはやニューエコノミーではなく、今後は実体経済と不可分となる。なぜならば、現在、多くの組織や個人、設備が皆つながりつつあるからだ。

馬化騰の考えによると、全ての既存産業はインターネットを恐れる必要はない。インターネットはニューエコノミーや新領域のみにあるものではなく、何も新しいものではない。昔は、各銀行間で帳簿の振り替えを行い、取引所で名前を呼び合い取引して、電気がなくても金融が運営できたのと同じだ。それが電気があるから電子化できたように、インターネットがあれば多くの新しいチャンスが生まれる。例えば、国際電子決済は、魔法ではなく、合理的な物だ。最終的には、インターネットは蒸気機関や電力などの工業化時代の産物と同様、全ての産業で利用され、チャンスを引き出すものとなる。

そのため、インターネットは、電力が起こした作用と同様、すでに第三次産業革命の重要な要素となっており、より多くの既存産業とむすびついて行くだろう。テンセントはウィーチャットによって既存産業とインターネットを一つにつなげるエコシステムを作り上げることに力を注ごうと決めている。これこそが、上記のように考えた結果である。

勢いを借りる——データは資源になり、つながりは重要な要素になる

多くの人が、ビッグデータ、クラウドコンピューティング、AIについて熱心に語っている。多くのつながり、センサー、サービスによって、検索エンジンであれ、ECであれ、SNSであれ、全てのものが多くの情報を集めている。企業のアウトソーシング、バックヤードのクラウド化が行われてから、これらのデータが企業の競争力と社会の成長のための重要なリソースになることが分かった。現在、ECが盛んだが、ECのデータは、金融、ユーザーや企業の信用調査に使われ、ローンを提供するのに利用することができる。これらは皆ビッグデータが後ろで起こしている作用だ。

テンセントのSNSは非常に大きなプラットフォームだ。テンセントもこれらのデータを研究している。例えば、ユーザーにとって信用はどのような影響があるのだろうか。面白い例がある。深圳の「華大遺伝子会社」という企業は、かつて、全世界の人類の遺伝子解析の1％を担当していたが、当時は、一人のDNAを検査するのも大変難しいことだった。しかし、今は科学技術が

発達し、そのコストが大幅に下がっている。彼らは生物科学と情報通信技術を駆使し、ビッグデータを用いて検査した、一人ひとりのDNAを全て残している。できるだけ多く測定するようにし、数十万から数百万、数千万のデータを集めたところ、一人あたりのDNAデータは6ギガであった。目は一重か二重か、どんな性格か……、等を全て調べた。彼らの理論はこれまでの医療に対する仮説の放棄だった。全てビッグデータを用いて計算し、患者の病気の特徴はどんなDNAと合致するかを見て、どのDNAと関係があるかを導きだし、その後に薬を処方した。薬は病気を治すためではなく、DNAを治すためのものであった。問題が起きたら、その部分の薬で治す。この思考パターンは大変オープンで、多くのデータを使い、この方法でなければ解決できない問題があった。これは大変良い例である。

「つながり」から競争力を見て価値を評価することは、過去の工業社会では受入れられないことだった。2014年9月16日、ファーウェイは「2014年クラウドコンピューティング大会」の席上で、「グローバルつながり指数」を公表した。これは、業界が初めて国家と業界のつながりのレベルに対し、全面的かつ客観的な数量化による評価を行ったものだ。彼らは、つながりというのは、土地、労働力、資本の後に継ぐ、新しい生産要素だと考えている。ファーウェイは敏感につながりの価値を感じ取っているため、「グローバルつながり指数」は世界を知るための大変よい視点を提示してくれる。

なぜモバイルインターネットの魅力はこれだけではないのか。なぜならば、モバイルインターネットができて初めて、インターネットが実は多くの既存産業と緊密に結びついていることがわかったからだ。また、モバイルインターネットの端末、すなわちスマホは、インターネットユーザーが肌身離さず持っている物であり、多くのことを既存産業と緊密に結びつけることができるからだ。インターネットは、確かに多くの企業を変えた。ちょっと数えてみただけで、音楽やソニーのプレイステーションを初めとするゲームなどがある。現在まだ使われているのはマイクロソフトのＸＢＯＸだけで、他のゲームをやる人はいなくなってしまった。メディアは言うまでもない。紙の本は電子書籍に追いやられ、資料はネットで調べるようになった。ウェイボー、ウィーチャットなどのメディアも多くの人の読書の時間を奪っている。ＥＣによる小売業の再生、最近話題のフィンテックなども非常に人気だ。現在、皆、インターネットをそんなに不思議な物だと考えているだろうか。以前には、インターネットはニューエコノミー、バーチャルエコノミーと思われており、いずれにせよメインストリームではなかった。しかし、現在ではメインストリームになった。これはそれぞれの業界でバラバラに起こっていることではなく、それぞれの業種の間には多くの共通点がある。

勢いに乗る――モデルチェンジ、効果の向上、融合とイノベーション、新常態のエンジン

現在、中国経済はモデルチェンジとグレードアップの重要な時期であり、成長の鈍化、生産過剰、外需不振などの厳しい課題に直面している。「安定した成長、改革の促進、構造の調整、国民生活への貢献」などが現在の経済社会の発展の主要な課題である。「イノベーション主導」は現在わが国の経済成長の新エンジンになっている。インターネットには情報の非対称を解消し、取

引コストを下げ、専門化による分業を促進し、リソースの分配を改善し、労働生産性を上げるという利点があり、われわれはインターネットプラスによる駆動を続け、産業のイノベーションを奨励し、境界を越えた融合を促進し、社会市民生活に利するようにし、わが国の経済と社会の持続的発展とモデルチェンジとグレードアップを進めなければならない。

大きな流れを見極めれば、流れに乗って進むことができる。現在わが国のスマートフォンユーザー数はすでに世界1位になっており、中国のインターネットユーザーの数は7・8億人(2019年6月末で、8億5400万人。CNNICによる)である。インターネットの利用規模、イノベーションと融合の長足の進歩、並びに、絶え間なく生まれる新しい経済スタイルとビジネスモデルが、経済発展の新エンジンになっている。中国のインターネットは、21年に及ぶ成長を経てようやく大規模化し、中国経済の革新と成長の駆動力の一つになった。これは、改革開放の30年間でわれわれが手にした素晴らしい成果の一つである。

後述の研究から結論を得るのは難しくない。インターネットは大きな流れであり、インターネットプラスはさらに大きな流れである。マッキンゼー・グローバル・インスティテュート(MGI)が2014年に出したレポートによると、現在中国でデジタル革命が起こっており、企業はインターネット技術の受入れ度が高いほど、運営効率が上がり、最終的には生産効率が向上する。当該レポートではインターネットはすでに中国人のライフスタイルを作り替え、中国はデジタル化へのモデルチェンジの新時代を進んでいるという。また、インターネット経済の潜在能力の開放度は、政府の動きおよび産業の受入れ度によって決まる。各国のインターネット経済の成長規模を測定するために、上記MGIはiGDP指数というものを提示した。2013年、中国のiGDP指数は44％で、すでに先進諸国並みの水準となっており、アメリカ、ドイツ、フランスを抜いていた。

2015年の「政府活動報告」では、インターネットがわが国の経済社会の発展を促す多くの重点ポイントに言及した。馬化騰曰く、これはインターネット業界人にとって、励みとなり、力になる。インターネット業には更なるイノベーションによる成長する力の強化が必要である。インターネットプラスは、新常態下でのエンジンとなり、より効果的にインターネットと既存産業と市民生活の事業の融合、発展を実現し、産業のモデルチェンジとグレードアップを推進し、中国を世界のインターネット〝大国〟からインターネット〝強国〟への脱皮に導く必要がある。

勢いに従う——「無理解」から「少しずつ受け入れる」へ

インターネットと既存産業をつなげる。インターネットは最終的に「既存産業」になるだろうが、インターネットそのものとインターネット思想と他の産業の結合は巨大な潜在能力を生み出すだろう。インターネットと各産業の融合とイノベーションを促進するためには、技術、基準、政策など多くの面でインターネットと既存産業が十分に結合する必要があり、インターネット関連のインフラの建設を強化しなければならない。モバイルインターネットと既存産業は必ず結合できる。なぜならば現在3Dプリントまでもがインターネットと結合できるからだ。既存産業もインターネットによって広めることができ、各産業の方向性にはそれぞれ特徴がうまれる。ときにはインターネットとの結合ではなく、インターネット的思想によって行われるものもあるかもしれない。インターネット企業は、アクセスとプラットフォームを開放することにより、「エコシステム共同型」を推し進める産業を変革する。例えば、火鍋チェーン「海底撈」は、オフラインの飲食業だが、内在する多くの思考法がインターネット的であり、それが究極まで高められており、口コミによる広がりを意識している。

「インターネット＋金融」においては、テンセントは深圳の前海（総合開発地区）で、「微衆銀行」を設立し、初の民営銀行の認可を取得した。同行は、ビッグデータとインターネットプラットフォームを利用し、膨大な数の中小零細企業にサービスを提供し、全力で「大衆による起業、万民によるイノベーション」をサポートする。また、同行の準備過程では、テンセントクラウドと協力し、クラウドコンピューティングを通じて新型のインターネット金融ＩＴスキームを構築した。それにより、微衆銀行のアカウント管理コストは同業者とくらべ80％押さえられ、金融クラウドプラットフォームの設立の基礎を築いた。完全に、インターネット技術とオープンソース、伸縮可能性、拡大可能性、安全、低コストに基づいた金融クラウドプラットフォームであり、このプラットフォームは既存金融の業務提供モデルを変革すると見込まれている。

類似の物語は「富途証券」でも見られる。富途証券は２０１２年に香港で設立、主に香港株および米国株の取引を扱っており、創業３年で顧客数12万、月取引額70億元を達成している。富途証券は特に自らのインターネット的要素を重視しており、設立時のいきさつを説明する際には、「ベテランインターネット業者であるわれわれは、一流のインターネット商品に対する要求およびサービス水準をもって、香港インターネット証券の運営サービスを見極め、多くの改善の余地があることに気づいた。粗雑なデザインの売買ソフト、高い売買コスト、形だけの顧客サービスなどがそうだ」と宣言している。富途証券は業界で最初にテンセントクラウドサービスを導入し、根本的なサービス再編を行った。事案の重要性を分類し、弾力性のある施策を推し進め、情報処理をシンプル、完全かつ迅速にするようにし、急速に業務の容量を増やした。2015年香港株がブル相場であった頃、新規顧客数、取引数などが新記録を達成するほど多かったため、多くの銀行や証券会社のサーバーがダウンし、システムが麻痺状態になり、正常な運営ができなくなった。しかし、富途証券はユーザーのために安定的な取引環境を整備し、そのことは香港株の大好況のなかでもひときわ目立っていた。

他にも、「インターネット+市民生活サービス」の分野の、ウィーチャット「都市サービス」を例に取ってみよう。このサービスでは医療受付、公安戸籍関連事務、出入国、公共料金などの納付、公的積立金などの多くの生活サービスが一つになっている。スマホの「都市サービス」の入り口が、役所のロビーに相当し、わが国のサービス型政府および「スマートシティ」の建設を強力に推進している。現在、この機能は、広州、深圳、佛山、武漢の4都市で正式にリリースされており、鄭州、重慶、上海、海南にも投入予定だ。これらの改革は、一般庶民の生活の利便性を上げると同時に、政府が社会の新しい管理モデルを模索する際に、試験的かつ規範的な作用をもたらす。

インターネットと既存産業が協力するべきか対抗するべきかについては、もはや議論の必要がない。両者は魚と水のようなものであり、インターネットはもはや敵ではない。皆が流れに乗る勇気を持つべきだ。互いに尊重しあわなければ、最良の連結ポイント、融合方式、イノベーションの方向を見つけ、共に発展することはできない。インターネットプラスの対象となった多くの産業はすでに成熟している。例えば、「インターネット＋通信」は、リアルタイム通信（インスタントメッセージ）で、すでに成熟している。キャリアは、最初はうまく適応していなかったが、現在では、次第に互いに魚と水のような関係だと考えるようになっている。通信会社では、インターネットだけが発展し、データ業務のトラフィックが増え音声会話からの収入を大きく超えたが、全体の成長としてはより良い結果になった。馬化騰曰く、これは陣痛のようなものだ。最初はインターネットと通信がつながるのを皆が恐れ、それまでの収入がなくなってしまうかもしれないと考えた。しかし、現在振り返ってみると、キャリアの状況はすでに２年前、３年前と全く違っている。全世界的に見て、これは進むべき方向だろう。

　また、例えばＱＲコードの読みとりサービスは早くからあったが、モバイルインターネットの出現までは、ウィーチャットの中でもユーザーにあまり意識されていなかった。今は店で気に入ったブランド店を見つけたとき、ＱＲコードの読み取りによって、店の情報を入手し、さまざまなメディアを使い店とやりとりし、そのままウィーチャットペイで払うことさえできる。この買い物体験は大変スムーズだ。テンセントはモバイル端末に消費者の支払いシステムを作り上げている。

　再び、ＱＲコード決済を見てみよう。例えば、手数料を１％取られるだけで、ユーザーはキャッシュカードから支払先のプラットフォームに資金を移動することができる。このようにして中間チャネルのコストを節約する。将来、この種のモデルが主流になるだろう。企業からすれば、チャネルのコストが削減でき、ユーザーからすれば、買い物がしやすくなる。このサービスは中国のネットユーザーのキャッシュカードの普及率の低さと密接な関係があり、現在は一種の爆発期にきているとみられる。

では、インターネットと住宅はどのように結びつくだろうか。大手不動産デベロッパーの万科では、すでにインターネット思想に基づいて、住宅を扱っている。ユーザーエクスペリエンス（UX）を重視し、UXにまつわるイノベーションを行っている。例えば、万科は、不動産管理を順調に行うために社区（中国の行政区画の単位）の周辺で最もよい店と組んで、最も豊富なコミュニティサービスを住民に提供している。ユーザーの側から見ると、いわゆるインターネットとの結合は、居住区のスマートサービスやつながりに影響し、居住区内の全ての建物、不動産管理業など全てがネットワークで一つになれば、モバイルインターネットにより、居住区内の全ての問題が解決でき、真の「スマート居住区」になるということだ。

不動産のO2Oでもモバイルインターネットで取引効率を上げることができる。「捜房」「安居客」などの多くの不動産情報サイトは、新築でも中古でもインターネットを用いて販売を促進している。他にも、商業地に関しては、テンセントは百度と万科と提携して、万科の商業不動産内のO2Oを行っている。基本的な考え方はこうだ。商業用不動産のテナントにプラットフォームを作るように指導し、モバイルインターネットの力を使い、既存の店や販売員に、カウンターまで来た客に対応するだけでなく、暇な時間に既存客とコミュニケーションをとり、新商品の案内などを行なわせる。過去には、ECとオフラインは全く相容れないもので、どちらかが成長すればどちらかが廃れると考えられていた。だが、のちに、オンラインでやっていることはオフラインの店でもでき、スマホで自分の顧客にサービスが提供できるということが明らかになった。

馬化騰の分析によると、不動産業が有効なモデルを作るためにはまだ複雑な事情があるという。不動産業から発展した巨大コングロマリットの万達には、ショッピングセンター、チェーン店などがあり、次々とテンセントにいいソリューションがないかと問い合わせてくる。どうすればユーザーの店への「粘着度」を上げることができるか。アフターサービスはどうしたらいいか。どうすれば会員のロイヤルティを測定できるか……などだ。たとえば、あるレストランは急にキャンペーンを行うことを思いつき、30分の間3キロ以内にいる消費者にプロモーションをかけ、店に来たら6割引にしようとした。このような販促活動は、以前なら告知のしようもなく不可能だが、モバイルインターネットを使えば周囲にいる人にすぐ通知をプッシュできる。このようにして、既存産業とモバイルインターネットは結びつくのだ。

フィンテックに対しては、もともと意見が分かれていた。1年以上前、アリババの少額投資商品の余額宝ができたばかりの時、銀行はコントロールできないと考え、QRコードの安全性、隠れた危険の有無などを問題にしたが、現在ではこの問題は少しずつ解決しつつある。国家のフィンテックに対する研究も次第に明確化し、銀聯（中国銀聯股份有限公司）も、QRコードに対する基準を出し、秩序ある発展を促進している。

馬化騰曰く、既存産業の細分化したそれぞれの領域の力は依然としてきわめて強く、インターネットは、ツールの一つに過ぎない。例えば、交通において、現在、DiDiはまだ理解を得られていないが、将来的には基準ができ認められるだろう。インターネットは将来製造業に参入し、インターネットによって収集したデータにより、ユーザーのニーズを推測するようになるだろう。農業も同様だ。これらは全て一つのインターネット企業では行うことができないので、テンセントはプラットフォームを作り、多くの垂直統合型産業の企業に加入するように呼びかけている。

2015年初頭、李克強首相が深圳へ行き、微衆銀行で最初のエンターキーを押し、インターネットによる貸し付け第1号を実行した。初のインターネット金融の営業許可を得た機関の誕生であった。われわれは政府がインターネットの既存産業における改革を支持していることの表れだと感じた。

インターネットプラスは幻でもなければ、根無し草でもない。インターネットプラスが既存産業のイノベーティブな発展とモデルチェンジのための最高のレバレッジであり、最大の魅力ある制度改革であることは、事実が証明するだろう。インターネットといかなる既存産業の結合も、全て「分からない」から始まり、認知を経て「少しずつ受入れる」という段階を経る。インターネットと結びつくことは大きな流れであり、少しずつ互いの状況をすりあわせ、規範化していくに違いない。

勢いを生み出す――手を取り合い進み、世界をつなげる

現実の世界は大きい。バーチャルなインターネットには境界がない。境界を越えた融合と改革には元々、地域やバックボーンの制限がない。多くの人がつながるようにし、多くのイノベー

ション、文化、智慧がつながるようにすれば、ニーズと市場が自ずとつながっていく。

同じ国際的企業でも、過去の企業と、インターネット環境下の企業には本質的な違いがある。インターネットが提供するのは、それまでとは完全に異なるロジックでありモデルだ。例えば、グローバルな商品調達サプライチェーン、カスタマーサービスのアウトソーシング、事務のシェアリングなどのように。海というのは実はわれわれの思考の障壁であり、われわれの境界の束縛なのだ。超えてしまえば、あなたは新天地を開くことができる。

海外進出のパートナーを誰にするか。インターネットの助けを借りなければ、既存産業は、次第に外部との対話の基盤がなくなっていく。なぜなら、インターネットは世界を一つにする存在だからだ。既存産業の海外進出には特にインターネット産業のサポートが必要だ。仕入れ、決済、物流であれ、カスタマーサービスであれ、インターネットの強力な支えがなければ、地域や空間の障害を乗り越えられない。

インターネット産業には海外進出の実践経験がある。大手インターネット企業の数社はすでに世界のトップレベルに位置しており、将来の海外における発展の可能性に期待ができる状態だ。

現在、ウィーチャット、ワッツアップ、ライン、カカオの4社は多くの国で市場における地位が固まっている。もともとトップだった者はトップを守り、もともと後れていた者が均衡を打ち破るのは難しい。インスタントメッセージの特徴から考えて、一旦独占状態になったら、それを揺り動かすのは難しい。より豊富なインスタントメッセージ以外の付加価値のあるサービスという角度からこの競争を見るしかない。それゆえ、「チャンスの窓が開いている時間」は大変短く、そのチャンスを逃すと、その分け前にあずかろうとしても難しくなってしまう。テンセントのもう一つの顔はコンテンツ産業だ。海外での展開はうまくいっている。ライバルである「ゲーム機」という領域から話をすると、過去のＰＣ時代と比べて国際化のレベルは高くなっている。中国企業が海外に出るための実力も以前より上がっているに違いない。モバイルインターネットという分野では中国は比較的強力で、コンテンツ産業もアジアの国が比較的強いので、この分野は手がける値打ちがある。

全てをつなげる、ということはインターネットプラスの本質だ

１００年前、千里（約４０００Ｋｍ）も離れたところにいる妻の声が聞ける道具があったら、あなたはほしがるだろうか。あなたの答えはもちろん「イエス」だろう。そして、それこそが電話が発明された理由である。

つながりがあれば、そのつながりは人とのコミュニケーションを拡張し、生産効率を高め、日常生活のスピードを上げる。このようなつながりをあなたはほしいだろうか。

そんな問いに、あなたはどう答える？

なぜつながりが重要なのか

実際、既存のＰＣを中心としたインターネットですでに上述の問題の一部は解決されていた。

しかし、まだ十分なものではなく、「すばやい」というにはまだ遠かった。それゆえ、モバイルインターネットが生まれた。

インタラクションは随所で生まれ、情報は至る所にある。つながりの重要性はさておき、まず、「つながりの喪失」とはどんな体験なのか想像してみよう。

つながりは人間の本質に対する最大の尊重だ。つながりは、体験とスピードを重要視する。そのため、つながりは人同士の結びつきを高め、関係を強めることができる。インターネットのなかでもモバイルインターネットは特に、関係を再構築し、信頼を生むつながりを作り出せる。そのことの価値は大きい。

つながりがなければ、境界を越えることもない。つまり、越境、イノベーションということも問題外となる。当然、インターネットのない時代、たとえ古代であっても現在と同様つながりは存在する。のろしや飛脚が当時のつながる方法であった。カール・ベンツは内燃機関を使って三輪自動車を動かしたことで「自動車の父」となり、現代の自動車産業の先駆けとなった。彼の生み出したことも「つながり」の一種だ。ティム・バーナーズ・リーはハイパーテキストとコンピューターをつなげインターネットを作り出し、「全てをつなげる」ことを可能にした。

前述のように、企業、地域から見ると、つながりは新しい要素となり、価値、成長性を測るための尺度の一つだ。データは生産力となるが、つながりのないデータは構造化できない。利用されないデータはゴミ同然だ。情報の孤島化という現象は、現在でも非常に普遍的に存在する。過去には、政府の各部門が大量の情報化を行い、大量の基礎データを持ったが、互いを直接つなげることができず、利用率は低かった。現在注目を集めるビッグデータも多くの問題を抱えている。例えば、データのノイズが大きいとか、データの非構造化、データがシーンと結びつかない、関係ある人と結びつかない、など。

モバイルインターネットにより政府部門間の情報の孤島問題を解決することができる。モバイルインターネットはシンプルで、人間に合ったヒューマンマシンインターフェイス（ＨＭＩ）を構築でき、データスイッチングの問題を有効に解決できる。ユーザーは各種の行政ウィーチャット、行政アプリを使って、モバイル端末でも役所のロビーで受けるようなワンストップサービスを受けることができる。

例えば、広州市はウィーチャットの「都市サービス」機能を開設し、医療受付、交通、公安戸籍関連事務、出入国、公共料金などの納付、公的積立金などの17項目の生活サービスを一つのプラットフォームに集めた。市民は一つのアクセスポイントですぐに必要なサービスを探すことができる。公共データが段階的に公開され、ウィーチャットが公共サービスを統合することにおいて、より多くの成長の可能性が生まれている。情報の孤島をつなげて一つの陸地とするのだ。つながったものはデータとなり、それにより便利になるのは市民サービスだ。

個人にとっては、つながることは多くの場合一つの体験だ。つながるとはソーシャルということであり、一つのライフスタイルだ。組織と社会にとっては、つながることは一種の対話であり、インタラクションであり、効率であり、価値であり、管理システムだ。

また、つながりはインターネットプラスの基本的特徴でもある。「プラス」とはつながりであり、境界を越えることであり、イノベーションでもある。どのレベルのインターネットプラス行動計画であれ、全て「つながり」を全うするためのものだ。

２０１２年1月21日のウィーチャット正式運営開始から今日まで、ウィーチャットは全ての人を他の人と近づけ続けてきた。音声による通話、動画チャット、インスタントメッセージ、シェイク（スマホを振り合うことで通信ができる）、近くの人を探す機能、ミニ動画、タイムラインでのシェアなどの基本的なサービス機能を通じて、空間的距離を、人と人とのコミュニケーションの障害ではなくした。

現在では、パブリックプラットフォーム、支払い、ハードウェアオープンプラットフォーム、企業の公式アカウントなどの業務は、相次いでオープン化および構造化、関連付けがなされている。テレビ、空調などの設備やリストバンドなどのウェアラブルデバイスとつながるだけでなく、配車サービスのＤｉＤｉや大衆点評（口コミサイト）などのオフラインサービスとつながることもできる。それらのサービスがウィーチャットを人対人の通信やソーシャルツールから、少しずつ、よりつながる力の強い「森」へと変化させていく。「全てをつなげる」という理念が少しずつ現実になっていくのだ。

「全てをつなげる」とは何か

「全てをつなげる」というのは、全てが情報を生み出し、情報のインタラクションの可能性あるいは相互に影響を与え合える要素を備えている、ということだ。またそれは、情報通信技術の中でも特にＡＩ化という方法を用いて全てを一つにつなげる過程と状態を指してもいる。それがインターネットの未来であり、インターネットプラスの本質だ。

つながる要素が少なく、つながりの数量と頻度が低いとき、そのつながりの価値は大いに損なわれる。ウィーチャットにも多くの競合相手がいる。彼らがウィーチャットを上回れない理由の一つに、ウィーチャットが信用という要素を重んじ、出会い系アプリになってしまわないように注意しているということがある。また、競合相手のつながりに対する理解不足、「つながり性」の低さ、つながるというエコシステムの弱さも、彼らがウィーチャットに勝てない理由の一つだ。

「全てをつなげる」ことにおいて注目されるのは広さや深さ、密度だけではない。人と人とのつながりのみならず、われわれは人とデバイス、デバイスとデバイス、人とサービスの間のつながりも見ている。将来は、人と植物、人と他人の考えや夢、人と宇宙の万物の間にさえもつながりを生み出せる。

「全てをつなげる」ことは、エコシステムの解読器にも翻訳器にもなる。例えば、社会的グループの加入者の身元や背景はそれぞれだ。趣味、職業、専門分野、地域などが理由で人とつながるとマイクロエコシステムがすぐにできあがることに、あなたは気づくだろう。すぐにルールができ、ときには共同、協力、イノベーションまでもが生み出される。似た者同士がつながるのはスタートポイントだけで、その後は想像していなかったさまざまなつながりを生み出し得る。

馬化騰はこの2年間で、スマホが電子的な人体の一器官となりつつあると感じてる。スマホのマイク、スピーカー、カメラ、センサーなどは、人の器官を拡張し補強するものだ。また、インターネットを通じて、一つにつながることもできる。これは、以前にはなかったことだ。モバイルインターネットの環境下において、ユーザーは新しい価値を求め、それに合わせて新しい使い方や新しいつながり方が生まれる。

テンセントのＱＱのプラットフォーム全体で８・２億人のＭＡＵ（月間アクティブユーザー）がおり、毎日平均１５０億の情報がアップされる。携帯電話用ＱＱの進歩は極めて早い。現在５・42億人のＭＡＵがおり、一日の平均情報量は１００億件だ。また、国内向けのウィーチャットと海外用WeChatを合わせると、現在のＭＡＵは４・６８億人だ。多くの人が感じているように、ウィーチャットは一級都市では浸透度が高く、二～四級都市や農村ではＱＱと携帯電話用ＱＱが重要なプラットフォームとなっており、成長はすこぶる早い。過去のＰＣ時代には、皆、ネット上にいる時間は日に2時間しかなかったが、ネットにつながるとすぐにＱＱにログインし、ネットから離れるときＱＱを閉じていた。基本的にＱＱにつながっている時間＝つながっている総時間であったが、現在ではネット上にいる、という概念がなくなり、そのため、多くの新しい違いが生まれている。

次は、サービスについて話そう。テンセントはウィーチャット上で初めて公式アカウントとサービスアカウントシステムを始めたが、これは革命的なことで、ＰＣ時代には考えられないことであった。このサービスアカウントを通じて、多くのサービスや店舗とつながることができるようになった。メディアや、セルフメディア、キャリアの運営、銀行など、多くの機関とこのシステムを通じてつながることができた。そのことにより、もはやホームページは必要なくなり、気軽に人とつながれるようになった。それらの多くの情報やサービスは細分化して友人に転送したりシェアしたりすることができ、その対象は個人でもグループでもかまわなくなった。全ての人にシェアすることだってできる。これらの情報とサービスはSNSのなかで迅速に伝わり、完全にホームページは不要となった。また、複雑なものも必要なく、素晴らしい効果が生まれる。これがつながるサービスのひな形であり、多くの状況を変化させられる。

さらに、テンセントが現在力を入れているのがつながるためのデバイスだ。この種のデバイスは生まれたばかりだ。ウィーチャットにはハードウェアのプラットフォームがあり、QQ物聯（IoT）というソリューションがある。車載することもでき、他のパートナーとともにIoV（Internet of Vehicles）ソリューションを出すこともできる。テンセントは彼らが孤立することを望んでおらず、パートナーと共に、この偉大な試みを実現したいと考えている。

ウィーチャットの公式アカウントは人とサービスに関する一つの試みだ。それゆえ、PCのインターネットにせよ、無線インターネットにせよ、さらにはIoTにせよ、全てはそれぞれの段階、それぞれの面における発展であり、最終的に一つの大きく完全につながり合ったネットワークが形成される。これがわれわれの未来が全ての変化について語る基礎である。

つながりのメカニズム

つながる主体は多元的だ。「全てをつなげる」の関与者も広い範囲に及ぶだろう。元米国国務長官キッシンジャーはかつてこう言った。「一国だけで作れる世界秩序はない」全てをつなげるというのは、皆が力を合わせ互いの長所を活かし適材適所となることだ。テンセントはその最下層で役割を果たしたいと考えている。上部は既存産業が自分たちのロジックを積み上げて、自らの領域で使えばいい。空間は無限にある。全ての職業は奥が深い。それぞれの職業がモバイルインターネットを利用し、その威力を最大限に発揮すればいい。それこそがインターネットプラスなのだ。

「全てをつなげる」の入り口はたくさんある。プラットフォームには十分な大きさが求められ、協力するという意識、受容のシステムは、明確で自覚的に守られなければならない。それは、まるで、宇宙ステーションを作るようなもので、天文学者、航空の専門家、生物学者、電力、通信などの分野のプロが協力しなければできないのだ。

「全てをつなげる」ということは、完全に自動で自発的に成し遂げられるものではない。その中にはスキーム、ルール、契約、自律、他律、そして安全、監督管理、問題解決が必要だ。信用、協力は基礎であり、契約、制限が手段となる。そして、自律と畏敬の念が中核となり、管理監督、問題解決が保障となる。

情報の生成、つながりの発生、データの合理的利用、「全てをつなげる」の成否、インターネットプラスの効果は、全てつながりのメカニズムの成り立ちとそのでき具合にかかっている。そのため、産業界の協力と標準化がとくに重要なのだ。

人と人のつながりは、現在比較的成熟している。将来のチャンスは人とデバイス、人とサービスのつながりにある。また、それらのつながりは全てＡＩによるものになるはずだ。

人とつながりたいという欲求、プライバシーの保護、データ利用の許可と状況の把握などのためには、一人ひとりの尊重、安全なつながり、ユーザーの許可、財産権の保護、データのプライバシー保護、価値のシェアなどを通して、段階的に優れたメカニズム、ルールそしてモデルを模索していく必要がある。

ＱＲコードは最も簡単にオンラインとオフラインをつなぐツールで、読み取りも伝達も簡単だ。多くのレストランの店頭でウィーチャット、ウェイボーのＱＲコードを見かけるだろう。それぞれの店がこの市場を広げようと努力しているのだ。

テンセントは、もっとも初期にこの業界でＱＲコードを推進し、それが一つの標準となった。ＱＲコードはモバイルインターネットの目玉だ。なぜならもっとも便利で簡単にＯ２Ｏを実現するからだ。以前からあるブルートゥース、ＮＦＣ（近距離無線通信技術）などの多くの方法は大変手間がかかるが、ＱＲコードは簡単で信頼できる。

しかし、将来のＱＲコードは限定的なものだろう。例えば、今後もブルートゥース４・０の感応力、Ｗｉ－Ｆｉによる信号などにたよらなければならない。室内ナビができる技術もある。これらは全て以前より正確かつ精密な位置情報である。この技術を使えば、多くのオフラインのサービスをつなげて、いちいち読み取らなくてもよくなる。スマホをシェイク（振ること）すれば自分の左右に何があるかわかるようになる。例えば右側に行けばどんな店やサービスがあるのかが分かれば便利だろう。

このほか、わが国の公共データのオープン戦略を検討し制定する必要がある。政府もすでに公共情報とデータを社会全体に公開しようとしており、職業による情報の孤立を解消し、一般市民が必要な時に公共情報を知り、利用できるようにしようとしている。同時に、データのセキュリティ保護システムと、データの開発および利用の基準を段階的に作り上げ、データの有効利用および関係者の権利と利益を保護していく。

人はつながりの最重要要素

人はつながりの最重要要素である。あなたが人とつながると、インタラクションが生まれ、関係が積み上げられ、愛着が生まれる。また、人とのつながりは、われわれの中で重要な位置を占め、ニーズを満たし、マッチングして流れを導く。だが、それ以上に重要なのは、人は最も能動的な要素であり、社会化、グループ化する存在であるということだ。人々は皆インタラクション、シェア、推薦を行う。そのため、口コミによる伝播はつながりの潤滑剤となり起爆装置となる。「全てをつなげる」ことでこれらが可能になるのだ。

つながりを進化させ続ける最も大切な力は、人である。そのため、つながるために使われる技術は日々多くなっている。インターネットはさらに広範にユーザーのより深いスマート化、社会化への欲求をつなげることができる。PC、モバイルデバイスなどにおいて、テンセントはインターネットのコネクターになれる。一方の端ではパートナー企業とつながり、もう一方では、大量のユーザーとつながり、共同で健全で活発なインターネットエコシステムを構築し、全てをつなげるのだ。

つながりとは対話であり、相互作用であり、協力であり、思想であり、生活であり、融合であり、創造だ。ＰＣからモバイルにいたるまで、人同士の双方向のつながりと、多元的なつながりは日々重要性を増している。現段階では、デジタルギャップが存在しているが、テンセントは「つながりの溝」をなくしたいと考えている。個人個人がスマート生活を享受する権利を持っている。テンセントは貴州で、地方行政機関パートナーとともに大変意義のある社会実験を実施している。「モバイルインターネット＋村」というモデルを用いて、彼らに自ら、そして世界とつながり、フェアトレードの機会を提供するという計画だ。

コネクターはテンセントの最も根本的な本質だ

過去、多くの人がテンセントはなんにでも手を出すと考えていた。馬化騰は次のように振り返る。テンセントは過去多くの回り道をした。利益が出て多くのチャンスが見つかったため、多くの分野に進出したのだ。４年前、オープン化戦略をとって以来、テンセントは一歩ずつ着実に行動し、この2年間で多くの業務を削り、売却し、パートナーに渡してきた。

過去1年強の間に、テンセントには大きな変化があった。自らの修養を積み、本質に帰り始めたのだ。テンセントは、自らの最も得意な部分は、通信、ソーシャルの大プラットフォームに集中していることに気づき、全ての戦略を大幅に変化させた。検索業務では捜狐（Ｓｏｈｕ）と提携し、ＥＣでは京東（ＪＤ）と提携した。そうして、テンセントは最も本質的なコネクター業務に立ち返ったのだ。

インターネットのコネクター

この方向転換は偶然ではない。世間や人との付き合いがテンセントの遺伝子に組み込まれているが、それ以上に重要なのは、テンセントがインターネットの中でもとりわけモバイルインターネットに新しい希望を見出しているということだ。もともと、PC時代には、通信、ソーシャルは人の生活の一部分でしかなかった。しかし、モバイルインターネットにおいては、通信は大変価値のあるものとなった。スマホは、うまれながらの通信ツールである。通信とソーシャルによって日常的サービスを行う大量の機会が生まれた。これらはPC時代にはなかったものだ。しかし、モバイルインターネット時代には、知り合いがいて、その人のソーシャルネットワークが分かれば、テンセントには多くの作業が行える。

それゆえ、彼らは自らの位置づけを「コネクター」とした。テンセントは人と人をつなぎ合わせるだけではなく、サービスとデバイスをもつなげたいと考えている。

つながりは未来にあるものではない。世界中で、現在できているものだ。つながりはすでにどこにでもある。配車アプリのおかげでいつでもどこでも近くにいる空走しているタクシーを見つけられる。これは人とタクシーの間のつながりを作ったものだ。大衆点評という口コミサイトでは、いつでもどこでも、最も良質かつ自らのニーズを満たしてくれるレストランなどの生活サービスを探すことができる。これは人と生活サービスの間のつながりをつくったものだ。これらのつながりは新しい価値を生み出し、社会全体の効率を高めた。

テンセントが自らを「インターネットのコネクター」と位置づけなければならなかった理由は以下の六つだ。一つめは、つながりは美しく、「全てをつなげる」ことは未来に通じるということ。二つめは、人々がコネクターを求めていること。そして、彼らはテンセントを信頼していること。テンセントへの信頼は、彼らのスマートライフの重要な構成要素である。三つめはコネクターという役割はテンセントの先天的な本質であること。テンセントは、つながりの価値を「見つける」「掘り起こす」「拡大する」という三つのことを行うことができるとしている。四つめは、情報の孤島とデジタルギャップが存在すること。また、つながりを失った人もおり、これらのつながりを失ったデータと人には、注目しそれを覚醒させる価値がある。五つめは、コネクターがテンセントが社会的責任を実現するための最も良いルートであること。情報経済、データ経済、シェアリング経済、メイカーズ経済、Ｗｅ衆経済、スマート市民生活の実現を推進することができるだけでなく、インターネットプラスを通じてさまざまな産業に奉仕し、価値を与えることができる。六つめはイノベーションと起業にエコシステム化というサポートを行い、有効にその実現を推進できること。

上記を踏まえ、テンセントは改めて自らの位置づけを決めてから再出発した。インターネットのコネクターとなることは、人と世界、人と未来のコネクターになることだ。また、イノベーションとアイデアの拡大器になることでもある。「Ｗｅ衆」の価値の転換器になることであり、起業と創造、社会における価値のイノベーションの加速器になることである。またさまざまなグループの知能の合成器でもあり、素晴らしいデジタル社会と「全てをつなげる」時代の推進器でもある。

オープンエコシステム、ツール型パートナー

テンセントにとって、一つの重要な原則が、「オープン」である。テンセントは多くの中核的ではない業務をパートナーに委託している。テンセントのエコシステムは、一種のオープンエコシステムであり、同社は基本的な通信ユーザー認証を提供したり、保存、シェアのプラットフォームであったり、売買決済プラットフォームであったりする。また、多くの垂直統合業界のパートナーと提携している。

4年前、多くの企業がオープン化しなければならないと言い出した。テンセントは言うだけではなく、実行に移した。テンセントの業務には500万の起業家が関わっており、ざっと計算しただけでも、パートナー企業全体の評価額が2000億元を超える。

「つながり」、「オープン」という原則に基づき、これらのパートナーは主に何をしているのか。もし、最も簡単なつながりを提供しているだけなら、単なるパイプにすぎず、付加価値は低い。テンセントにとって、過去11年、コンテンツ、とりわけオンラインゲームにおいては、大量の外部開発者を抱えてきた。今後はより多くのコンテンツをテンセントで開発するのではなく、パートナーに開発を委託していく。

中国のインターネットは、21年の発展史の中で、知的財産権を軽視する時代から、次第に知的財産権を重視する時代へと移ってきた。問題は完全に解決されてはいないが、明らかに改善しつつある。そうでなければ、ビジネスモデル全体がなりたたない。オリジナル製作、動画、音楽、

アニメ、マンガなどのコンテンツは一つの知的財産権のエコシステムを形成している。このエコシステムは数社だけで全てが出来るものではなく、オープンにして協力し合うものだ。多くのパートナーが参加し、多くの階層に分割されているエコシステムなのである。

馬化騰はテンセントのオープンプラットフォームについて、かつて感慨深げにこう語った。「今、われわれの目の前には何社かのエコシステム型企業がある。彼らはわれわれより、少し遅く始めているが、最終的には皆われわれと同様の問題に気づくだろう。われわれは少し早く始め、少し早く壁に突き当たり、少し早く改善するにすぎない。しかし、私は皆がオープンになれると信じている。これはDNAだけの問題ではなく、管理上の問題やエネルギーの問題だけでもない。多くの創業企業のメカニズムの問題だ。多くの分野で、起業家がそこで全身全霊をかけて業務を進めなければ、めざましい効果は見られない。また、自分のチームがうまくやることに賭けるのと、市場に最後に出てくる勝ちに乗るのとでは、どちらの勝率が高いだろうか。おそらく市場の勝者に乗った方が勝率は高いだろう。これはわれわれがこの2年の苦労から得た結論だ。それゆえ、われわれは現在断固としてその方針を採っている。全ての起業家の最高のパートナーにならなければならないのだ」

部品型、ツール型、サービス型のパートナーにならなければならない。自分だけでは多くの分野に属することが出来ないので、他人に任さなければならないとテンセントは認識している。テンセントは過去には多くのことを自らのシステム内で行おうとしたが、最終的に自分たちのスキームが適しているのは基盤となるプラットフォーム型の、普遍的なコネクターとなることだと気づいた。複雑すぎて、深すぎるものは、彼らには合わない。彼らは現在、よりオープンな心情になっている。馬化騰の言い方を借りれば、多くの場合、彼らは一つの理念を提唱し、その後に基本的な部品を提供する。テンセントは一つのオープンな入り口となり、アカウント同士のつながり、ソーシャル広告能力、決済能力などを最も基本的な武器として、多くの垂直産業のパートナー企業に開放する。具体的に言うと、どのようなモデルを組み立て、どのようなことをするのかについて、自分たちでは想像も出来ないが、多くの垂直産業では大変面白いものを作り出せるということだ。ある業種（例えば医療）の後ろの長く深い産業チェーンが何をしているのか。テンセントには分からない世界だ。そこで彼らは投資したり、ＡＰＩ（アプリプログラミングインターフェイス）を提供したりして、その業界のことを理解している第三者企業をパートナーとして迎え入れる。例えば、教育という分野なら、テンセントのツールを用いて、イノベーションを起こすことが出来る。彼らは自らの分野でのベテラン専門家だ。モバイルインターネット、ウィーチャット、公式アカウント、また、テンセント以外の商品でもどう使えばいいか分かっている。

スマホ、ウィーチャットをコネクターとしているということは、テンセントがサービス形態に関して、ユーザーにシンプルな記憶の接点を作らせたいと考えているということだ。これらのサービスにアクセスする方法は以前から難しくなかったが、なぜ出来なかったのか。それは、アクセスポイントが余りに深くて複雑だと考えられており、そうしているうちにそのサービスが要らなくなってしまったからだ。情報がないわけでも、開発が難しいわけでもなく、ＨＭＩ（ヒューマンマシンインターフェイス）がシンプルではなかったということだ。

テンセントは最もシンプルなＨＭＩを作って物事をつなぎ合わせるのが得意だ。それゆえ最も便利で、人にとって使いやすいアクセスポイントを作り、各種のオフラインのシーンにおけるサービスをつなぎ合わせた。その背後には多くのパートナーがいる。それは、前述のようにテンセントは自らが、対象となる垂直型産業に属する全ての業務を行うことが出来ないことを認め、小さなコネクターとして多くのパートナー、政府、コンテンツメイカーと協力したいと考えているからだ。

手を取り合いつながる企業

ＤｉＤｉ、大衆点評のように、以前にはなかった膨大な数のつながりを革命的な形で作り、新しいつながりの要素や、つながりあるいは集散のスタイルを組み入れ、新しい価値を生み出すことで、世界全体の効率を向上させる企業を「つながり型企業」と呼ぶ。

「つながり型企業」の研究をさらに進めると、この種の企業の価値は、その企業が生み出したつながりの量と質により決まることが分かる。例えば、１万台のタクシーとつながる企業は、１０００台のタクシーとつながる企業よりも価値がある。必要なレストランを探してくれる企業は、いいレストランが見つけられない企業よりも価値がある。そのため、これらのつながり型企業はオープンである必要があり、その結果、エコシステムを積極的に成長させている。以下に、テンセントの任宇昕ＣＭＯのかつての発言を紹介しよう。

「まず、テンセントはサービス連結型企業を通して、オフラインのサービスとつながる。オフラインのサービスは複雑で種類が多い。また、全てのサービスがモバイルインターネットにつたなげられるわけでもない。比較的容易につなげられるサービスであっても、そのサービスのことを熟知している多くのつながり型企業に頼って、つなげる必要がある。それゆえ、テンセントができる限り多くのオフラインサービスとつながりたいと考えた場合、自分が直接つながるだけではなく、自分と他のつながり型企業の間のアクセスも必要となる。自社と他のつながり型企業が連結すれば、その企業も成功する。D・i D・iと大衆点評はその好例である」

「次に、オープン戦略と同時進行で、ユーザーとコンタクトをとるチャネルを増やす。既存のインターネット時代には、テンセントのオープン戦略は他の企業のコンテンツとサービスを自らのプラットフォームに引き入れ、ユーザーとそれらのコンテンツやサービスとのタッチポイントをテンセントのプラットフォーム内に置かせるというものであった。QQ空間におけるオープンプラットフォームもその一例である。われわれはこの戦略を『オープン1・0』と呼んでいる。一方、産業が融合するこの時代において、われわれは一つひとつのビジネス領域がそれぞれのルールを持っていることに気づいた。われわれは他人の経営方式の方向を無理に変えさせることはできないし、無理やりその人の業務をテンセントのプラットフォームに移動させることはできない。そして、より良い方法は、われわれが自らの能力を各業種にオープンにし、それぞれの業界に自らのビジネスルールに則り、自らのよく知る方法で業務を行わせることだ。同時に、彼らはテンセントのオープンなモバイルインターネットの力により、自らの経営方式を改善することもできる。われわれはこのやり方を『オープン2・0』と呼んでいる。ウィーチャットの分散型EC、『応用宝』の赤いQRコードなどはこの考え方に則っている。売っているアプリをダウンロードしたい場合、かつてはそのショップでダウンロードするしかなかった。しかし、現在はどのショップでも、ユーザーと触れ合うチャネルで『応用宝紅碼』というQRコードを広めることができる。ユーザーがスマホでそのQRコードを読み取ると、ユーザーにそのショップのアプリがダウンロードされ、それと同時に、ユーザーはウィーチャットで応用宝かそのショップからのボーナスを受け取ることができる。現在、すでに京東、蘇寧、携程、招商銀行などの多くの企業がこのようなサービスを提供している」

テンセントクラウドもその一例だ。初期にはテンセントクラウドは企業の内部業務にサービスを提供するクラウドコンピューティングプラットフォームであった。企業内のほぼ全ての高負荷大容量サービスはテンセントクラウドの技術を使っていた。のちにクラウド1・0の段階になって、テンセントクラウドは、全てのQQ空間に入っていた第三者サービスのために、クラウドコンピューティング能力を提供するようになった。現在はオープン2・0の段階で、テンセントクラウドは、クラウドをテンセントに委託管理してほしいと考える全ての企業とデベロッパーにテンセントと協力関係にあるかどうかにかかわらず、オープンにしている。全てのテンセントクラウドを利用している企業とデベロッパーは、皆、テンセントの内部業務と同等の品質のセキュリティと計算能力を利用することが出来る。このサービスでは、テンセント内部業務と同等の基礎的能力だけでなく、テンセントが蓄積してきた経験もシェアした。例えば、テンセントのセキュリティーチームが自主開発した会社レベルのセキュリティシステム「宙斯盾」や「大禹」、テンセントゲームの内部で好評だった高効率ゲームオペレーションプラットフォーム「藍鯨」、テンセントの多くのキラーコンテンツが皆使っているモバイルプッシュツール「信鴿」、QQ空間の毎日億レベルでアップされる画像をサポートしている画像サービス能力などがその例だ。

それゆえ、ウィーチャットを含めテンセントの多くの商品は、コネクターの役割をしており、それら全てが「集散器」の要素を持っている。パートナーとともに、各自が自分の得意なことを行いつつ、独立性と全体の連続性を保っている。テンセントはその最下層を受け持ちたいと考えており、上部は既存産業が自らのロジックでそれぞれできる限り成長すればいい。同時にインターネット的思想は多くの人に影響を与え、口コミマーケティング、ファン文化などを使って一連のインターネットにもとづく商品を生み出した。例えばシャオミ、テスラ、海底撈にはインターネット的思想があり、これらの会社のことを人々がそれぞれ口コミで広めていったのだ。

テンセントが未来につなげる新思考

テンセントは創立18年目に入った。18歳と言えば、人間でいえば成人式だ。コネクターという使命はテンセントとつながる相手との距離をなくし、インターネットプラスは、テンセントと国の鼓動のリズムを日に日に近づけた。

テンセントが未来に向けたエコシステム型コネクターであることは明らかだ。彼らがしようとすることは、つながりの価値の発見であり、ビジネス価値の伝達であり、融合とイノベーションの建設であり、価値のイノベーションの加速であり、社会文明の守護である。

つながりは未来をより素晴らしいものにする

未来はどこにある。未来は世界がよくなっていく道の上にある。

テンセントのミッションを、一人ひとりの未来・インターネットプラスでつながった業界・一人ひとりのパートナーの未来とつなげれば、本当に「全てをつなげる」ことができる。

２０１３年末から、つながりはテンセントの重要戦略の一つになった。彼らの全ての努力は人とインターネット、人と人、人とハードウェア、人とサービスをつなげることに注がれ、その中には、生活、感情、娯楽、想像、イノベーションとの緊密なつながりも含まれる。彼らはつながった一つひとつの対象を最重要のリソースと見なしており、蓄積した関係と信用は彼らの最大の資産だと考えている。テンセントは「人性」ということを基礎としており、人性に畏敬の念を払っている。人と人性に関わる仕事を充分にやりきり、Ｏ２Ｏのコネクターになり、豊かな世界と多彩な未来のコネクターとなるのだ。

いいインターネット企業は、必ず技術を重視しているが、人の文化的側面をおろそかにすることもない。そうでなければ、持続することが難しいだけなく、尊敬もされない。さらに当然なことに社会をリードする責任も果たせない。

馬化騰は3年程前、多くの場面で、「ウィーチャットのスキャンと『シェイク』は実際には、視覚と触覚を使ったものだが、それらを通じて、多くの周囲の状況が理解できる。センサー、カメラなどを利用して、ＬＢＳ（ロケーションベースサービス）情報を収集しており、いわゆるＰＣインターネット時代とは状況が大きく異なる。なぜならばスキャンと『シェイク』は全ての人に密着し、生活の中の多くのシーンに入り込んでいるからだ。それゆえ、オフラインの多くの公共サービスとつながることが出来る」と言っていた。

テンセントは昨年「首席探索官（CXO：Chief exploration Officer）」という役職を作った。着任したデヴィッド・ウォーラーステインは、網大為という素晴らしい中国名をつけていた。ウォーラーステインの役割は会社の未来を考えることだった。では、未来をどう考えるか。彼は、「まず、『人性』について考察する必要がある」と考え、彼らが直面している未来の恐怖と愛を観察した。その次に、適切な技術とパートナーを探した。パートナーとなる最重要基準は、人類の生活にいい変化をもたらすかどうか、世界をより素晴らしくするかどうかだった。ある技術が現段階で利益を生まなくても、人類の生活に有益なら、提携する価値があるとした。例えば、ＨＭＩ技術や、神経科学などがそれに当たる。

インターネットは日々進歩している。インターネットプラスの成長可能な空間と価値は無限だ。テンセントの戦略の重点はやはりインターネットだ。善意、誠意、アイデアにより他の産業とインターネットの結合を後押しすることが、テンセントの今後の重要なミッションとなる。当然、インターネットとは無関係だが人類の生活に貢献する他の技術にも適度に注目する予定だ。しかし、彼らが守っているのは「全てをユーザーの価値に帰する」という理念だ。

中国の将来は若者にかかっている。彼らの流行を理解して、インターネット上のこれらのデジタルネイティブ達をアイデア、イノベーション、意思決定に参加させるのだ。「ユーザーの価値に注目しよう」というのは、テンセント内部のコンセンサスであり、中核的優位性の一つである。全ての競争相手に比べて、より持続的に系統立ててユーザーのニーズを理解していることが、テンセントの重要な優位性になっている。そして、全ての人がその中に関与できる。10年、20年後、人類はどのようなシーンの中を生きていて、どのような生活をしているだろうか。想像するのは難しいが、テンセントは一貫して「世界をより素晴らしくする」ということが人類の共通の目標だと固く信じている。ユーザー、技術、世界、未来に対して永遠に畏敬の念と敬虔かつ誠実な思いを抱いている。これは、テンセントが変わらず守ってきたことだ。

つながりの最高の境地は、「心でつながり、心で感じる」ことだ。テンセントは一人ひとりの人、パートナー、世界、未来との一回ごとの対話において心で向き合っている。彼らはコネクター、インターネットプラス、融合とイノベーションを用いて、スマートライフの普及を受入れているのだ。

インターネットプラスは最大の社会的責任だ

テンセントが今日まで続けてきて、今後も担わなければならない最大の社会的責任とは何だろう。それは、公益慈善事業であり、雇用の創出であり、イノベーションの触発である。では、他には？

「テンセントは未来に向かうエコシステムのコネクターだ。われわれはつながりの価値の発見者であり、ビジネス価値の伝達者であり、融合とイノベーションの建設者であり、価値のイノベーションの加速者であり、社会文明の守護者である」。外から見るとテンセントの社会的責任は、このようにまとめられる。

インターネットプラスはテンセントが社会的責任を果たす重要なチャンスである。国家のために他人を支援し、雇用や起業の機会を創出し、モデルチェンジを促進する際に社会的責任を体現する。また、大衆のために奉仕し、大衆による起業、万民によるイノベーションを助け、知的財産権保護の上でも、社会的責任を果たすことが出来る。また、未来をより素晴らしくすることは、この二点が結合してこそ実現できることだ。

テンセントは公益活動の重点を、モバイルインターネットを用いた情報の非対称の解消においている。また、つながりを失った人たちにも関心を寄せている。貴州では、テンセントは「モバイルインターネット＋農村」というモデルを採用しており、少数民族の古い村落に焦点を絞り、彼らがインターネットによって、外部と対話できるようにし、フェアトレードの機会を設けている。また、農村や、小さい生活関連の起業家、小さい商店などに対し、簡単に商品をモバイルインターネット上に上げて、「微店（ウィーチャット上のネットショップ）」を作る。そこを周囲にいる人、友人、趣味が同じ人が行き来する。「微店」「微商」という呼び方はウィーチャット（中国語では「微信」）と深く関連しているところから来ている。

モバイルインターネット時代には、新しい価値観の成長が望まれる。慈善公益活動は過去の経験を活かさなければならず、社会的価値を見つけ出し、育て、改革しなければならない。それと同時に、テンセントは改めて社会的責任というものを考察し再定義し始めた。インターネットプラスという大きな背景のもと、新しいモデルを整理して構築しようとしている。テンセントは、社会的責任の位置づけと実行において新しい基準を作り、人類文明と未来の守護者となるのだ！

小さな主体でも自分のブランドがある

中国の未来の最大の駆動力は、個人を中心とした発想力・イノベーション力をグレードアップし、触発し、起業し創造する企業家精神をもって進むことにある。

テンセントが「公衆訂閲号（企業の情報発信を目的とした公式アカウント）」を始めたのは、小さな組織でも自分のブランドを持ってほしいからだ。同サービスは大量のセルフメディアを生み出し、情報の生産、発信および消費を、既存の印刷技術およびＰＣの束縛から抜け出させ、効率を顕著に上昇させた。ある著名な出版人がこう言った。「中国最強の出版プラットフォームはウィーチャットだ。全ての情報は皆そこから得られる。ウィーチャットはユーザーの時間の大部分を奪っており、それ以上に成功している出版商品はない」

テンセントはコネクターとして、「静かに全てにあまねく降り注ぐ」存在だ。インターネット社会では、ウィーチャットを通じて、人や社会などの「個体」の一つひとつにＩＤが与えられている。ウィーチャットは、誠実さ、イノベーション、ユーザープロフィールの象徴だ。馬化騰は、理解している。テンセントが成功するか否かは「人」にかかっており、大量の信頼できる関係を蓄積し、人間関係の構造を再構築し、流動的なつながりとインタラクションおよびシェアシステムを構築し、社会的グループとルートを育てることが、他の競争相手には追随できないところだということを。テンセントは、コネクターであり、アクセラレーターであり、インキュベーターでもある。アクセラレーターであるとは、他者の能動性によって、テンセントが彼らの夢を大きくし、夢の実現のための環境によるサポートを提供し、進歩を推進する土壌を作る存在だということだ。「プラス」とは価値のイノベーションと価値実現の要素なのだ。また、ＡＩに基づき、人の知能をさらに掘り下げ、関連づけ、境界を越えて組み合わせることが出来るかどうかについては、テンセントが２・０の段階で掘り下げると考えられている。

小さなアイデアでも尊重され守られるべきだ

テンセントは中国で最も成功した起業のインキュベーターを作ろうと尽力している。アイデアがありイノベーティブな起業に対して、テンセントの、トラフィック、技術、利益の三つの重要ポイントにおいて、プラットフォームを開放し、テンセントのマルチデバイスを通じたオープン化によって生まれくるチャンスを起業家が掴むのを助けようとしている。

テンセントのオープンプラットフォームのレポートによれば、２０１４年の上半期で３００万の開発者が同プラットフォームに登録し起業した。個人の開発者が41％で、50％以上の開発者が25歳以下であった。過去3年において、テンセントのオープンプラットフォームは少なからぬ起業グループを成功させており、すでに、独立して上場したり、上場の過程にいる企業も10社を超えた。そのほかの上場企業に高額で買収された企業も10社を超え、総評価額は２０００億人民元に達した。また資金調達総額は、１００億ドルを超えている。テンセントは過去3年のオープン化の道のりで、すでに1万以上のオープンアクセスを開放しており、オープンにした技術リソースは、起業家が起業コストを低減させるのに大きな助けとなるだろう。

今後もネットワークにおける知的財産権の保護に引き続き力を入れる必要がある。テンセントは、検索、ECといった事業を売却後、中核事業にさらに集中した。中核プラットフォームは通信とソーシャルだ。ウィーチャットとQQをプラットフォームとしてコネクターを作り、最もシンプルなつながりを作ろうとした。全ての人、情報、サービスをつなげるのだ。彼らが行った第二の事業はコンテンツ産業だ。コンテンツ産業の最も中核にあるのは、知的財産権だ。それゆえ、テンセントは多くの分野で知的財産権の確立を呼びかけている。過去には、オンラインゲームと映画が知的財産権保護が比較的いい状態にあると言われていた。さらに、音楽、文学、アニメなども少しずつ正常化してきており、全世界の知的財産権保護のレベルを手本とするようになってきた。これは、文化産業において、大変重要な保障となる。

ウィーチャットの公式アカウントの版権保護において、テンセントはユーザーの通報システムを整備しつつある。例えば、オリジナル作品のマークを作り、作者に自分のオリジナル作品だと申請させる。そうするとコピーされることが少なくなり、作者は他のコピー作品を削除できるようになる。通報があれば、テンセントはプラットフォーム管理の責任を負い、保護と事態の処理に当たる。コピー商品問題も同様に、権利侵害、虚偽の情報の提供に相当する。テンセントは秩序ある管理システムを構築することを望んでいる。このような状況下で、テンセントは前段階として、「朋友圏（モーメンツ——フェイスブックのタイムラインのような機能）」において規範化を進め、知的財産権保護を行い、一定の成果を上げている。

小さなグループにも気を配るべきだ

テンセントが貴州で展開した「モバイルインターネット＋村」活動では、村の人々を外部世界とつなげた。このプロジェクトはテンセントが自ら行ったもので、プロジェクトチームのメンバーは数年間、現地の山村に駐在した。また、情報のバリアフリーに関して、馬化騰は、以下のように説明した。多くの視覚障害者が、インターネットを使う。携帯電話が「効能機（特定の機能しか使えない簡単な機種）」だった時代には、携帯電話にはキーボードがあり、上下左右のキーがあった。それで目の見えないユーザーはソフトウェアが読み上げる文字を聞くことができたが、現在の大型タッチパネル時代にはキーボードはない。彼らはどのようなインターフェイスになっているか分からないため、スマホのＯＳとアプリの組み合わせがなければ、音声および感触でインターネットを使うことが出来ない。現在海外の多くの国では、基準が出来ているが、わが国ではまだ出来ていない。テンセントは早くから情報のバリアフリーに注目しており、業界内でアリババ、バイドゥなどのインターネット企業と共に２０１３年末に情報のバリアフリー連盟を成立させた。テンセントはこの方面で規範化に向けて、産業をより一層進歩させることを望んでいる。さらに、社会的弱者グループが、情報のバリアフリーに触れることに関心を寄せている。例えば、テンセントでは、目の見えない人をテストエンジニアに採用し、彼らの価値ある体験を聞いて、バリアフリーに求められるものが商品の隅々にまで行き渡るようにしている。

馬化騰は、「以前は回り道をしていた」と率直に話す。例えば、あるソフトウェアを作るのが健常者の場合、しばらく時間がたち、開発者の一部が変わるとまたバリアフリーのレベルが最初に戻ってしまう。馬化騰は、以前ユーザーからの手紙を受け取ったことがある。その中に「あなた方の以前のソフトはよかった。新バージョンはだめだ。スクリーンリーダーソフトの読み上げができない」と書かれていた。後に、その開発者がそのテキストの一部を画像に変えていたことが分かった。開発の連続性と理念の重視を維持するのが難しいので、基準を作る必要が出来た。テンセントでは外部の開発者だけでなく、内部の開発者、エンジニアにもこのことが心に刻まれた。テンセントは全ての部門、全ての商品の開発グループに、メンバーの内の誰かが内部の情報のバリアフリーに関するバーチャル組織への加入することを希望している。彼らはテンセントの全ての商品で情報のバリアフリーを実現しようとしている。テンセントの音楽、入力方法、ソーシャルソフトなどは、全てそれらのエンジニアが厳しく検査し、バリアフリーを進めている。

路線図――インターネットプラスの大きな未来

テンセントは一人ひとりに向き合う企業で、未来に向き合う企業だ。テンセントはユーザーをつなげる企業でもあり、業界をつなげる企業でもある。テンセントのコネクターとしての機能は、インターネットプラスの時代に充分に拡張する余地がある。インターネットプラスの道を進む途中に、テンセントとパートナーの毅然とした影が見える。

テンセントの未来──エコシステムのコネクター

馬化騰は、テンセントが将来エコシステムのコネクターになることを望んでいる。業務本体に照準を合わせ、商品とプラットフォームを作ることを主とし、人々と協力してオープンな協業を行いたいのだ。現在この種の提携はすでに多くの方面に及んでいる。テンセントは、統一ログイン、ユーザーのソーシャルチェーン、多プラットフォームによる市場推進能力、インフラ能力、ソリューションのサポートおよびユーザーのニーズに対する洞察力において、優位性がある。この強みもエコシステムと不可分なものだ。

『第三次産業革命』という書籍では、未来には、社会が大組織スキームから分散型協力モデルに変化すると言っている。大企業という形態は必ず変化する。彼らは自らの中核的モジュールに焦点を当て、他のモジュールを、より効率のよい中小企業とシェアして協力するだろう。

あるときの「三馬フォーラム（馬化騰、ジャック・マー、馬明哲によるフォーラム）」で、平安グループの馬明哲会長は、今後5～10年の間に現金とクレジットカードは半分になり、今後10～20年の間に、銀行あるいは大部分の銀行の営業拠点のカウンターはなくなるだろうし、バックヤードもなくなり、中間部分だけが残ると言った。そこから分かるようにサービスの核心は中間部にある。カウンターも、バックヤードもアウトソーシングできるのだ。

エコシステムのコネクターは消費者を意思決定に関与させる。消費者が意思決定に関与することは自らの競争力にとって大変重要だと気づく企業が増えてきている。インターネットは既存のチャネルを不必要なものに変え、効率を下げている部分を取り去る。サービス業者や製造業者と消費者はより直接的に向き合うことになる。これは、メイカーやサービス業者が今までになく消費者に近付くということだ。消費者の好みや反応がインターネットによって素早くフィードバックされる。同時にエコシステムのコネクターはもう一つのインターネット精神を代表する。それは、究極の商品体験とユーザーの口コミを追求するということだ。

エコシステムをオープンにしたいなら、情報の孤島をエコシステムに組み入れることが求められる。BATの3社はこの面での目標と方向が一致している。データの公開、クラウドプラットフォーム、つながりの提供、全てにおいて彼らは多くの情報の孤島を自らのエコシステムに組み入れ、自らのエコシステムのユーザーに使ってもらおうと考えている。これは良性の競争である。いい仕事をした者がユーザーに受入れられる。自然とそのサービスのユーザーのロイヤルティも数も増す。

今後は、リアルタイムの公共交通情報は、各地の交通委員会が持っていて、費用を払うか協力するかによってそのデータがオープンになるかどうかが決まるようになる。韓国や日本のモバイルアプリの交通情報は、地下鉄、公共バスの情報が秒単位で分かるが、中国ではまだそれが出来ない。

馬化騰は、病院の受付などの分野も現在ようやくインターネット企業が参入し始めたと考えており、テンセントなどの数社が開拓しているところだ。テンセントのソリューションはスマートホスピタルだ。診察受付から薬の受け取り、支払いまでを一体化し、ウィーチャットの公式アカウントで、全てを一元化する。診療後の再診、病例情報のシェアもその中に含まれる。モバイルインターネットによって情報化された後に医師は以前の病例を再び調べ直す必要がなく、その作業をネット上で済ませることが出来る。インターネット医療はまだ初期段階で、この分野はかなり複雑である。市場には多くの企業があり、さまざまな角度から切り込んでいるからだ。テンセントは「受付サイト」に投資を行っており、現在、受付という分野全体における、このサイトの扱い量は最大である。しかし、それはある一面に過ぎず、さらに深い層は大変複雑になっている。なぜなら病院内では実はすでに情報化が進んでおり、病院の情報化管理システムには多くのサプライヤーがいるからだ。異なるサプライヤーをつなげて改造するには、インターネット、モバイルインターネット化を実現するための多大なコストがかかる。

中国最大のエコシステム型全要素メイカーズスペース

2010年から2011年までの1年間、馬化騰は、より多くのパートナーが自由に起業し、より多くのユーザーが自由にシェアできるオープンプラットフォームを作る方法について考えていた。そのためには、テンセント内外の意識を改革する必要があり、さらにオープンな頭脳を持って改革を受入れなければならなかった。慰められるのは、2011年、テンセントが「オープン」を宣言してから4年間、彼らはいくらかの経験を積み、パートナーが一定の成果を上げるのを助けてきたということだ。当初テンセントが請け合った、パートナーのためにテンセントの新しい段階を作るという目標はすでに実現している。

国は「大衆による起業、万民によるイノベーション」を提唱している。これは一つのサインだ。

われわれは少しずつ知的資本が原動力になる時代に足を踏み入れ始めている。現在起業環境は極めて良好で、ニッチな分野に多くの起業のチャンスがある。一つの細かい部分を確実に把握すれば、ＩＴ技術で人の効率を上げ、人々の生活を改善でき、ペインポイントを解決でき、成功できる。

テンセントは一貫してイノベーションと起業のエコシステムを構築しており、最大で最もエコシステム的なアクセラレーター型メイカーズスペースを作ろうとしている。このエコシステムは多くの起業家とプラットフォームとともに作る予定だ。テンセントには「はしご思考」という考え方があり、それで積み木を組み立てるように多くのアクセスを開放し、部品、ツールを提供し、開発者に任せる。

4月28日開催の２０１５年の「テンセントオープン戦略発表会」で、テンセントは、継続して、「オープン」化を進め、テンセントの内部リソースを集め、社会の各界の力を集め、テンセントのオープンプラットフォームを「メイカーズスペース」にまでグレードアップし、オンラインとオフラインを一体化させると宣言した。人々が参加でき、起業家が求めるものを供給し、彼らの全てのプロセスを加速させられるイノベーションと起業のプラットフォームを作ることに力を入れることも明言した。目標は今後3年とし、テンセントの「メイカーズスペース」はさらに１００人の億万長者を生み出し、「大衆による起業、万民によるイノベーション」を社会の新常態の一つにするという希望を打ち出した。

産業が力を合わせてインターネットプラスに貢献する

前述の面で、テンセントには三つの主要な措置を取ることを提案したい。

一つは、インターネットプラス産業連盟を発起・設立すること。連盟を作り、協力することで、融合と協調を強化し、健全な自己抑制システムを構築する。そして、自律と産業による他律を通じて、成果をシェアし、それを毀損することを避ける。

二つ目は、すでに設立されているインターネットプラスイノベーションセンターを基礎として、テンセント研究院、傘下の研究機関である企鵝智酷および外部の専門家と共に、インターネットプラス研究およびイノベーションのマイクロエコシステムを作り、インターネットプラスの深奥な成長の方向を研究し、産業が進化する方向とペインポイント、発展のチャンス、インターネットプラスと産業のボーダレスな融合の切り口などを研究すること。そうして、新モデルや新業態について研究し、価値リストと協力モデルを取り交わすといい。

三つ目は、インターネットプラスの人材をボーダレスに統合し、知的人材獲得を優先し、インターネットプラスの発展を推進すること。インターネットプラスの境界を越えた専門家を招聘し、彼らにインターネット産業およびそのアクセス、既存産業の技術路線および進化の趨勢と、インターネットプラスの進みうる方向と発生しうる部分を研究させるのだ。

ソーシャル+サービス+決済

実は多くのインターネット企業が、示し合わせたかのように、モバイルインターネット（特にスマホ）の既存産業における連結と、モバイルインターネット領域を含む潜在能力に注目している。そのため、皆がこの方向で努力を続け、このエコシステムをより豊かにしようとしている。

海外の、グーグルやアップルもモバイル決済に力を入れており、国内のＢＡＴ３社も競争を続けている。これらの競争は全て良性の競争だ。最終的には全て消費者に有利に働くだろう。現在、各社の視点はさまざまだ。テンセントは通信とソーシャルの分野から「つながり」に関するサービスと決済に向かっている。あとの２社は、情報、商品の売買から入って、それぞれの優位性を活かして進むだろう。

「紅包（お年玉などを含むお祝い金）」を贈る機能により、全ての大衆がモバイルペイメントとモバイルインターネットの体験に触れた。テンセントは決済シーンを増やし、「ウィーチャット紅包キャンペーン」によりユーザーのモバイルペイメントに対する意識とそれを使う習慣を醸成した。２０１４年末、銀行口座と紐付けしたウィーチャットペイとＱＱウォレットのアカウント数が１億を超えた。さらに多くのモバイルインターネット企業がこの分野で多くのシーンを作り出した。テンセントはコネクターとして、機会があればより多くの企業と協力する。

そのほか、微衆銀行計画がすでに動き始めていた。主な経営モデルは零細企業と消費者のニーズを掘り起こし、相応のリスクに基づき、条件を決め、それらのニーズに的を絞って銀行と提携するというやり方だが、そのやり方は既存の銀行が預金を集める方法とは異なる。既存銀行には潤沢な資本がある。しかし、零細ユーザーとの接点がなかった。しかし、微衆銀行が採用した業務モデルなら、資本の必要性は減らすことが出来る。

ビッグデータ＋テンセントクラウド＋集団的知性

ビッグデータに関して、現在多く目にするのは、冗談や興味本位のものだ。本当に実用性があるものはまだそれほど多くはない。馬化騰は、データを、人の誠実さや信用システムの中でどのように利用するのか、また、どのようにその効果を発揮させるのかを調べたいと考えている。そのなかにはソーシャルネットワークの中でいかにして誠実さを判断する要素を使うのかということも含まれる。

多くの垂直統合型産業やニッチ分野におけるデータは、ネットワーク全体におけるビッグデータとは限らないが、その領域においてはかなり大きいビッグデータとなる。テンセントは、テンセントクラウドと多くのパートナーと共に業務を進めたいと考えている。現在、テンセントクラウドは、テンセントクラウド分析、テンセントＯｐｅｎ Ｄａｔａ、テンセントクラウドモバイルプッシュ通知「信鴿」等を含むテンセントのビッグデータ能力をオープンにしており、起業家が市場の趨勢やユーザーの行動を理解するのに使われている。また、ピンポイントのプッシュツールを通して、正確な見込み客にリーチすることができ、プッシュした商品に対するユーザーからの反応や売上げは良くなっている。

集団的知性（ＣＩ）に関していうならば、テンセントの遺伝子に埋め込まれているのは「人」である。インターネットプラスを展開するに当たって、ボーダレスな融合とイノベーションを行い、ＣＩに関しては競争優位性を形作る条件は揃っている。そのため、次の段階であるＡＩ競争においては頭一つ抜け出している。

オープンプラットフォーム——アプリの連結＋スマートハードウェア＋オフラインサービス

ソフトウェアとハードウェアの連結：かつては、アプリのデータやサービスはハードウェアと結びつけることが出来なかった。あるソーシャルグルメアプリのデータは全てアプリの中にしまいこまれていたが、今後はこの種のデータはスマートオーブンレンジにつなげられるようになり、ユーザーの利便性は上がる。

ハードウェア同士の連結：現在、各種のスマートハードウェアが情報の孤島になってしまっているという問題がある。ハードウェア間の通信が出来ないからだ。テンセントオープンプラットフォームでは、一歩進んで、ハードウェア同士の連携を可能にした。スマートヘルスメーターの健康データをリストバンドとつなげ、さまざまな状態で検出されるユーザーの健康データに基づき、自動で、そのユーザーの運動メニューと運動カルテをカスタマイズする。

ハードウェアとサービスの連結：家電が壊れた場合、修理先を探すのに時間がかかる。オープンプラットフォームに家電の購入後メンテナンスサービスを入れれば、家電が壊れても、データが自動でサービス業者と同期し、サービス業者からユーザーにアポイントを取らせ、その家電の修理を行うようにさせられる。

テンセントが担っているのは、未来のＩｏＴの世界的ブースターの役目だ。将来はソフトウェアとハードウェア、オフラインサービスは、統一された規則、使用基準などを守り、アクセスをオープンプラットフォームに対して開放すれば、アプリが自動で新しい体験を作り出すようになる。これらは、テンセントのオープンプラットフォームの大連結の初期の構想に過ぎず、将来はもっと想像力をかき立てる新しいサービス体験が出来るだろう。

このシステムにおいて、起業家はもはや複雑なビジネスネゴシエーションをする必要がなく、時間を無駄にするやりとりもしなくていい。起業家はこのつながったプラットフォームで、効率的かつスピーディーに品質の向上をすればいいのである。

ウィーチャットの拡散――直接広告からエコシステムの建設へ

長期的に見て、ウィーチャットと携帯ＱＱの成功報酬型広告には、ともに成長の余地がある。フェイスブックなどのＳＮＳと比べると、依然としてウィーチャットと携帯ＱＱの広告収入の比率は低い。また、ウィーチャットは広告収入の増加を急ぐべきではない。技術の進歩とユーザーのニーズだけではなく、データの精密性を上げることにも気を配るべきだ。

ウィーチャットは１～２年の拡大を経て、香港、東南アジアなどの多くの地域の市場で重要な位置を占めるようになっており、状況は安定している。ウィーチャットの市場拡張に関して見てみよう。現在オフラインの直接広告の効果はわかりにくくなっているため、テンセントはリソースを傘下の音楽、運営などの構築に振り向け、これらのプロジェクトとウィーチャットを結びつけ、エコシステム全体によって新しいユーザーを引きつけようとしている。

ユーザーの関心に基づいたソーシャル広告の方法の模索が続いている。ソーシャル広告において、フェイスブックは最前線を走っており、ビッグデータを広告システムに応用しているのは明確である。ソーシャル広告は大変複雑で、検索広告とは異なる。検索広告は、ユーザーが探している言葉が大変明確で、ソーシャル広告はそのフローの中で、ユーザーの好みに基づき最も適切な広告を発する。これはテンセントが２０１５年現在模索中の分野だ。

インターネット＋セキュリティ＝産業チェーンの免疫システム

インターネットプラス時代には、人とインターネットのつながりは至る所で見られる。それに伴いリスクもどこにでも存在するようになる。そのため、ＰＣ時代のウイルスに対するセキュリティ対策はすでに時代遅れになっており、現在や未来の状況に合わない。テンセントの丁珂副総裁は以下のように強調する。多くのパートナーと提携し、共同で産業チェーンを全方位的に防御する「免疫システム」を作り、主体的に各種の安全に対する隠れた脅威を識別し排除する。これこそが、インターネットプラス時代の正しく有効なやり方だ。では、どうすれば、そのようなシステムが作れるのか。丁副総裁は一つの答えを出した。「インターネット＋セキュリティ＝産業チェーン免疫システム」だ（図5-1）。

・安全は水や電気とおなじように、ユーザーの生活の隅々に行き渡り、モバイルインターネット発展の基盤である
・安全はインターネットのつなぎ目の重要なポイントである

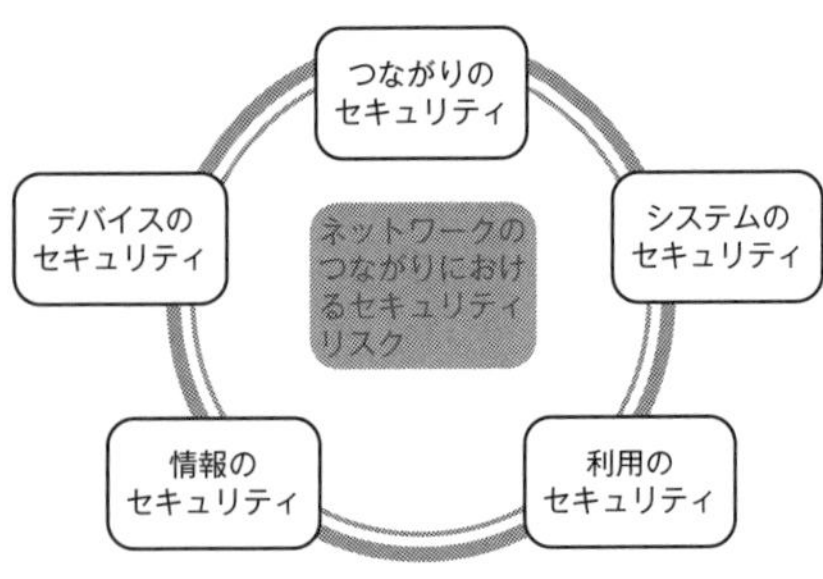

Wi-Fi リスク：ARP（アープ / Address Resolution Protocol）中間者攻撃、DNS（Domain Name System）ハイジャック、フィッシング
フィッシングサイト
リスク QR コード

プライバシーデータ（写真、通信記録、個人アカウント）
ログインアプリの記憶、位置情報記録
情報詐取、ソーシャルエンジニアリング詐欺、情報乗っ取り

システムにおけるセキュリティの穴
データベース漏洩
DDoS 攻撃

ウイルス、トロイの木馬の脅威
ルード広告、二次アウトソーシング
DNS 乗っ取り、注入

デバイス紛失、盗難リスク
デバイスの穴
つながりのセキュリティリスク

図 5-1　安全は「全てをつなげる」ための基盤

資料：テンセント「インターネット＋セキュリティ＝モバイル金融産業チェーン免疫システム」より

インターネットプラス時代、隠れた脅威はどこにでもある

インターネットは、ソーシャルや検索が代表する「人と人、人と情報をつなげる時代」から、急速に「人とデバイス、人とサービスがつながる時代」へと進みはじめた。しかし、この後に来るのは、つながりの各部分に常に安全を脅かす脅威が隠れており、日常生活が常に危険にさらされている時代だ。2014年9月、中国のホワイトハット（倫理的）・ハッカー集団Keen Teamが一台のコンピューターからテスラのスマートカーを攻略し、遠隔操作で自動車の走行、停止させることに成功した。このことにより、スマートデバイスの安全問題は一躍注目の的に

なった。

モバイル金融を例に取ると、２０１４年、ネットワーク上で、大規模なクレジットカード情報漏洩事件が数件起こった。それだけでなく、アカウントの窃取から、マネーロンダリングまで、モバイル決済に、大規模な「ブラック」産業チェーンができていた。ちなみに、ＳＭＳ詐欺という古いタイプの犯罪だけで、恐ろしいことに毎年経済損失が３００億元に上っている。

「インターネット＋セキュリティ」産業チェーン免疫システムは絶対必要

このようなセキュリティの新しい試練に対しては、「インターネット＋セキュリティ」による産業チェーン免疫システムを構築しなければならない。そのシステムは産業チェーン内外の全ての部分に対し有効（リアルタイム）な監視を行い、主体的にその中の各種の安全への隠れた脅威を識別し取り除き、絶え間なく修復および進化を続ける。そうして、全方位的かつ立体的に、リアルタイムに産業チェーンの無事と安定運行を守らなければならない。

産業チェーン免疫システムの構築では、多方面とのオープンな作業が求められる

丁副総裁は、以下の点を強調する。産業チェーン免疫システムの構築には、オープンな姿勢、多方面との協力、プラットフォーム化、標準化、制度化が求められる。

プラットフォーム化：政府機関、セキュリティ業界、各産業分野の共同オープンデータ能力、

インターネットセキュリティオープンプラットフォームの構築、「端末＋クラウド＋アクセス」の防護システムの構築。

標準化：オープンプラットフォームに基づき、連携してセキュリティ技術と業界標準をアウトプットする。

制度化：業界の自律制度と管理監督制度を作り、公安部門と連携して主体的にネットワークにおける情報犯罪を阻止する。

上記の点について、テンセントはすでにパートナーと提携して実践し、一定の成果を得ている。例えば、「天下無賊反信息詐欺連盟」という詐欺対策連盟の運営において、テンセントはＰＣと携帯電話の「テンセント電脳管家」「テンセント手機管家」といったサービスをつなげ、決済環境に対する保護、およびユーザーのデバイス間のシームレスな移動ができるようにした。また、世界最大のセキュリティクラウドドライブラリー（図5-2）を産業チェーンの各部に開放し、警察、パートナー企業と中核的技術をシェアし、検索、ブラウザ、ソーシャル、ネットショッピング、ゲームなどの主なネットワークへの入り口において重点的な防御を行っている。

現在、テンセントはモバイルセキュリティラボ、アンチウイルスラボ、遺漏ラボ、攻防ラボ、セキュリティクラウドドライブラリーなどのさまざまなリソースと能力を統合し、パートナーに開

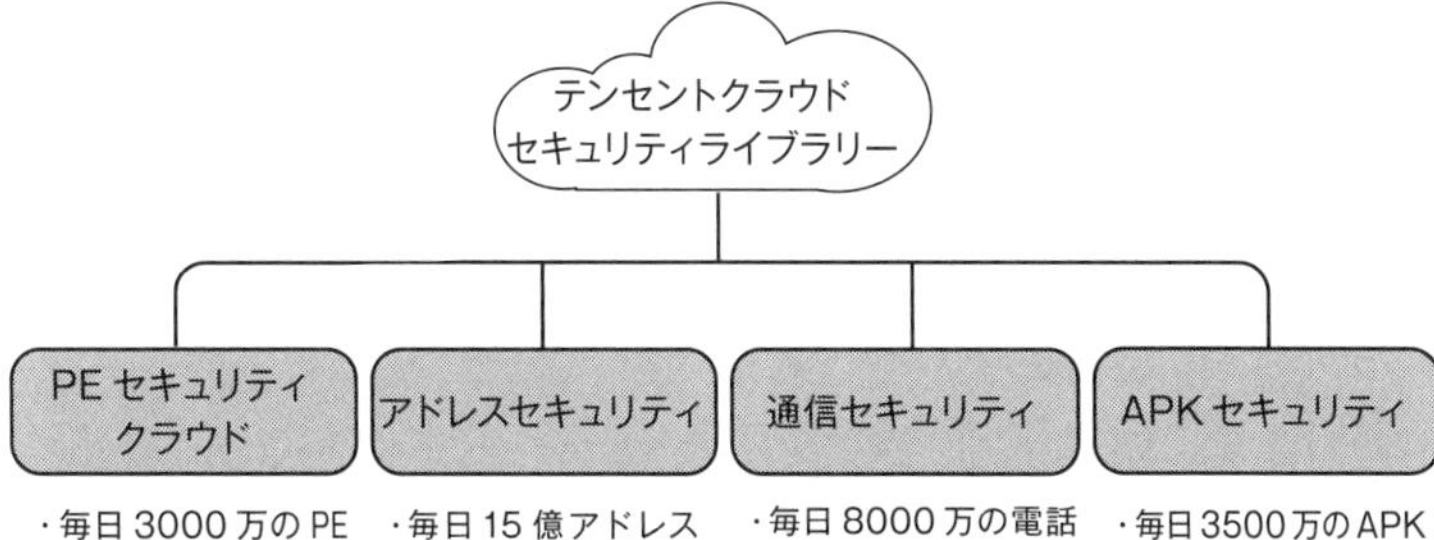

図5-2　テンセントクラウドセキュリティライブラリー
資料：テンセント「インターネット＋セキュリティ＝モバイル金融産業チェーン免疫システム」より

放している（図5-3）。また、中国金融認証センターと共同で、「中国金融認証センターモバイル金融セキュリティ研究連合ラボ」を設立した。また、全国でベスト10に入るWi－Fiサービス業者、優良なショップを集めて、テンセントWi－Fi連盟を設立した。ほかにも、浦発銀行（上海浦東発展銀行股份有限公司）、大衆点評、知道創宇、烏雲平台、レノボなどの多くのモバイル決済サービスの仲介業者および産業チェーンに関与する業者をまとめて、「モバイル決済セキュリティ保守計画」を成立させるなど、各自の分野で重大な役割を果たしている。

「インターネット＋セキュリティ」産業チェーン免疫システムの効果的

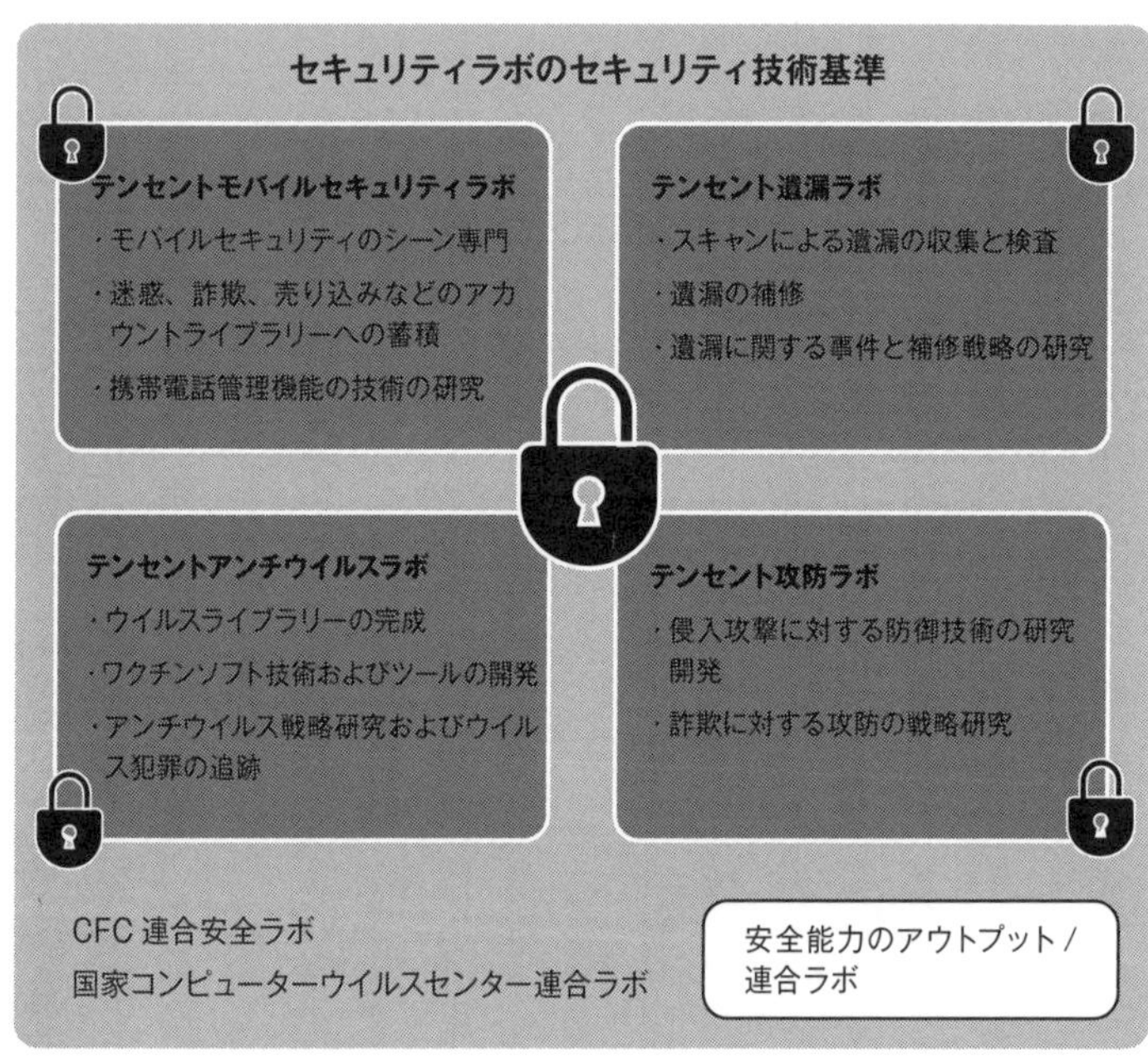

図5-3　テンセントセキュリティラボ

資料：テンセント「インターネット＋セキュリティ＝モバイル金融産業チェーン免疫システム」より

な運営は、多くの政府機関、セキュリティ企業、そのほかの企業に対するオープン性、融合、協力、共同建設に基づいている。企業にとっては、より自律と規範ある競争と協力が必要になり、決して悪事を働かないようにしなければならない。悪性の競争などの手段を通じて業界基準に違反する企業に対しては、厳しい処罰が必要である。同時に、完全な「退場」システムも必要であり、政府と連盟が「審判」を行い、企業の規範的運営を監督しなければならない。[1]

スマートライフ＋スマート市民生活サービス

スマートライフという分野は、社会全体の力を借りて成長を推進する必要がある。多くの領域において、テンセントが自ら行えばうまくいくというものではなく、多くのマッチングが必要であり、その中には多くの垂直統合産業の開発者の加入も含まれる。例えば、銀行システムでは、ウィーチャット上でどのように銀行を開き、どのように銀行の顧客管理を行うのだろうか。電話のキャリアは、どのように通話料を調べ、料金チャージなどをするのだろうか。あるいは、レストランでは、食事のときにどうしてスキャンするだけで料理を注文できるのか。また、注文後どのように決済されるのか。あるいは、映画館でチケットを買うとき、病院で受付をするとき……、これらのスマートソリューションの利用の背後には、大変複雑なシステムが隠れている。

テンセントの「理財通」というサービスでも、プラットフォームの構築に重きを置き、ユーザーに選択を委ねている。かれらの立ち位置は、やはり、プラットフォームを作ることで、直接自分たちが商売をするのではない。それゆえ、ウィーチャット上の理財通は大変わかりにくいところに入り口があるが、そのトラフィックはかなり大きく、多くのユーザーが注目している。テンセントの基本的な思考法はプラットフォームを作り、いい資産運用商品ならそこに入れる、というものだ。

「財付通」はテンセントのバックエンドのブランドだ。元々ＰＣ時代にはフロントエンドにあったが、モバイル時代に、ホームページではなくアプリが主になったので、バックエンドに移動した。財付通は営業許可を受けており、フロントエンドはウィーチャットペイとＱＱウォレットで、バックエンドは実は全て財付通である。アプリのさまざまなブランドを一つにしてさまざまなユーザーにサービスしているだけだ。

中国はすでにインターネット大国になっている。モバイルインターネットは世界でもトップクラスだ。国家のイノベーション主導による成長の重大政策はすでに定まっており、「インターネットプラス」行動計画は非常に具体的だ。インターネットのリーディングカンパニーの一つとして、流れに乗り、コネクターと人、人間関係を扱うメリットを発揮して、テンセントは必ずなすべき貢献を行うにちがいない。

「全てをつなげる」の未来は期待するに値する。

張暁峰（価値中国会連合会長、「インターネットプラス100人会」発起人、「価値中国智庫叢書」主編）

注

1　内部資料：テンセント丁珂副総裁、2015年グローバルモバイルインターネット大会（GMIC）講演「互聯網＋安全＝産業鏈免疫系統（インターネット＋セキュリティ＝産業チェーン免疫システム）」2015年4月29日

第6章 ウィーチャット――モバイルインターネットの新エコシステム

このシンプルなコンセプト――全てをシームレスにつなげる。これがアップルの普遍の競争力だ。

スティーブ・ジョブス

2010年10月、ウィーチャットのプロジェクトが正式に始動した。初めは、QQメールボックスグループのリーダーだった張小龍が、QQグループから10人を率いて作った小さなチームだった。それが、その後、現在のウィーチャット事業群にまで成長したのだ。

あなたが2011年1月のファーストバージョンのユーザーだったかどうかは分からないが、皆さんは、ウィーチャットと共に成長し、その成長を目撃するチャンスを得たと言えよう。

2014年、ウィーチャット事業部が正式に発足した。このことはウィーチャットが孵化の最初の段階に成功したことを意味する。一つのサービスがテンセント全体の戦略にかかわる業務システムにまで成長したのだ。その後テンセントがモバイルインターネットの分野でより大きな役割を果たすことをサポートし、インターネットプラスという国家戦略のもと、ウィーチャットは「全てをつなげる」というスローガンと、価値のイノベーションを進める独自の魅力を体現していくことになる。

小さくても、自分のブランドがある

ウィーチャット事業群のミッションは、ウィーチャットを基礎としてモバイルインターネットコミュニティというものを作り上げることだ。O2Oプラットフォームを開放し、ユーザーのためにインスタントメッセージ（IM）とオンラインエンターテイメント、生活およびビジネスの総合的サービスを提供し、更に多くの価値を創出するのだ。

ウィーチャットのユーザー数は、現在数億に達している。張小龍は、現在のモバイルインターネット時代の到来を喜んでいる。また彼は、ウィーチャットが数億人のオンライン生活に溶け込んでおり、この時代に、時間と空間を新しい意味を持つものに変えたことに深い感慨を覚えている。

この4年間、ウィーチャットはゼロから成長してきた。今後4年間、ウィーチャットには真のオープン能力を持つシステムへと成長し、健全なエコシステムを育ててほしいと思う。

価値観はサービスの魂だ

張小龍の考えによると、商品や商業的利益よりも重要なものがある。それは、目には見えないが、一貫して商品のロジックに組み込まれている。

ウィーチャットチームは、長らくいくつかの理念を守ってきた。その理念とは、テンセントが一貫して唱えている非常に素朴な価値観だ。以下の七つの価値観はウィーチャット事業群が出来たときに張小龍が部下のために書いた内部メールである。

①ユーザーにとって価値があることをすること

われわれは、常にさまざまなバランスの中で選択をしている。いかなるときでも、われわれは「これはユーザーにとっての価値から考えられたことだろうか」と考える必要がある。もし、われわれが考える施策がユーザーにとっての価値がないものなら、短期的利益を放棄してでも、ユーザーにとっての価値を守るべきだ。君たちの努力は、同僚や上司ではなく、ユーザーに見せろ。

②われわれ自身の価値観を守れ。なぜならそれは商品やサービスに表れるからだ

紛争を解決するとき、価値観はわれわれの決定を助けてくれる。もし、われわれがユーザーを煩わすべきではないと考えていれば、商品がユーザーを煩わすことはない。われわれが同じ価値観を持っていなければ、われわれの商品とサービスは利益のための集合体になってし

まう。個人の価値観と商品の価値観の二つの顔を持ってはいけない。

③小さなチームで、敏捷性を保て

事業群の規模が大きくなっても、小さなチームだったときと同じ気持ちを持ち続け、官僚的になったり機械的になったりすることを避けよう。われわれは、かつて会議でスライドを映すのを禁止した。形式的になることを避けるためだ。この決まりは少し独断的ではあったが、目的は効率の最大化であった。われわれは採用人数を制限し続け、最も優秀な人だけをチームに迎えよう。優秀なチームにとって、人員は多いより少ない方がいい。

④学習と高速イテレーションは過去の経験より重要だ

モバイルインターネットの変化は極めて早い。われわれの商品と業務思想は、新しい環境に向けて生み出されることが望ましい。ウィーチャットの「つなげる」要素において、サービスはどんどん増える。後に全てをつなげるときに、われわれには分からないことがどんどん増える。インターネットプラスはさまざまな業界、さまざまなモジュール、さまざまな性質、さまざまなニーズをつなげる。われわれが、頑張ることや適切に対応することが出来なければ、顧客に価値を与えることはできない。

⑤システム思考

われわれのビジョンを忘れないようにしよう。人、企業、ものをつなぐ。それらを有機的な自律的システムに組み立て、それぞれがバラバラのビジネスモデルにならないようにしよう。われわれはつなげる力に基づいたプラットフォームに専念し、そのプラットフォームに第三者がアクセスできるようにしよう。第三者と共にウィーチャットに基づいた、人とサービスのエコシステムを作り上げよう。システム思考は、われわれが透明で公正なビジネス体系を作ることを助ける。システムを規則に沿って運営させれば、人の関与が避けられる。

⑥ユーザーにユーザーを連れてきてもらい、口コミで口コミを勝ち取ろう

インターネットの網状の伝播効果によって、商品とサービスを拡散する。例を挙げると、一つの小さな飛行機ゲームがスマホゲームの嵐を引き起こした。われわれは一人ひとりがインターネット時代を生きている。もし、一人のユーザーに気に入ってもらえれば、その評判は必ず伝わっていく。われわれの創造力を細部に込めるのだ。アイデアは、遠大な計画ではなく、われわれの毎日の仕事の一つひとつに宿る。ユーザーは必ずそれを感じ取る。

⑦思考は実行に勝る

実行力は大変重要だ。しかし、われわれの日常の仕事は一つの思考の過程であって欲しい。われわれは議論を推奨し、仕事においては、理論によって正しい解決方法を見つけよう。団体の利益や人間関係のために、思考能力と思考する習慣を放棄してはならない。進歩は思考

から生まれるのだ。

ウィーチャット思想——いい商品には思想がある

テンセントは、ウィーチャットをプラットフォームにするだけでエコシステムの形成を助けないならば、インターネットのコネクターになるどころか、自らを埋葬することになる。現在、ウィーチャットをモバイルインターネットへのモデルチェンジのレバレッジとする企業が増えている。このレバレッジとしての役割はインターネットプラスという背景の下、次第に目立つようになっている。

それゆえ、ウィーチャットは多くの人と機関にとって重要になっている。それは、外部からも「ウィーチャット思想」と呼ばれるものが、ウィーチャットの中にあるからだ。謝暁萍主編の『ウィーチャット思想』という書籍には、比較的体系的に「ウィーチャット思想」について以下のように書かれている。

①神の条項

ユーザーにとっての価値を神の位置に置け。それゆえ、この条項を神の条項と名付ける。われわれから見ると、それが、ウィーチャットが奇績のように出現した理由であるだけでなく、ウィーチャットが急速に発展して壮大な存在になった基盤でもある。ユーザーは煩わされることを嫌う。それゆえユーザーを煩わしてはいけないのだ。

②日光の条項

全てのビジネスシステムを規則の下で運用しよう。テンセントは「つながり」型の企業になろうとしている。人、企業、機械、自然をつなげる。また、つながりは自然には生まれない。全てをつなげようとすれば、必ずオープンで透明な規則の体系と、強い技術に裏打ちされたシステムの基盤が必要となる。

③岩石の条項

ユーザーに全てをやってもらおう。ウィーチャットはソーシャルツールのプラットフォームである。ソーシャルのＤＮＡが最も強く、最も基礎的な要素になっている。ユーザーにユーザーを連れてきてもらい、口コミが口コミを呼ぶようにするのだ。

④森林の条項

敏捷性は生きていくための「カギ」だ。つなげられたモバイルインターネットの中では、暗い森林の中のように、素早く動くものだけが生き残れる。また、森の中のオオカミのようにスピーディで臨機応変に動けるものだけが生存可能だ。ユーザーのニーズに対して、素早く反応し、それを邪魔する全ての要素を排除するのだ。

⑤河の流れの条項

オンラインが作った商売の現場への没入感を大事にしろ。ユーザーと共に川に入り泳げば、ペインポイントと、ワクワクするところが分かる。コネクターはサービスの提供者と消費者により豊かなインタラクションのシーンと、直接コミュニケーションを取るチャンスを提供する存在なのだ。

ウィーチャット公式アカウントの方向と理念

ウィーチャットのパブリックプラットフォームには一つのスローガンがある。それは「どんなに小さなものでも、それぞれのブランドがある」だ。張小龍によると、このパブリックプラットフォームを設計するときから、目標は何か、どんなことをしようかと考えており、最終的に全てのアイデアの中から、練り上げられてきたのがこの言葉だという。張小龍はウィーチャットの公開セミナーの専門バージョンで、以下の八つの点を上げて、このスローガンについて細かく説明を加えた。

①価値あるサービスを奨励する

ユーザーにとって価値あるコンテンツとサービスだけを奨励しよう。パブリックプラットフォームがより多くの素晴らしいオリジナル記事を生み出すのを奨励しよう。また、比較的厳しい措置によって、さまざまな誘惑のある、版権に問題がありそうなコンテンツや一部のモバイルデバイスのオンラインゲームを制御しよう。

②地理的な制限を取り除こう

地理的条件は、かつては商売における最も重要な要素であった。例えば、商店にとっては、いい立地こそに価値があった。しかし、インターネットは、人のコミュニケーションを地理的な制限から解き放った。特に、モバイルインターネットの登場以来、全ての人が時空を超えたコミュニケーションの渦に巻き込まれた。モバイルインターネットの人の流れは実際に位置による制限をあまり受けない。

③仲介というものをなくそう

われわれは、ショップがパブリックプラットフォームを通じて、直接サービスを提供することを望んでいる。ショップと消費者がパブリックプラットフォームで直接会話することを奨励する。この種のサービスが可能になったのは、ショップと消費者が皆、パブリックプラットフォームに入り、直接つながれるようになったからだ。

④われわれのシステムは「非中心化（＝分散化）」したものだ

ウィーチャットは、パブリックプラットフォームの参加者や第三者のための、中心化したトラフィックの入り口ではない。むしろ第三者が分散化して自らの顧客を組織することを奨励する。モバイルインターネット時代において、トラフィックの入り口はおそらくＱＲコードだろう。それゆえ、ウィーチャットは初期にＱＲコードの中国における普及を推進した。なぜならばオフラインでは人は媒介物を求めるため、スマートフォンがサービスとつなげられるようにしたかったからだ。ＱＲコードはそのための大変良い方法だった。ウィーチャットの中では、中心化した公式アカウントは見当たらない。ウィーチャットは全てのショップや第三者のサービス業者がパブリックプラットフォームを通じて各種のリソースを自発的に組み合わせることを奨励する。

⑤エコシステムの形成をめざして

われわれは、1から10まで自分たちが全部やってしまうのではなく、ウィーチャットに基づいたひとつのエコシステムの形成を目指している。簡単に言うと、われわれは森を作りたいのであって、自分の宮殿を作りたいのではないということだ。われわれは森林の環境を作り出し、全ての生物にその森の中で自由に成長してほしいと願っている。

⑥パブリックプラットフォームには流動的なシステムであってほしい

われわれは一つの規則が１００％決めるシステムがいいシステムだとは考えていない。むしろ、臨機応変なシステムの方が、より一層安定的なものだと考えている。それゆえに第三者とわれわれが共同で一つのシステムを作るべきであり、われわれだけで完璧なシステムを作るべきではない。このシステムは臨機応変に自己完成するシステムであり、ミイラのような膠着したシステムであるべきではない。一番いいのは、システム全てが、われわれと第三者が一緒に作りあげたものであることだ。われわれの変化はシステムに一種の流動的安定を与えるだろう。

⑦ソーシャルトラフィック

ウィーチャットにおいては、中心となるトラフィックの入り口を提供することはほとんどない。しかし、多くのトラフィックが、必要とされるシーンにおける利用で触発されることを妨げない。例えば、ウィーチャットのなかの「ウィーチャット紅包」や、ウィーチャットゲーム、一部のハードウェアと関連するスポーツリストバンドもその中に入る。

⑧われわれの考えは全て「ユーザーにとっての価値が第一」という前提に基づいている

ウィーチャットは最終的にユーザーにとっての価値を第一に置いている。そうでなければ、プラットフォーム全体の健全性を毀損するだろう。例えば、タイムラインの管理では、ユーザーがタイムラインでさまざまなコンテンツを見たいと考えたとしても、われわれはやはりそこを管理して、ユーザーを煩わせたり、ユーザーが見たくないと思ったりするコンテンツは整理するべきだ。

張小龍は、上記八点が彼らのパブリックプラットフォームに関する方向性と理念だという。ここで紹介したように、彼らは第三者のデベロッパーが、プラットフォームについてより理解を深め、支持してくれることを望んでいる。また、モデルチェンジに直面した各業界の企業には、参考とするに足る糸口を提供したいと考えている。

ウィーチャットは一つのライフスタイルだ

ウィーチャットチームは最適のタイミングで最適のことを行う。また、彼らはモバイルインターネットの最も本質的なことを把握しており、ウィーチャットを急速に発展させた。現在、ウィーチャットは常にユーザーのライフスタイルを見ながら進化をし続けている。

コミュニケーションの進化

ウィーチャットチームは、常に、コミュニケーションの究極の本質とは何かを考えている。だが、その根本的な答えはない。

張小龍は、人は次第に怠惰になるものであり、怠惰さは科学技術の進歩につながると語る。怠惰さは、われわれにさらに簡単なコミュニケーションを求めさせる。例を挙げると、口を開けてしゃべるのも面倒くさい。一番いいのはしゃべらないことだ。われわれが話したいと思ったことがそのまま相手に伝わったり文字になったりすればいいのに……。これは確かに人々が求めていることだろう。脳波によってスマホやそのほかのものをコントロールできるようにすることを研究しているメーカーもある。そうなれば、われわれは手さえ動かさなくていい。こういった考えは道具が発展するための原動力だ。

コミュニケーションツールは進化を続けている。新しい技術はコミュニケーションをより効率化する。張小龍はかつて、いつの日かウィーチャットがグーグルグラスのような商品に組み込まれるといいと考えていた。話をしたいと考えたとき、手で機械のどこかを押さなくてよくなればさらに楽になる。瞬きすれば、相手が自分の表情から何を言いたいか分かってくれたらもっと楽だろう。しかし、現在ではまだ実現できないと思われる。なぜならグーグルグラスのプロジェクトは一時停止しているからだ。しかし、いいニュースもある。アップルウォッチはすでにウィーチャットを組み入れているのだ。

いい商品は技術と人間の感情を考慮したものだ

「近くの人を探そう」という機能には、多くの心理的配慮が組み込まれている。人はもはや孤独ではなくなり、周囲にいる人を見つけることができ、元々知らなかった人とでさえ、楽しく話が出来るなどの機能にそれが表れている。このような人の気持ちに対する配慮が背景にはなく、いきなり本題に入るなら、それはウィーチャットとは似て非なるものになってしまう。

張小龍の商品ヒューマニズムはこのようなものだ。ヒューマニティは目に見えるところにあるのではなく、見えないところにあるのだ。それは、一つひとつの機能に影響しているからこそ本質的なのである。ヒューマニティは、全ての商品の血脈を貫通しており、その魂なのだ。

ウィーチャットチームは、長らく「シェイク」という機能の上に多くの試行錯誤を重ねてきた。なぜならそれは、ウィーチャットの入り口だからだ。張小龍には、運転しているときにある曲を耳にしたが、その曲名を思い出せなかったという経験があり、そのとき「シェイクすればその歌の名前が分かればいいな」と考えた。そして、現在シェイクすれば音楽を聴くことが出来る。以前、ウィーチャットチームで想像を膨らませたことがある。いつの日かテレビ局とコラボレーションをして、例えば、ある番組を見ているときにシェイクすれば、その番組の公式アカウントが取れるなど……。またある広告を見たときにシェイクすればその広告の詳細が分かると便利だ。それで2015年の春節の特別番組や両会では、ウィーチャットとCCTVがコラボして、人々にシェイクによって画面を飛び超えるという体験を提供した。

ソーシャルが生活に入り、関係は愛着へと変わる

ウィーチャット3・0より前のウィーチャットはメッセージ送受信が中心で、ユーザーはまだ比較的少なかった。ウィーチャット3・0は「近くの人を探そう」と「動画」という機能を提供した。「近くの人を探そう」という機能はウィーチャットのブレイクポイントとなり、ユーザーは瞬く間に2000万人の大台を突破した。新規ユーザーは毎日数十万レベルで増えており、ライバルに対し絶対的優位に立った。

ウィーチャットユーザーが1億を超えてから、ウィーチャット4・0は「朋友圈（モーメンツ

――友人の公開投稿が見られる機能）」を打ち出し、スマホの上に友人達の社交の場を作った。また、APIを開放してモバイルソーシャルプラットフォームを作った。ウィーチャット4・2では、ビデオ通話機能を作り、それによってモバイルインターネット時代のライフスタイルの一部となるサービスとしての地位を確立した。将来、ウィーチャットの一連の機能の進化は、この中核的価値を中心に進むだろう。

シンプルでナチュラル

張小龍はウィーチャットチームを率いてシンプル＋ナチュラルということを追求してきた。彼は、文字で説明しなければならないインタラクションはいいインタラクションではないと考えている。あるものに無駄が多いか否かは、どれだけの機能があるかによって決まる。また、その使い勝手によって決まる。最終的に展開されるのは、それを使ったときにユーザーが無駄が多いと感じるかどうかだ。非常に複雑な機能を最終的にシンプルな商品に変えて、ユーザーに提供できれば、ユーザーはそれを非常にシンプルなものだと感じる。

ウィーチャットチームはある理念を持っていた。それは、いい商品やサービスは、それを作った人物の意図や技術が見えてはいけない、ということだ。永遠にシンプルで、人間工学に則り、人の直感にマッチするインターフェイス。ユーザーが直感と経験をたよりに使ってもスムーズに使え、「あるがまま」の境地に達すること。彼らは、開発においては技術をひけらかし、機能をアピールしてはいけないと強調する。また、商品はその性能をひけらかすために機能を並べてはいけない。

悪い商品は商品説明書を提供し、いかに悪いかは説明書の字数に比例する。そのため、いい商品の責任者はユーザーと対等に対話できる。必死でこびへつらう必要もない。商品そのものが会話なのだ。いい商品は自己の存在を主張しない。ただ、さりげなく世界の一部に収まっている。

「ナチュラルな商品」は、張小龍の提唱によるものだ。その商品そのものがユーザーと交流する。ユーザーのある動作に的を絞って、唯一かつ明確なフィードバックを行う。また、ユーザーに誤った受け止め方をされることがない。人工物の「硬さ」はなく、温かみのある「人間らしさ」がある。

ナチュラルに作られた商品は、美学としてシンプルで、ロジックに頼らない。そのため商品責任者の必然的な選択は、「引き算型」だ。多くの機能の中で、最も実際の問題を解決できる機能を一つ選び、多くの特性の中で最も直感にマッチする一点を選ぶ。それゆえ、商品は優雅でシンプルになり、人の印象に残る。張小龍が最も重視するのはシンプル＋ナチュラルだ。そうすれば誰にもまねできず、それより使いやすいものを生み出すことは出来ない。

シェイク機能を世に出すと、すぐに毎日1億回以上使われるようになった。シンプルかつナチュラルな商品は誰にでも使える。自然で「あるがまま」にそれを使うのだ。それはハイクラスな人もロークラスの人も分け隔てをしない。シェイク機能がわれわれに教えてくれるのは、マウスではなく自分の体で行うインタラクションが、将来のモバイルデバイスの進むべき方向だということだ。

オープンプラットフォーム――ウィーチャットはあなたがいるから素晴らしい

あなたのウィーチャットの使用法が、あなたにとってウィーチャットがどのような存在なのかを決める。

ウィーチャットがコネクターとして作り上げたエコシステムは、オープンで、公共性があり、社会的で、価値あるものだ。張小龍はウィーチャット思想を開発者、サービス業者、モデルチェンジした企業にシェアすることを望んでいる。また、細分化された垂直統合業種で、より多くの専門のパートナーがサービスと顧客をつなげてくれるといいと考えている。また、ウィーチャットのオープンプラットフォームを使って、インターネット＋企業の道筋とモデルを模索してほしいと思っている。

パートナーをつなげる

最近、ウィーチャットは開発者に対して、ウィーチャットＪＳ－ＳＤＫ（ウィーチャット内のホームページに基づいたオープンツールキット）を開放した。ウィーチャットパブリックプラットフォームデータのアクセスは全ての認証された公式アカウントに開放されている。そのため、公式アカウントの開発者はより詳細かつ実情に即した運営データを利用することが出来る。公式アカウントの第三者用プラットフォームは正式にＪＳ－ＳＤＫのアクセスをサポートしている。ウィーチャット「ハードウェア」ショップが開業し、公式アカウントは全面的にカスタマイズメニューを開放し、ウィーチャットはWi-Fiでもつなげられるようになっている。

このように、さまざまな試みがなされており、ほぼ毎日ウィーチャットのオープン化に関する情報が見られる。ウィーチャットは次第に基層的な存在になり、オープン度も上がり、エコシステム性も強くなりつつある。その理由はたった一つだ。エコシステムはパートナーとの共同運営が必要であり、パートナーがいてこそウィーチャットが輝くからだ。

インターネットプラスはパートナーをさらに大きくし、エコシステムのメンバーは皆、より一層融合していく。そうして、より多くの業界や企業が加入し、産業インターネットを活気づかせ、インターネットプラスの歩みを一層堅実なものにし、イノベーティブな起業環境をより一層エコシステム化していくにちがいない。

サービスをつなげる

「全てをつなげる」という理念を持ち、パートナーをつなげ、業界と企業をつなげていると、より多様なニッチ分野、サービス主体、顧客、サポーターがウィーチャットにつなげられ、業者側と顧客のインタラクションが強化される。それは、サービス同士もつながり合っていくということだ。

現在、全国で13の都市、合計34の総合不動産で、3万台分以上の駐車スペースが、ウィーチャットスマート駐車場になっている。不動産の類型は、住宅地域、ショッピングセンター、病院、公共施設などで、それらに駐車するカーオーナーの時間の65%近くを節約している。

ウィーチャットスマート駐車場は、「公式アカウント+ウィーチャットペイ」を基盤として、駐車場内駐車位置検索、駐車料金支払い、周辺サービスなどの機能をつなげ、駐車場の運用および使いやすさを大きく向上させた。将来、このモデルは周辺の飲食店、アパレルショップなどの異なる業態と提携する可能性があり、都市の商圏の繁栄に新しいアイデアを提供する。

同時に、路上の駐車可能スペースへの駐車、駐車代行サービスおよび駐車場予約などが、このサービスから最も派生されやすい分野となるだろう。駐車場業界と関連あるモバイルアプリは、現在ウィーチャットスマート駐車場のソリューションを通して共に改革を進めており、スマート時代に足を踏み入れている。例えば「宜停車」というアプリは、深圳でカーオーナーに対して、道路上の公共駐車スペースの費用の検索、料金納入などの一連のサービスを提供しており、カーオーナーを代金納入の煩わしさから解放し、大幅に効率を向上させた。

ウィーチャットペイ、紅包とカードケース機能

ウィーチャットペイのショップ機能は、パブリックプラットフォーム上で物品販売がしたい公式アカウント対象の、販売や代金受領、経営分析などを全てまとめたソリューションである。ショップは、カスタマイズメニュー、キーワードリクエストなどの方法で、コンテンツを見ているユーザーに商品情報をプッシュ通知する。ユーザーはウィーチャット公式アカウントの中で買い物をして支払いまで済ませることが出来る。ショップも商品サイトのQRコードを作り、駅な

どのオフラインのシーンでポスターなどに掲示することが出来る。ユーザーはそれをスキャンして商品情報のページを開きそのまま購入することが出来る。

ウィーチャットのつなげる力を通して、実店舗と一人ひとりの顧客をつなげる。ビジネスと顧客をつなげるためには足りない部分があるとしたら、それは支払いだ。支払いという段階がなければ、ビジネスが一つの閉じたサークルとして完成しない。そのため、1年前に、テンセントはウォレット機能をウィーチャットに組み込み、ユーザーとショップがウィーチャット内で決済を完了させられるようにした。

ウィーチャットはそれ以外にも「紅包」のアクセスを開放しようと尽力している。現在はウィーチャットプラットフォームにログインすれば、それぞれのショップが公式アカウントを通して、その店のファンに対して「紅包（プレゼント）」を発行できる。春節期間中に、ユーザーは紅包が企業やショップに開放された威力を体感するだろう。カードケース機能は、電子カードを保管しておく機能であり、提示、ソーシャル、情報への接触、ユーザーの蓄積を実現したモバイルO2Oプラットフォームである。

ハードウェア向けプラットフォーム

無料で開放しているウィーチャットハードウェア向けプラットフォームの価値は、以下の二つの段階を経て、ハードウェアをインターネットにつなげ、ウィーチャットにつなげ、アカウントシステムに基づき総合管理できるようにした点だ。

第一段階：個人、家庭および都市の関連するデバイスを含むハードウェアが、ウィーチャットにつながる。現在、その種別からすると、ウェアラブル、スマートヘルスケア、スマートホーム、家電、ＩｏＶデバイス、スマートシティの建設などがあり、それら全てがウィーチャットのハードウェアプラットフォームに接続できる。

第二段階：ウィーチャットアカウントの管理システム。デバイスがウィーチャットとつながった後、いかに管理するか。全てのウィーチャットのアカウントシステムに基づき、ウィーチャットＩＤで管理される。言い換えれば、全てのデバイスはウィーチャットとつながると、個人のウィーチャットアカウントの下にあるデバイスになるということだ。

ハードウェアプラットフォーム能力の一つは「つながること」で、もう一つは、付加価値のあるサービスだ。以前、デバイスのサプライヤーとユーザーの間には距離があった。現在は、ウィーチャットハードウェアプラットフォームを通じて、デバイスメーカーは自分たちのユーザーは誰かが分かり、ユーザーがどのデバイスを使っているかも分かる。さらに、いつでも、デバイスの作動状況が正常か否か、メンテナンスが必要かどうかを知ることが出来る。ウィーチャットハードウェアプラットフォームはそのため、AirKissという機能を開発し、例えばユーザーがＷｉ－Ｆｉモジュール付の冷蔵庫を買ったら、その人が全く気づかないうちにその冷蔵庫がネットとつながり、ウィーチャットとつながるようになっている。

企業アカウント

「企業アカウント」は、ウィーチャットが企業ユーザーに提供するモバイルアプリのアクセス手段で、業界、企業のモデルチェンジを支えることができ、インターネットプラスにとって重大な意義がある。

企業アカウントは企業内部およびパートナーの管理をサポートし、企業のエコシステムをつなげる。また、企業アカウントは、完全にマッチングするための組織スキームおよび企業の通信記録が使われており、企業のＩＴシステムと一致している唯一のユーザーアカウントだ。企業アカウントにより、企業内外の情報をつなげるだけではなく、企業内コミュニケーションのコストと管理コストを大幅に下げることができる。企業の販売チーム、サービスチーム、サプライチェーンおよびパートナーに対する管理を改善し、大幅に販売を促進し、サービス効率およびユーザーエクスペリエンスを上げ、さらに多くの収益を生み出す。状況に合わせて企業アカウントの中の機能（一つの機能は一つのサービスアカウントのようなものだ）をカスタマイズし、ユーザーとのコミュニケーションとインタラクションを実現できるようにする。

ハイアール傘下の総合サービス「日日順」は企業アカウントを利用し、販売モデルの転換を促進し、「人人営銷宝」となった。家電の販売モデルのインターネット化を実現し、最前線のスタッフが時と場所を問わず販売が行えるようにした。全てのスタッフが自らのマーケティングチームを作り直し、販売能力を拡充できる。このサービスからは「服務微課堂」「営銷微課堂」などのアプリが作られ、最前線のスタッフに使いやすい研修資料と商品の宣伝材料を提供した。現在、少しずつ最前線の中核業務を企業アカウントに移しつつあり、グループの全スタッフが企業アカウント上で日常の作業を行えるようにしているところだ。

まとめると、企業アカウントはウィーチャットが企業のために作ったモバイルアプリである。それぞれの企業のためにオーダーメイド方式で、会社、スタッフ、サプライチェーンの上流・下流およびＩＴシステムの間をつなげる。また、さらに迅速かつ安全かつオープンにつないでいく。現在企業アカウントを利用している企業はすでに20万社を超えている。

ウィーチャットが全てをつなげる

「つなげること」はウィーチャットの最も重要な機能だ。全てをつなげることがウィーチャットのミッションだ。人は、つながりの始まりであり、人の能動性によって、つながりは迅速に広く深く広がり、その引き合う力も強まり続ける。さらに重要なのは、ウィーチャットは人や機関、物体、サービスなどのバーチャル空間の身元認証と信用の蓄積の機能を担っているということだ。

ウィーチャットのルールとバーチャル空間の管理

モバイルインターネットのインフラとしてのウィーチャットは、モバイルインターネットにおける公共事業サービスだと見なすことができ、極めて強い公共性を備えている。ある意味において、ウィーチャットはテンセントに属しているのではなく、全てのモバイルインターネット社会のネットユーザーと、現実世界の全ての機関と人に属していると言える。

公共性の高いリソースの運営には、公平、公正な規則および運営システムが求められる。また、公共の利益と産業エコシステム全体の調和のとれた発展の基礎を確保しなければならない。このようなサービスの運営には、一つの社会の運営と同様、健全かつ健康的な各種の法律、道徳、文化制度およびそれらの制度の運用を持続させる組織と管理体系を備えていることが求められ、それらが備わっていてこそ、それぞれの要素が正しく発展することが出来る。

ウィーチャットはユーザーに対する詐欺的営業行為に対して、厳しい攻撃を行う。各種の違反行為には最も厳しい「死んでも許さない」という対策をとっている。

ウィーチャットは知的財産権保護において、わいせつ、デマ、詐欺に対して、さまざまな有効な施策を採ってきた。最近公表した「ウィーチャットモーメンツ利用規範」も一定の評価を得ており、理想的な効果を生んでいる。

信頼と信用はつながるための基盤

ウィーチャットはソーシャルを基盤に、人間関係を得意分野として、信頼を積み重ねることに重きを置いている。これは、ユーザーがつながりたいと思うかどうかを決める非常に重要な要素である。ショップ、パートナー、そのほかの機関も同じだ。つながった後に、生まれる連鎖反応は無視できず、研究の価値がある。

信用はつながりのもう一つの基盤である。コネクターとその要素が作り上げるエコシステム的性格は、強化されていき、転載、シェアあるいは剽窃、詐欺といったユーザーの行動も個人の信用の一部分になる。ショップも同じことだ。信用は、直接つながりの性質に影響を与え、つながりのトラフィック、密度、価値にも影響を与える。

モバイルバーチャル空間ID

ウィーチャットはもはやユーザーのモバイルIDとなっており、われわれのモバイルインターネットの世界における身許を表すようになっている。このモバイルIDを通じて、ウィーチャットは「ヒューマンネット」と呼ばれ、周囲の人と24時間インターネット上でつながれるようになり、一つの目標を達成した。

ウィーチャットはコネクターとして、現在6億のユーザーがおり（2020年4月時点では、11億6500万　資料「Global social media ranking 2019｜Statistic」より）、すでにユーザーにとってのモバイル空間でのIDになっている。同時に、ハードウェア向けプラットフォームはハードウェアを少しずつID化しており、企業アカウントは企業のIDとなっている。

スマートライフをつなげる

世界を見る角度が見える世界を決める。行動における選択が世界からの反応を決める。

筆者は、ウィーチャットがこの後より一層適切なスマートライフのアシスタントになっていくと予測する。2014年のウィーチャット公開講座（専門版）において示された「ウィーチャット村」は、「全てがつながった」スマートライフに多くの人があこがれることを教えてくれる。

2014年12月、広州市は率先してウィーチャットの「都市サービス」を導入した。2015年3月19日、華南の広州、深圳、佛山につづいて、武漢が4番目にウィーチャット「都市サービス」を導入し、華中地域での最初のウィーチャット「スマートシティ」となった。ウィーチャットの都市サービスは開始後3カ月で、すでに700万人にサービスを提供し、加入する都市が増えるにともない、少しずつ市民生活サービスをつなげるスマートパワーとなりつつあった。

先日、河南省、重慶市、上海市がそれぞれテンセントと全面的な戦略的協力枠組み協議を締結した。この協議に従い、各市とテンセントは、テンセントの豊富なデータと、成熟したクラウドコンピューティング能力、そしてウィーチャット、QQなどの極めて強力なソーシャルプラットフォームサービスに基づき、双方の強力なリソースを充分に組み合わせ、インターネットプラスを具体的な連結点として、全方位的かつ深層からの戦略的協力を展開することとなった。例えば、鄭州は河南省の最初のインターネットプラスの規範スマートシティとなった。鄭州市民はすぐに、身辺の衣食住および各種の公共サービスが全てウィーチャットに移行され、指を動かせばすぐ使えるようになったことに気づいた。協議に基づき、近い将来、河南省の各自治体の政務ウィーチャット公式アカウントは全てウィーチャットの「都市サービス」に組み入れられる。その中には、交通・移動、医療、社会保険、警察、戸籍関連事務、出入国、旅行などの多くの自治体の事務用公式アカウントが含まれ、共同で、ウィーチャットのスマート河南プラットフォームを作り上げる。市民は、ウィーチャットを開きさえすれば、スマホ上で、役所に行くのと同じサービスが受けられる。このサービスにより、一般市民生活が便利になるだけでなく、政府が社会統治の新モデルを模索し、試行およびモデル提示を行うことも出来るようになる。

インターネットプラススマートシティを作る上で、河南省は電力サービス、高速道路サービスエリア、ガスおよび都市ポータルなどの領域で、ウィーチャットからのサービスの提供を全国で最初に実現した。国網（国家電網有限公司）の河南省電力公司のサポートを受け、河南省は全国初の省レベルにおいて電力ネットワークがウィーチャットペイに入った省となった。河南省交通庁も、テンセントと第一段階の協議を締結し、高速道路の料金の全面的なウィーチャットペイ決済や省全体の高速道路のサービスエリアのウィーチャットペイ決済などを全国で初めて行った。そのほか、鄭州華潤燃気股份有限公司も鄭州でウィーチャットスマートソリューションを利用し始めた。

旅行に関しては、新鄭、開封、洛陽、陝県等を中心に、少林寺、尭山、青天河、黄河三峡、新郷南太行などの景観地区を、ウィーチャットによるチケット販売やウィーチャットガイドを試行する「スマート景観地区」とした。このほか、テンセントは河南地域と模索しながら協力し、都市サービスクラウド、医療クラウド、教育クラウドなどの分野のスマートクラウドサービスを構築した。

インターネットプラスはいかに市民の暮らしを変えるのか。おそらく、毎日その答えは変わるだろう。この変革はさまざまなところで起こり、日々進化する。

①**インターネット＋市民生活サービス**：医師の診察、就業、社会保険等を全て網羅する。「テンセント課堂」は、オンライン教育で市民の素養を向上させる。ウィーチャット公式アカウントは学校がスマート学内事務管理プラットフォームを作るのを助け、学校の情報化のレベルを上げる。学生達がプラットフォームで個人情報を紐付けすると、書籍情報、試験の成績、就職情報などの内容を迅速に調べて、注意を促すことが出来る。モバイル決済によって、学生は時と場所を問わず「学内カード」にチャージし、光熱費や、インターネット接続料、受験料、学費などを納付することが出来る。ウィーチャット公式アカウントで、「電子社会保険カード」を発行したり、年金、出産保険、社会保険などの機能をつなげることが出来る。

②**インターネット＋行政**：オンライン申請、交通管理サービスが受けられる。ウィーチャット公式アカウントとウィーチャットの都市サービス機能を使えば、モバイル行政サービスを実現し、一般市民がスマホ上で、指だけで役所のワンストップ式サービスを受けることが出来る。情報の検索、オンライン予約、オンライン手続き、交通管理など。テンセント地図、ナビゲーション、ウィーチャットは公共交通の道路状況のリアルタイム検索や、スマート駐車、ウィーチャットのスキャンによる乗車チケットの購入、交通違反のチェック、罰金の支払いなどの機能を実現し、交通運行監視測定調整プラットフォームの構築を助ける。テンセント

クラウドは、完備され統一された安全な電子行政事務ネットワークの構築を補助する。また、モバイルデバイスへの移行をも補助する。公式アカウントは環境の質の推移の調査、汚染源の監視や制御に関する通報を補佐でき、適切なときに環境情報を公表し、エコロジカルな住みよい都市を造る。

③インターネット＋農業：スマート農村管理をサポートする。河南省は大農業地域であり、農業に関して、ウィーチャットは利用価値が高い。次は、テンセント農業公式アカウントの試行管理を進め、スマート農村の進歩を推進する。それぞれの村が一つのウィーチャット公共アカウントを作り、公共アカウントで村民の事務を管理する。食品と農産品の流通過程の基礎データをつなげて提供するという前提の下、ウィーチャットでスキャンして食品の原産地と農産品のトレースを実現し、農産品の効率よい供給と品質の安全性を守る。

上記のようにウィーチャットは、誠実にインターネットのコネクターの役割を果たし、全てをつなげるという機能を発揮し、イノベーティブな創造を推進し、スマート市民生活を推し進め、構造転換を促進する。

張暁峰（価値中国会連合会長、「インターネットプラス100人会」発起人、「価値中国智庫叢書」主編）

第7章 汎エンターテイメント——インターネット＋文化創作産業全体の新エコシステムのブースターだ

文化的創作やデザインなどの新しいハイエンドのサービス業の成長を推進し、実体経済との融合を促進することは、国民経済の新しい成長ポイントを育て、国のソフトパワーと産業競争力を向上させる重大な施策である。また、それにより、イノベーション型経済を成長させ、経済構造の調整と成長スタイルの転換を促進し、「中国製造」から「中国創造」への転換という内在的要求の実現を加速する。また、商品とサービスのイノベーションを促し、新興業態を生み出し、職を創り出し、多様な消費ニーズを満足させ、人民の生活の質を上げる重要な道筋でもある。

国務院「関於推進文化創意和設計服務与相関産業融合発展的若干意見（文化創作およびデザインサービスと関連産業の融合発展に関する若干の意見）」国発［2014］10号

テンセントのインタラクティブエンターテイメント事業群の「汎エンターテイメント」戦略の提示と実行は、テンセントが「インターネット＋文化創作」産業全体に集中し、効果を得た成果だ。汎エンターテイメント戦略では、3年前「IP（知的財産権。具体的には作品やキャラクターなどを指す）を中心とする」というテーマが提示され、そのことは現在業界の共通認識となっている。このため、テンセントは「インターネット＋文化創作」産業全体のイノベーションの模索者であり推進者であるとともに、事実上のリーダーでもある。現在、テンセントのゲーム収入は、マイクロソフト、ソニー、任天堂の三大巨頭を抜き、全世界のプロバイダーのトップにいる。ネットマンガ（アニメとコミックを含む）、ネット文学においても、同様にユーザー規模、契約作家数、作品保有数などの面で圧倒的な優位性を誇っている。さらに、注目されるのは、テンセントの成功が反映しているのは、中国のオンラインゲーム、オンライン文学、アニメを含むマンガなどにおける全面的な産業の成長だということだ。

インターネット＋文化的創作は国家の文化的安全に関わる

2014年4月15日、習近平国家主席は中央国家安全委員会第一回会議で、以下のように指摘した。「現在、わが国の国家安全の内包と外延は、歴史上のいかなる時代よりも多様である。時間空間ともに歴史上のいかなる時代より広く、内外の要素はいかなる時代よりも複雑である。国全体の安全観を堅持し、国民の安全を旨とし、政治の安全を根幹とし、経済の安全を基盤とし、軍事、文化、社会の安全を保障とし、国際的安全の促進を基盤とし、中国の特色ある国家安全の道を歩む。徹底して、国家の安全観を実体化し、内外の安全を共に重視しなければならない。内部においては、発展、変革、安定を求め、平和な中国の建設を行う。外に向けては、平和、協力、ウインーウインを求め、調和のとれた世界を建設する。国土の安全とともに国民の安全を重視し、国民を基本とし、人を基本とする姿勢を守り、国家の安全の全てを人民のためとし、人民に頼り、国家安全への人々の支持を得る。伝統的安全と新しい安全を共に重視する。政治、国土、軍事、経済、文化、社会、科学技術、情報、エコシステム、資源、核などに関する安全を統合することは、一体となった国家の安全体系に等しい。成長問題と共に安全問題を重視する必要がある。成長は安全の基礎であり、安全は成長のための条件である。国が豊かになってこそ強兵となり、強兵となってこそ国を守れる。自らの安全を重視し、共通の安全を重視して、運命共同体を作り、各方面がお互いの利益のために、共通の安全という目的に向かって進もう」[1]

文化が振興するということは、国が振興するということだ。文化が滅ぶということは、国が滅ぶということだ。インターネットプラスは、現代中国の文化創作産業の発展という命題において、重要かつ積極的で現実的な意義を持つ。特に、文化の安全は、「インターネット＋文化創作」産業全体の新エコシステムにおいて、軽視できない要素だ。悪質な文化の浸透を防ぐことは重要な課題である。文化創作において、より喜ばれる方法とより多く生み出される先端的文化を通して行うことは、産業が重視する価値がある分野である。それらは、特にデジタルネイティブである若者に対して潜在的な影響がある。インターネット関係の文化スタイルおよびインタラクションスタイルとは不可分である。

北京大学の葉自成教授は、「総体的安全の構築は、文化の安全を突破口としなければならない」と考えている。同教授は、内外の総合的な要素により、現在の中国は文化的に極めて危険な状態にあると指摘する。改革開放の過程において現れた各種の安全問題において、文化の安全は特に突出した問題である。また、文化の安全は無形の安全であり、見たり触れたりすることができない。しかし、実際には、文化の安全問題は、すでに中国にとって深刻な問題となっている。[2]

文化という領域でも他と同様に激烈な競争が世界中に存在する。この見えない戦線では殺気は感じられないが、その意義の重要性は明らかである。この種の競争は「民族文化的特徴のあるIP（キャラクター）」の構築とその中核に集中して現れる。国民文化の総量における競争の本質は、中核文化の豊かさの勝負である。現在、ある国家の国外への文化的影響力を表すのは、IP、特に、スターキャラクターの集まりである。アメリカには、マーベルコミックのヒーローがおり、ハリウッドがあり、ドナルド・ダックがおり、アメリカンスピリッツがある。日本には『NARUTO』や、ウルトラマン、一休さんやスーパーマリオがいる。中国には現代の有名キャラクターがいない。一方、伝統的なスターキャラクターに関しても、孫悟空でも充分開発されているとは言えない。また、カンフーパンダ、ムーランなどは西洋的な色合いで作られている。

テンセントの汎エンターテイメント戦略は、前述の問題を解決する一つの方法だ。インターネットと、映画、文学出版、戯劇など既存文化産業の結合は、これらの文化創作産業に対して巨大なチャンスをもたらす。中国が更なる「文化強国」の地位を確立するために、非常にポジティブな意味がある。

それゆえ「インターネット+文化創作」産業全体には三つのスローガンがある。一つは国の文化の安全のために奉仕しよう、だ。二つ目は文化創作産業の発展を促し、ソフトパワーと文化の影響力を向上させよう。三つ目は、教育と文化と娯楽を有機的に結びつけ、人民の文化娯楽生活を豊かにし、人の価値観、世界観、想像力、創造力に静かな影響を与えよう、だ。そして、テンセントには四つ目のミッションがある。それは双方向的なエンターテイメントのプラットフォームを通じて、汎エンターテイメントの新しいエコシステムを構築し、境界を越えた共生の新モデルを模索することだ。

スターIPは、汎エンターテイメントというコンテクストの中で、一つのイメージあるいは「プロット」となる。スターIPは、例えば大量のファンに取り囲まれて、影響力が強く、さまざまな形態の文化的商品の中でめまぐるしく変化できる。孫悟空、スーパーマンでもいいし、ドラえもん、トランスフォーマーズでもよい。インターネットプラスは疑いなく中国人に自分たちの強いIPを作りだし、さらに多くのチャンスと成長の余地を与えるだろう。

テンセントの汎エンターテイメント戦略

たった10年で、ゲーム、マンガ、アニメ、文学、映画などの産業は爆発的に成長した。その背景となる要因は、結局、まとめて「汎エンターテイメント」と呼ばれる、全く新しい「インターネット＋多分野共生＋スターＩＰ」というファン経済を作り上げたことだ。汎エンターテイメントという大きなコンセプトの下では、ゲーム、マンガ、アニメ、文学、映画などはもはやそれぞれ個別に存在し発展するのではなく、互いにつながり、融和して共生する。

テンセントのインタラクティブエンターテイメント事業群の汎エンターテイメント戦略は、インターネットとモバイルインターネットの多プラットフォーム、多分野共生に基づきスターＩＰを作ることを中心としたファン経済の確立である。本質的に、汎エンターテイメント戦略はインターネットプラス思想の文化産業における演繹と実践である。「多分野の協力共生」と「インターネットに基づく」ということは、汎エンターテイメント戦略の二つの基本的要素である。汎エンターテイメントというコンセプトは２０１１年に初めて呈示されてから、絶え間なく発展し改善がなされてきた。すでにテンセントのインタラクティブエンターテイメント事業群の基礎的戦略になっており、広汎な影響を及ぼしている。汎エンターテイメントという言葉は国の文化部（国務院に属する文化事業を管轄する行政部門）、国家新聞出版広電総局などの中央の部や委員会の業界報告に収録され、重点的に言及されている。シャオミ、エンターテイメント企業の華誼、アリババグループの阿里数娯、百度傘下の百度文学、ゲームの芸動（イートン）や通耀（トンヤオ）、アンチウイルスで有名な３６０等の企業が次々と汎エンターテイメントを企業戦略として進めている。汎エンターテイメントは２０１５年に業界の共通認識として「インターネット発展の八大潮流の一つ」になった。

スターＩＰは全てのエンターテイメント産業において、ファンの気持ちをつなげ、集める中

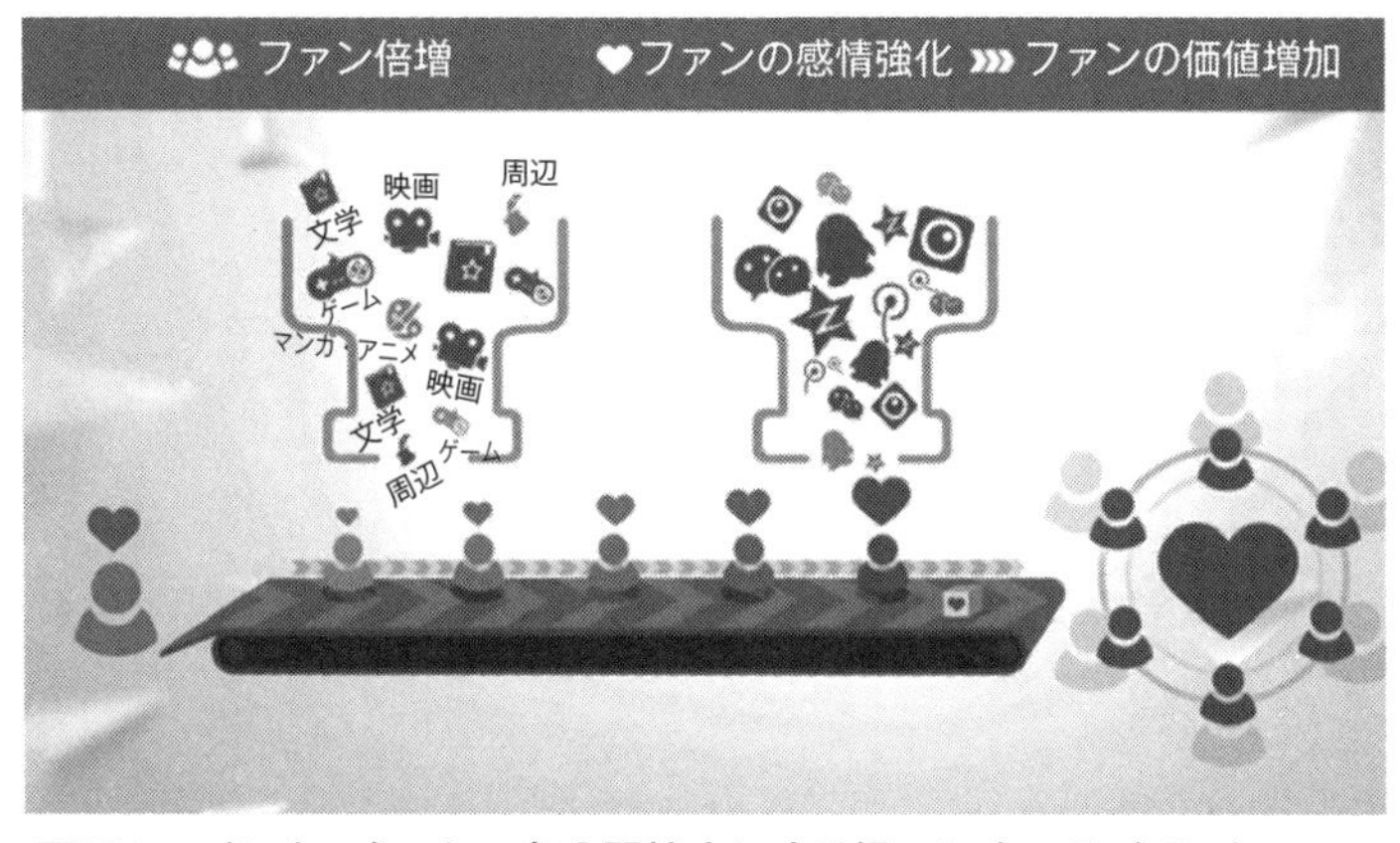

図 7-1　インターネット、多分野協力による汎エンターテイメント

核となる。また、モバイルインターネット、3Dディスプレイ、ストリーミングメディア、クラウドコンピューティングなどの新技術の急激な発展に後押しされ、さらにファンによる効果を拡大する。われわれが直面しているのは、くっきりと線引きされたかつてのゲームプレイヤー、映画の観衆、文学の読者やアニメのファンではもはやない。ひとつのスターIPが、ある分野から他の分野へと拡散していくのにそれほど時間はかからない。瞬く間、あるいは同時にさえ多くの分野で多元的な汎エンターテイメントコンテンツを生み出すことが出来る。例えば韓流ドラマの『星から来たあなた』が大ブームになった後には、すぐスマホゲームが開発され、リアリティショーの『パパはどこへ行った?』がブレイクすると、すぐ映画が出来た（図7-1）。

文学、アニメ、マンガあるいはオンラインゲームのどれが始まりだろうと、ユーザーにとって、気になるのはやはりIPである。簡単に言えば、数あるエンターテイメント消費において、人の選択を決定づける最大要素は

IPだということだ。つまり、ある分野ではよく知られているが、他の分野では馴染みがなく、好奇心をかき立てられるものだ。スターIPは感情に基づき、人々をつなげる。さらに産業間のつながりと融合も促進する。テンセントの強大なソーシャルプラットフォームや、つなげる力と社会グループのシェア能力に基づき、スターIPに基づいたファン経済を構築することは、多くの人に無限の想像の余地を与える。

4年間にわたり、テンセントの汎エンターテイメント戦略の最も根源的な核心は、つながりであり続けている。ファンを、芸術を、文化を、創作を、ビジネスを、ホールを、楽しみと想像へとつなげてきた。スターIPは汎エンターテイメント産業と他の全ての業界をつなげる。例えばゲーム『天天飛車』と自動車メーカーの「上海通用自動車」、ゲーム『天天酷跑』と香港のコングロマリット「周大福」は、かつて例のないほどのボーダレスなコラボレーションを実現した。

汎エンターテイメント戦略に導かれ、テンセントのインタラクティブエンターテイメント事業群は2012年から、インターネットにおいて、次々とマンガ・アニメ、文学、映画などの三大娯楽業務を展開し、既存のゲームとともに業務マトリクスを構築し、映画（2014年9月開始）以外の三大業務分野で中国インターネット業界のリーダーの地位に就いた。汎エンターテイメント、マルチデバイス、国際化の三大戦略は、実際にテンセントと産業と将来に関する全ての想像につながった。

テンセントの汎エンターテイメントの模索の過程は、中国の双方向型エンターテイメント産業全体の発展の縮図であり、モデルであるといえる。現在、汎エンターテイメントは、もはやマーケット教育をする必要があるという概念ではなくなった。汎エンターテイメントのマトリクスは、すでにトップのテンセントだけのものではなく、インターネット産業全体の標準になっている。

汎エンターテイメント戦略に関してテンセントは完璧な知的財産権を所有しているにも関わらず、以前からライバルのこの戦略に関する模倣と追随をほぼ意に介していない。また、産業全体に向けて、積極的にこの戦略を押し広げ、それは現在では誰もが知る業界の趨勢となっている。その結果には別の解釈もできる。つまり、インターネットプラスは中国の文化創作産業全体に著しい成長をもたらした、ということだ。テンセントの汎エンターテイメント戦略は「インターネット＋文化創作」産業全体のブースターとなっている。

マンガ・アニメにおける、国内最大のプラットフォームである「テンセントコミックス（騰訊動漫）」は過去３年間で漫画ユーザーが１５００万人にまで増え、動画ユーザーは２０００万人に増えた。作品総数は２万を超え、40作がクリック数１億を超え、２００作のクリック数が１０００万に達している。これらのデータは、全てインターネットの助けによって、引きこもっていたアニメ産業が台頭しつつあるスピードを表している。

同時に、マンガ・アニメ産業が呼びかけてきたビジネスチェーンもついに作られ始めていて、日々完成と安定に向け進んでいる。一見それほど目立たないデータがある。テンセントコミックスに投稿している作者の現在の数は５万を超え、認証を得ている作者は９０００人、契約作者は５００人を超えており、契約作品は６０００本を超えている。マンガ・アニメ産業の中核およびコンテンツの源として、長い間、中国のマンガ・アニメ制作者は、個人の情熱と作品への愛によって制作を続けてきた。しかし、現在安定した作家達のグループはまさに安定したビジネスの仕組みの保護と支援を受けて浮上してきている。この状況は明らかに中国のマンガ・アニメが台頭する根本的な動力となる。

最新のデータによると、テンセントコミックスのプラットフォーム上の作品『屍兄』（第2期に『我呼白小飛』に名称変更）は、クリック数が50億を超え、動画の再生回数が20億回を超えた。バイドゥのコミック人気ランキングでは3位に付け、日本の人気コミック『NARUTO』と『ONE PIECE』の次に位置していた。また『屍兄』の後には、世界中で人気の『名探偵コナン』や『銀魂』などが来ている。中国は、ちょうど自分たちの国民レベルあるいは世界レベルのコミックを手にしたのである。

ゲームにおいては、2014年の産業生産高が1000億元（販売収入が、この年1145億元資料「ジェトロ・中国ゲーム市場調査」より）の大台を超え、テンセントは72億ドルで年成長率が37％となった。依然として他のライバルが望んでも届かない数字を維持している。

文学の分野ではインターネットプラスの効果がより早く現れた。過去10年において、オンライン文学の年度収入レベルはゼロから急速に伸びて30億元以上になった。汎エンターテイメント戦略に牽引され、正にこの助けの力をより多元的なものにしている。以前からの出版発行の価値だけでなく、現在のオンライン文学がゲーム、映画、アニメの有力な素材の源となっていることからも分かるように、中国のＩＰシステムの中でも突出した地位を築いている。

あふれ出るのは商業的価値だけではない

テンセントの汎エンターテイメント戦略には商業的価値以外にも、深い意味がある。以下にそれらを解説する。

①社会をイノベーションするという価値

オンラインゲームは一貫して中国インターネットの最も成熟したビジネスモデルであった。長らくオンラインゲームは社会から攻撃される対象であった。しかし、汎エンターテイメント戦略によって、テンセントのゲームは映画や文学へと広がり、文化的巨匠とも肩を並べたり、コラボレーションを行ったりするようになった。そのとき、ゲームは人性を重視し、楽しみながら学ばせ、その社会的価値さえ浮かび上がらせた。実際、テンセントのインタラクティブエンターテイメントの緊密な戦略パートナーである中国芸術研究院との最新のコラボレーションでは、「ゲーム美学審美批評標準の構築」の完成間近であり、本作は中国のゲームと美学史に残る研究になるだろう。

②文化と娯楽生活をつなげる

ＱＱやウィーチャットの中核的機能は、人と人をつなげるだけでなく、人、もの、サービスをつなげるものへと進化した。ソーシャルネットワークは「社会ネットワーク」となり、インタラクティブエンターテイメント業務もさらに広い意味でのつながりを担っている。その使命は単に人やモノがつながるだけでなく、人類の全ての感情と夢と想像をつなげることだ。

③文化・創作に携わる人材の発掘とサポート

次代の優れたIP、次のひらめき、次の世界を変えるイノベーションは、次の優秀な創作人材と切り離すことは出来ない。2012年以降、テンセントの汎エンターテイメント戦略の始まりに伴い、「NEXT IDEA」という若い創作人材の賞が作られた。この賞は中国の創作人材を育てる重責を担い、将来をつなぐ架け橋かつ世界を変える道具になる。テンセントは次のセンスとアイデアがわき出るのを期待しており、つぎの偉大な想像の目撃者となり、それをつなげることを望んでいる。

④その道の有名人に触れ、融合を進め、想像力を触発する

ノーベル文学賞の受賞者である莫言、国際的音楽家の譚盾、著名な漫画家の蔡志忠、有名監督の陸川、フィギュア作家のマイケル・ラウ、韓国の有名作家・全民熙などさまざまな文化的領域のリーダーがテンセントの汎エンターテイメントメンター顧問団のメンバーとなっている。専門的姿勢に基づき汎エンターテイメント戦略を進め、「第九芸術」「インターネット芸術」と言われるゲームと伝統芸術はより多くのより素晴らしい融合を生み出した。2014年、SF界のリーダーである『三体』（邦訳：早川書房）作者の劉慈欣がモバイルゲー

ムの「想像力アーキテクト」に就任した。彼によると、「モバイルゲームは一つの媒介である。この媒介によって、ＳＦの中の科学理論や主人公の豊かな感情をより立体的に表現し、多くの人にＳＦの尽きせぬ魅力を知ってほしい」ということだ。

⑤知識と価値観の養成と伝承

『洛克王国』はテンセントが児童向けに作ったオンライングリーンコミュニティで、そのテーマは魔法王国だ。子供達はその中でミニゲームを体験し、豊富な知識を得る。他の友達とも交流できる。助け合い、楽しみ、自然保護がコミュニティのテーマだ。子供達は小さな魔法使いになり、王国の中で学び、好きなグループに入ったり、友人を訪ねたり、パートナーと一緒にゲームをしたりする。『洛克王国』はテンセントの汎エンターテイメント戦略の代表作品だ。オンラインのコミュニティゲームをもとに、アニメ、書籍、舞台劇などのシリーズ作品が生まれた。『洛克王国』は教育のゲーム化の古典例となるだろう。２０００年代生まれの子供達の世界に喜びを与え、ゲームの主人公である「洛克（Ｒｏｃｏ）」の毅然、前向き、勇敢、傑出という「成長コンセプト」を多くの人に伝える。子供達はゲームの役を通して楽しみながら成長し、ゲームの役とおなじように多くの望みを持ち、夢の途中で楽しみを見つける。『洛克王国』は一つひとつの役を現実の生活に融合させ、より簡単に子供達とコミュニケーションを取る言葉を与え、夢や友情の尊さを教え、子供に健康で自然に親しむ価値観を与える。

⑥国産コミック商業化などのウイークポイントの支援

かつて国産漫画の商業化は一向に進んでいなかった。テンセントはまず作者のエコシステムを作り、コンテンツ創作産業のレベルで創作者とそのチームの環境を整えた。3年前に施策を始め、現在では比較的完成した福利厚生システムが出来ている。テンセントコミックスは中国最大の正規のコミックプラットフォームとなっており、オリジナルの作者の登録が5万あり、『屍兄』のような人気作品シリーズが出ている。同時に、国内外の有名企業と提携し、海外の版権を買い、マンガ・アニメの制作、ゲームの制作、関連権利の授与など一連の汎エンターテイメント施策をすすめ、マンガ・アニメの産業チェーンをつなげ、マンガ・アニメ産業のビジネス化で実質的な進展を遂げている。

⑦知的財産権の保護と開発

著作権保護は原作者のイノベーティブな能力を上げる。インターネットは既存のゲームや文学などの業界を変え、将来は映画業界も変えるだろう。既存のディズニーモデルやマーベルモデルとは異なり、汎エンターテイメントモデルはインターネットを通じてＩＰコンテンツ産業をグレードアップし、エコシステムを構築するものだ。特に、プラットフォームを越えたＩＰとスーパーＩＰを作ることに照準を合わせる。同時に、ユーザーにファンのためのプラットフォームを提供し、コンテンツの融合を進め、フィードバックや突っ込みを入れてもらうことで内容を豊かにする。

想像力を自由に羽ばたかせる汎エンターテイメント新エコシステム

馬化騰は、米国作家クレイ・シャーキーの書籍『コグニティブ・サープラス』中国語版（日本語版未発行）の序文に以下のように書いた。「過去、インターネットはコンテンツの伝達者であって生産者ではなかったが、現在はそうではない。一人ひとりがコンテンツの生産者になれるようになった。インターネットは一つの社会形態の要素として、社会に絶え間なく新しいコンテンツと話題をアウトプットしている」。馬化騰は、一貫して中国は多くの分野でイノベーションが出来る可能性があり、膨大なユーザーがおり、独自の文化および豊富な利用シーンがあると強調していた。これらの要素は欧米にはあまりなく、アジアに台頭のチャンスを与えている。

多くの分野が共生していくことが大きな流れになっている。そのことは、想像力を羽ばたかせるために自由な空間を与える。モバイルインターネット時代に、孤立していられるものはない。人々はいつでもどこでも、自分の好きなスターIPに関連して、関連する文章を読んだり、歌を聴いたり、映画を見たりゲームをしたりできる。既存の産業界の線引きはあいまいになりつつあり、完全になくなってさえいるかもしれない。汎エンターテイメントという流れの中で、ゲーム、マンガ・アニメ、文学、映画などは単独では存在することも発展することも出来なくなり、互いにつながりあい、融合し合って共生している。この種の根本的な変革は、テクノロジーとコンテンツのデュアルコアによって進められる。新しいテクノロジーは常に新しいコンテンツを生み出し、コンテンツの核分裂的な拡散はテクノロジーの革新を推進する。スターＩＰと多くの双方向的エンターテイメントスタイルの構築が担っているのは、広義の「つながり」だ。人類の精神的なレベルでの感覚、アイデア、創造は皆つながっている。

エコシステムの形成のために、想像力を自由に飛び立たせることがテンセントの夢だ。汎エンターテイメント戦略による計画が遂行されることで、人々はさらに平等で充分かつ立体的な想像力の表現の場を持つことになる。多くの業界の人々がこの全く新しい模索に参入し、汎エンターテイメントを一つの企業戦略から一つの産業の潮流へと変えるのだ。

内部でも常に自己進化を続けているという前提の下、３年かけて、テンセントのインタラクティブエンターテイメント事業群の融合共生型布陣が完成しつつある。業務地図が少しずつ完成し多元的になり、ボーダレスな提携が軌道に乗りつつある。２０１５年、スターＩＰの誕生に関して、より体系的かつ深い模索が始まった。想像を自由に遊ばせる汎エンターテイメント新エコシステムの構築を試み始めたのだ。

テンセントは想像力のＤＮＡの二重らせん構造を作り、市場に活力を与え、新しいやり方と、没入感のあるストーリーを基礎として、ゲームを想像力の受け皿にし、ユーザーであるプレイヤーにより多くのさまざまなゲーム体験をもたらすことを提唱する。精密な細分化を実現し、より多くのニッチ分野を開拓し、ゲームの市場規模全体を広げるのだ。

スーパーＩＰとは一つの国や文化の象徴であり、媒介でさえある。全世界に影響を与えるスーパーIPを作るには、それを育てる汎エンターテイメントのようなシステムと、映画やテレビドラマのような全世界で通用する消費形態あるいは共通のコミュニケーション言語が必要である。テンセントは汎エンターテイメントによりオンラインの文学、マンガ、アニメなどのプラットフォームを通じて、トップクラスの創作物と創作者を集めて、文学、マンガ、アニメ、ゲーム、映画などの多元的業務を通じた協業を行い、中国のスーパーIPを作りたいと考えている。実行の方法について、テンセントは大胆な仮想をしている。丁寧に素材を集め、思い切ってイノベーションを起こすのだ。このような態度はおそらくインターネットプラスの考え方に近いものだろう。このあたりの動きは、「『勇者の大冒険』はいかに『汎エンターテイメントIPのボーダレスな共生』を理論から現実へと移せたのか」（ウィーチャット公式アカウント「ゲーム観察」2015年4月1日）という記事に詳しく考察されている。

著作権に関する新エコシステムの構築

馬化騰は、以下のように強調する。コンテンツ産業の最大の中核は、IPだ。それゆえ、テンセントは多くの分野でIPの確立と保護を呼びかけている。グローバルなIP保護のレベルに合わせることは、やりがいがあり、文化産業に対する強力な保障になる。

テンセント法務部の江波総経理は、インターネットプラスが文化産業の領域に深く入り込むにつれ、著作権産業には多くの新しい状況や流れが生まれるだろうと考えている。インターネットもさらに直接的かつ深い方法で、文化産業のレベルアップと改造および構造改革を推進するだろう。また、インターネットプラットフォームと拡散方式の革新によって、時代の息吹を感じる新しい著作権の進化が促される。

「インターネット+著作権」は、著作権産業を繁栄、発展させる触媒であり、より広いインターネット著作権のエコシステムを構築するものだ。近年、インターネット企業は文化の著作権コンテンツの買収およびコンテンツの制作へ力を入れつつあり、良好な文化の著作権コンテンツエコシステムを作っている。それにより、インターネット著作権産業の価値も上がっている。そのほか、インターネットも文化コンテンツを発信する際に、最初に候補に挙がるチャネルになっており、映画館や書店で扱われ難い多くの映画や書籍がネット上で大きな成功を収めている。

汎エンターテイメントの産業エコシステムは、インターネットプラス時代の著作権運営の進歩におけるイノベーティブなルートだ。テンセントのインターネット著作権産業の運営経験から考えると、ゲーム、マンガ、アニメ、文学、映画などの産業は、個別では発展できず、互いにつながって融合し共生していくべきだ。ファン経済の刺激を受け、小説を映画に、映画をゲームに、アニメを小説に……といった例が増えている。ネットワークから得られるジャンルチェンジによる高額の収益がコンテンツ制作者の活力を引き出し、作品のマネタイズされる価値が大きく伸びる可能性が出てきた。ネットワークプラットフォームを基礎に、スターＩＰの制作、資金の統合、コンテンツの制作、スタータレント、ＰＲ、販売、派生商品などの各部分をめぐって、一つの汎エンターテイメント新エコシステムを形成する。これは、インターネットプラス時代の著作権運営の進化の方向だ。

法律と自律による海賊版の抑制は、インターネットプラス時代の著作権産業の発展にとっての重要な課題である。インターネット海賊版に関する規制は、総合的かつ体系的なプロセスで行う。立法、司法、行政および権利保有者を含む多元的な組織と共同で行う必要があり、常設の有効な連絡および協力システムを構築しなければならない。喜ぶべきは、国家版権（著作権）局の「剣網」という著作権保護のための専門キャンペーンの成果が上がっており、各種の裁判所で大量の判決が著作権者の権利を有効に保護しており、市場環境を改善していることだ。同時に、各企業の権利保護チームも急速に強力になっており、有効に業界の健全な発展を保護している。

精緻に細分化された企業のＩＰ管理は、インターネットプラス時代の著作権管理が集約した中核的競争力だ。２０１５年の世界知的財産デーのテーマは"Get Up, Stand Up, For Music"であった。ここからも分かるように、音楽の買い付けと売買はインターネット業界の継続的な注目点である。楽曲の買い入れは、ともすると１００万レベルのライブラリーになり、いかにしてそれらの作品の知的財産権を有効に管理するかは、企業の将来の重要な競争力となる。現在、テンセントはすでに全面的かつ十全、正確なコンテンツ資産の著作権情報管理プラットフォームを作っており、著作権情報をすぐに効果的に収集、チェック、分析し、統計をとることで、全ての作品の著作権の動きを可視化している。著作権の精密な管理はインターネット業界がより重視すべき問題だ。有効な管理があってこそ著作権の価値の有効な実現が保証されるのだ。

汎エンターテイメント時代の将来

テンセントのインタラクティブエンターテイメントのプラットフォームは同社のオープンプラットフォームの重要な構成要素であり、大変強力なエコシステム性と外部性を備えている。インタラクティブエンターテイメントのプラットフォームのミッションの一つは、夢のある一般市民が自分の才能を発掘して夢を追うのを助けることだ。同時に、テンセントは多くのユーザーの新しいエンターテイメント体験を助けたいとも考えている。

モバイルインターネットの普及に伴い、人々が創作に参加するためのハードルは消滅した。全ての最先端テクノロジーと前衛的な芸術が、われわれのそばに降りてきて身の回りに入り込んでいる。全ての人に自分の考えや着想、感想を表現する機会が与えられ、最も生き生きとした方法で人にシェアできる。以下はテンセントの程武副総裁が汎エンターテイメント時代の将来について五つにまとめたものだ。

①インターネットにより、全てのエンターテイメントスタイルは個別では存在できなくなり、全面的にボーダレスにつながり、共生するようになる。あるＩＰに熱心なファンが付き、ブームになれば、そのＩＰをめぐる全ての形態のエンターテイメント体験が境界を越えてつながり、共生し、めざましいヒットにつながる。

②創作者と消費者の境界がなくなっていく。インターネットの中でも特にモバイルインターネットは作者とファンの間に空前の密着性とインタラクションを生み出した。全ての人が創作のスターになれ、自分の夢を実現できる。また、インタラクションによって作者に影響を与えることも出来る。消費とは参加のことであり、参加とは創造のことなのだ。

③モバイルインターネットがファン経済を生み出し、スターＩＰの効果は大幅に高まった。いい作品はボーダレスな多分野の共生により、スピーディーに大きなファングループを生みだし、驚くべきファン経済を動かす。現在、この流れはまだ始まったばかりだ。

④人間の天性と合致した趣味のインタラクションが増え、エンターテイメント思考は人のライフスタイルを変える。現実生活の問題を解決できるだけでなく、幸福観も上げられる。将来、インタラクティブエンターテイメント思想は衣食住、モビリティ、エンターテイメント、ショッピング、教育などのさまざまな分野に入り込み、徹底的にわれわれのライフスタイルを変える。

⑤テクノロジー、アートと人の自由なつながり。インターネットプラスは大創作時代を生み出す。もっとも重要な基準は、ファンがあなたの作品を気に入るかどうかだ。厳選されたメ

ジャーな大作であれ、マイナーな作品であれ同じだ。いい汎エンターテイメントエコシステムは、必ず既存の障害を打破し、最先端のテクノロジーとアートおよび一人ひとりの才能、夢のある若者にまで自由なつながりを提供し、才能の輩出を促すのだ。[3]

テンセントのインタラクティブエンターテイメントプラットフォームは期待通り、中国の夢のある若者に新しい可能性を与え続けることが出来る。多くの人をインターネット時代の莫言（ノーベル賞受賞作家）にし、自らの専門分野のアインシュタインにし、新しい時代のジェームス・キャメロンやJ．K．ローリングにする。全ての人が自分の想像力を羽ばたかせ、何億というユーザーの心を揺さぶる作品を作り、自分の夢を叶えるのだ。

張暁峰（価値中国会連合会長、「インターネットプラス100人会」発起人、「価値中国智庫叢書」主編）

注

1　「習近平：堅持総体国家安全観　走中国特色国家安全道路（習近平――全体的国家安全観を守る　中国の特色ある国家安全の道を歩む）」新華網　2014年4月15日

2　葉自成「習近平総体安全観的中国意蘊（習近平の全体的な安全観における中国的深淵）」人民網　2014年6月4日

3　テンセントグループ程武副総裁「UP2015騰訊互動娯楽年度発布会（UP2015テンセントインタラクティブエンターテイメント年度発表会）」のオープニングスピーチ　2015年3月30日

第8章 インターネットプラス金融

インターネット金融業務の発展も新しい現象だ。それゆえ、旧来の政策、管理監督、調整などのさまざまな分野で完全に適応するのは難しく、更なる改善が求められる。しかし、全体的に見て、金融業の政策はテクノロジーの応用を推奨しており、そのため時代と科学の進歩について行く必要がある。

中国人民銀行総裁（当時）周小川　2014年3月4日、全国政協会議

李克強総理は2014年「政府活動報告」で、初めてインターネット金融という概念を呈示した。2015年「政府活動報告」ではインターネットプラスというコンセプトを打ち出し、インターネットプラス行動計画の制定を指示した。また、インターネット金融の発展を大いに賞賛し、「インターネット金融が急速に台頭してきた」という認識を示した。では、インターネットプラスとインターネット金融にはどのような関係があるのだろうか。インターネット金融は国のイン

ターネットプラス行動計画にどのような作用をもたらすのだろうか。

われわれの考えるインターネットプラス

2014年、モバイル決済企業「イーペイ（易宝支付）」の共同創始者である余晨は幸運なことに、CCTVの大型ドキュメンタリー番組『インターネット時代』の制作に参加していた。そのため、インターネット史上著名な40人のパイオニアと企業家に体系的に細かくインタビューすることができた。これらのインターネットの歴史の創造者たちの肉声を、シリコンバレーから帰国後12年間におよぶ中国での余晨と筆者（唐彬、イーペイ共同創始者兼CEO）のインターネット金融と決済分野における経験とをつなげて、インターネットの発展の流れを整理し、『未来を見る（原題『看見未来』）』という書籍を執筆した。そういったことを踏まえて、本稿ではインターネットプラスに対する私見を述べたい。

インターネットプラス時代＝産業インターネット時代

過去20年において、ｗｗｗ（ワールドワイドウェブ）の出現に伴い、インターネットの発展とは、主に原子からビットへのバーチャル化を意味していた。これはインターネットの第一波だ。1995年には、全世界のインターネットユーザーは1600万人だった。2013年には27億人になり、人類は空前のインターネットへの「大移動」を行ったのだ。この時代のインターネッ

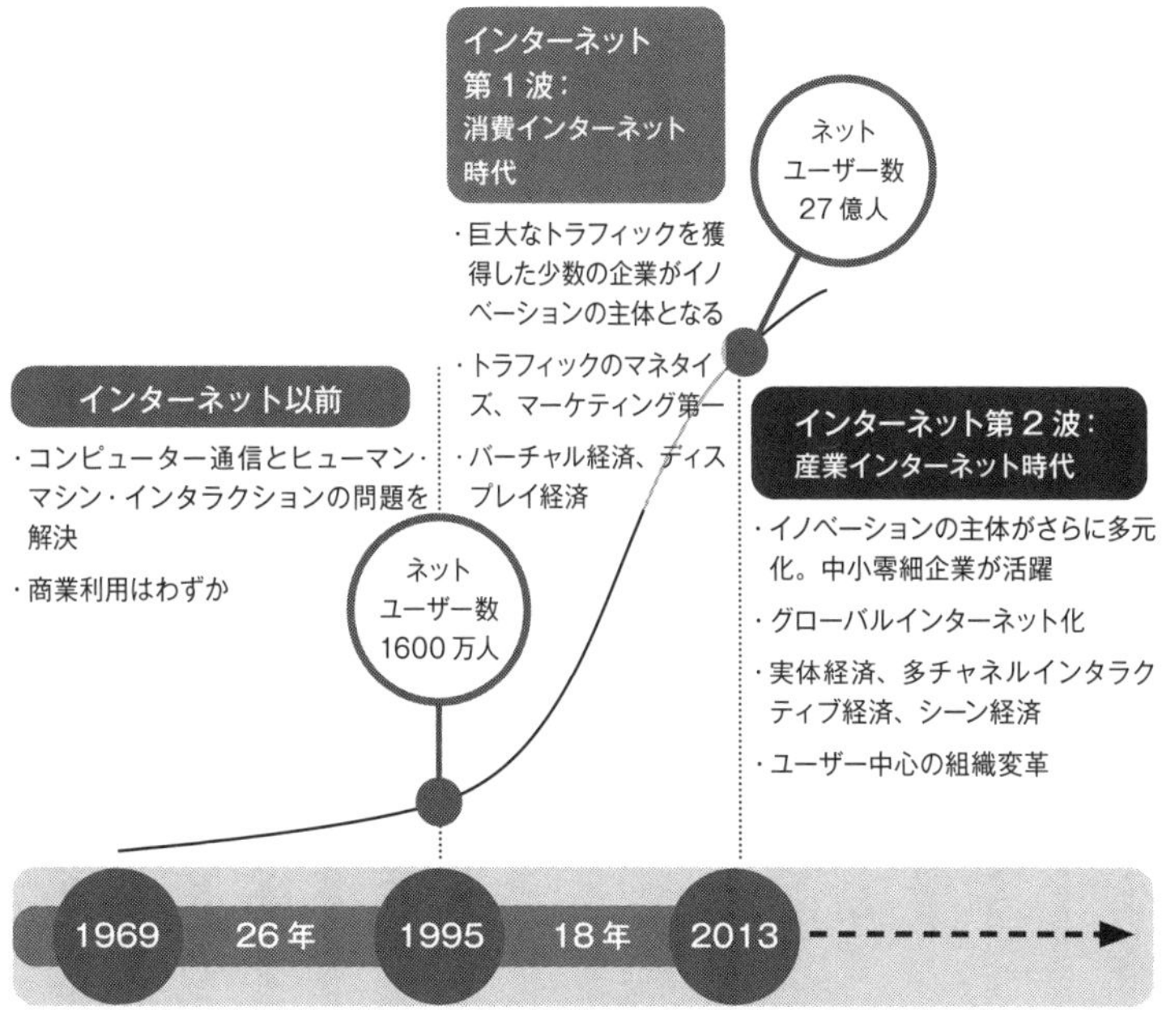

図8-1　インターネット略史

トビジネスのモデルは、視覚中心で、トラフィックのマネタイズに注目したものだった。「消費インターネット時代」と呼べるだろう（図8-1）。

２０１５年現在、インターネットはビットから原子に回帰している。バーチャルとリアルが融合し、第二波の時代に入った。インターネットは再び重要な時期にさしかかっているのだ。インターネットの深い部分に入ると、オンラインからオフラインへと拡張し、バーチャル経済からリアル経済へと浸透していることが分かる。また、ＩＴ業界が既存業界に影響を与えるようになり、人々は固定ＰＣからではなくモバイル機器からネットを使うようになり、常にインターネットとつながっており、全てのビジネス、生活のすみずみに至るまでインターネットと不可分となっている。

この時期は、「産業インターネット時代」と呼んでもいいだろう。あるいはインターネットプラス時代か。インターネットが影響を与えるのは、もはや企業のフロントエンドの販売という部分だけではなく、研究開発、生産、在庫管理、輸送、顧客管理などの全ての部分に浸透している。正にインターネットは現在われわれの組織の形を変えつつあるのだ。

特徴を掴んで、チャンスを歓迎する

この時代、インターネットの影響は具体的に四つの面に現れる。

第一に、モバイルインターネットがオンラインとオフラインを完全に融合する。そのため、ビジネスや、人々の生活において、インターネットを積極的に受け入れる以外の選択肢はなく、われわれは正に新時代に足を踏み入れていると言える。

3年前の既存産業は、アパレルの李寧（リーニン。オリンピック体操金メダリストの李寧の名を冠したスポーツアパレルブランド）であろうと、電気製品の蘇寧（スーニン）であろうと、インターネットに対しては、「ゆでガエル」のたとえそのままに、緊迫感を持っていなかった。しかし、現在の状況は全く異なる。蘇寧は「雲商（クラウドショップ）」を作り、李寧もインターネットと積極的に手を組んだ。飲食とタクシー配車のような既存産業も瞬く間にインターネット化した。モバイルインターネットがオンラインとオフラインを完全に融合したからだ。いままでは、ＰＣの前にいないときでも、インターネットにつながっている。スマートフォンやタブレットデバイス等で、いつでもつながれる。

以前は多くの業界、特にサービス業にはインターネットは進出しにくかった。モバイルインターネット時代になり、全ての業界、生活が新しいインターネット時代に入った。インターネットは新時代となり、完全に中国を変える。変えられるものの中には、経済、社会、政治だけでなく、われわれの思想さえも入っている。

第二に、インターネットが業界の独占を打ち破り始めた。ビジネスを、より透明、高効率かつ活力あるインクルーシブ（包摂的）なものにしたのだ。インターネット金融は金融の独占を打ち破る。最近ではウィーチャットが通信の独占を打破し、ウェイボーが宣伝の独占を打ち破った。

第三に、インターネットは三大新技術をもたらした。クラウドコンピューティング、モバイルインターネット、ビッグデータだ。クラウドコンピューティングは技術の民主化を実現し、先進のインターネット技術を誰でも使えるようにし、零細企業にも恩恵をもたらした。クラウドコンピューティングという基礎の上で、モバイルインターネットは実現可能になった。モバイルインターネットを通じて、ビジネスシーンと生活シーンをつなげてデジタル化することで、ビッグデータの生成を促した。ビッグデータの最も重要なポイントは単純な大規模化ではなく、「一人ひとり」でありながら大規模に集まることなのだ。１００年前、フォードは、流れ作業によって大規模化を実現したが、彼らは「一人ひとり個別の人間であること」までは確保できなかった。インターネットの最も重要なポイントは一人ひとりの「個性」である。技術サービスに「人間らしさ」を与え、人間らしさに回帰するには、十分なデータが必要である。なぜなら人は一人ひとりに合わせたサービスを求めるものだからだ。筆者が受けたサービスとあなたが受けたサービスは同じでではない。なぜなら、人は皆唯一無二の存在だからだ。インターネットは新テクノロジー、新思想を通して、出来るだけ効率よく全ての人に唯一無二のサービスを提供する。

第四は組織の変革だ。情報が充分にあれば、分散型のネットワーク構造が企業の官僚的構造を解体したり、よりフラット化させたりする。企業は顧客中心に組織構造の再編を行う。飲食業を例に取ってみよう。既存の飲食企業は、一連のつながりで顧客にサービスを行う。このつながりはフロア係―フロアマネージャー―野菜を洗う係―野菜を切る係―シェフ―トップシェフ―店のマネージャー―社長等という構造になっており、基本的には顧客が直接ふれあうのはフロア係のみだ。客が要望やクレーム（例えば料理の塩が強すぎるなど）をフロア係に言った場合、情報がすぐに正確にバックヤードに伝えられることは普通はない。特にシェフや店のマネージャーとは情報のギャップがあるので、すぐにレストランのサービスの質が上がることはない。「五味ネットワークレストラン」という店は既存のレストランとは全く異なった形態だ。モバイルインターネット技術によって、客は時と場所を問わずスマホやタブレットＰＣから情報をフィードバックでき、その情報は必要な部署に届くことが保証されており、ユーザーとサービスのバックヤードをつなげている。そのことによりバックヤードのスタッフは速やかに改善措置がとれるようになっている。これはインターネット技術が顧客と店側の関係を構築・強化し、ユーザーのロイヤルティを上げている一例である。

インターネット＋金融の切り口を理解する

既存の金融業では、いかにしてインターネットプラスを実現するか。まず、インターネット金融がどのように台頭するかについて、とりわけインターネット金融の先鋒であり基盤でもある第三者決済が急速に伸びた理由を見てみよう。

インターネット金融の先鋒兼基盤――第三者決済

決済は、金融の基礎であり、インターネット金融の先兵だ。第三者決済は２０００年頃に国内に出現した。２００３年のＳＡＲＳはＥＣ業界に予想外の成長のチャンスをもたらした。簡単に買い物に出かけにくくなった人々がＥＣを試し始め、その結果ＥＣは急激に成長し、第三者決済の台頭を後押ししたのだ。

買い物のサービス対象の細分化が進むにつれ、第三者決済において、三つのモデルが出現した。一つは、銀聯に代表されるゲートウェイ型総合決済。もう一つはアリペイに代表される担保型アカウント決済。そしてイーペイに代表される業界決済。近年、インターネットの発展と人々の消費レベルの向上により、第三者決済企業の取引規模は急速な成長を遂げた。

第三者決済は、人気も資金も人材も客もいないところから、たった10年で、小売り決済の分野で多くの銀行を抜き去るところまで成長し、自らの存在意義を証明した。その理由を見てみよう（表8-1）。

表8-1　主流第三者決済企業設立あるいはサービス開始時期

主流第三者決済企業	設立あるいはサービス開始時期
イーペイ（易宝支付）	2003年
アリペイ（支付宝）	2003年「タオバオ」にて誕生、2004年独立
快銭	2004年
テンペイ（財付通）	2005年
匯付天下	2006年（ChinaPayグループから分割）

第三者決済サービスは7000万近い中国の中小企業と6億のネットユーザーに使われており、小売業のための金融イノベーションの主力になりつつあり、国民経済における比重も上がり続けている。現在、中国では、中小企業の決済サービスは主に第三者決済だ。現在、中国には7000万前後の商業主体があるが、そのうちの99%が中小零細企業である。これらの企業にちゃんとサービスをしていれば、中小企業の発展、安定的雇用の推進において、重要な役割を果たせる。

調査会社の艾瑞諮訊（アイリサーチ）のリポートでは、2013年中国の第三者インターネット決済取引の規模は5兆3729・8億元（同年の社会消費総額の22・9%）で、前年同期比46・8%増だ。そのうちモバイル決済市場の規模は1兆2197・4億元（同年の社会消費品総額の5・2%）で、前年同月比707%増となっており、急成長している。国民経済全体における重要性は明らかに強まっている。

では、なぜ第三者決済はインターネット金融の中核的位置を占められているのか。

まず、シェアが高いこと。シンクタンクの「速途研究院」の2013年の研究によると、インターネット金融市場全体において、第三者決済のシェアは非常に高く、76・3%に上る。

さらに重要なことは、リスクに対するコントロールとハンドリングだ。金融の本質は経営リスクにあり、リスクコントロールの基礎はデータ分析による信用調査システムだ。現在、わが国の信用調査システムはまだ改良が望まれる状態で、米国に三大信用調査機関（エクイファクス、エクスペリアン、トランスユニオン）、ＦＩＣＯスコア（米国個人消費信用評価企業の開発による個人信用の評価システム）などの成熟した信用調査システムがあるのに比べると、まだ隔たりは大きい。そのため、ビジネスの売買決済データを持つ第三者決済企業、とりわけアリペイ、イーペイなどの比較的歴史の古い企業は、これまで蓄積してきたビッグデータを基礎として優良なリスクコントロールシステムを築くことができる。また、それゆえに、インターネット金融全体の中核となり、成長の動力となることができる。

第三者決済を中核として発展したインターネット金融は、改革の方法も特別である。既存の第三者決済は自らの取引、決済および金融をまとめて、自らの閉じたループを作っていた。しかし、イーペイはオープンなイノベーションを追求した。そのプラットフォームはビジネスの川上と川下、あるいは境界を越えたパートナーとこのプラットフォーム上で、取引データに基づくビジネスモデルを派生させることができ、それにより中小企業のイノベーションの活力を刺激することが出来た。

銀行と第三者決済企業では決済に対する考え方が異なる

司馬遷は『史記』の中で「天下熙熙皆為利来、天下攘攘皆為利往（人は利益のために動く）」と言っているが、彼は、決済も経済の基礎的手段の一つだと考えていた。「利来利往」とは決済清算のことであり、決済は全ての取引の中心である。決済が済まなければその取引は完結しないのだ。

銀行と第三者では、決済に対する考えが大きく異なる。その理解の違いから生じる影響は深い。既存の銀行がインターネット金融の発展を牽引する実力がないということではない。大事なのは、同じ一つの概念あるいは問題に対する理解に質的な差があると言うことだ。ＰａｙＰａｌの創業者ピーター・ティールは、「人々が見ている秘密はそれぞれ違う」と言う。

銀行は、決済とは資本を安全にＡからＢに移すことだと考えている。これは古代の貨物輸送護衛のような考え方だ。リーダーの指揮に従って周りの人間が、金銭を動かす。この認識は十数年前には正しかった。しかし、それだと決済を単に道具としてみていることになる。また、その決済というものの内側を考察してはいない。インターネット時代になると、この認識は時代に合わなくなった。

海外の先駆者達がどのように決済について語っているか、見てみよう。ピーター・ティールは、「21世紀の決済は、個人の貨幣資産を守るためのものだ」と言っている。米モバイル決済企業スクエアの創始者ジャック・ドーシーは「決済は元々金銭とは関係なく、買い手と売り手の間の価値の交換であった」と言い、米リップル社のクリス・ラーセンは一歩進んで「われわれが作り上げたのは決済ネットワークではなく、通貨の未来だ」と言っている。また、米消費者金融会社アファームの創始者マックス・レヴチンは「データは新世界の通貨だ」と言っている。これらの考えはすでに「ツール」に対するものではなく、決済に、より豊かな人間的な内面を付与しているのだ。

第三者決済企業の、決済の背後に何がある？　それは、取引だ。そして、その背後に有るのは生活だ。米ビザの創始者ディー・ホックは「これはこの星の上の一人ひとりに対する贈り物だ」と言っている。

以下に第三者決済の機能についてまとめよう。

第一に、決済は中立なプラットフォームとして、情報の非対称という問題の解決を助ける。決済が輸送護衛だった時代には安全性が重視されたが、現在われわれはその認識を超える必要がある。安全以外に、取引の際に売り手と買い手の情報の非対称が詐欺事件を引き起こすという問題がある。一例を挙げると、北京の秀水街市場で、５００元の服を２５０元にまで値切ったら充実感があるだろう。しかし、売り手の仕入れ値は多分たったの50元だ。ここに情報の非対称という問題がある。

第二に、決済プラットフォームはユーザーのニーズを集約し、交渉の道具を増やす。取引の双方の実力が均等でないとき、中でも売り手が大手である場合、普通の消費者には値段を交渉する能力がない。しかし、決済プラットフォームを通じて一つひとつのニーズを集めて、大きなニーズにすれば相手と対等に値段交渉できる。

第三に、決済プラットフォームは個別の状況に合わせた取引を提供する助けになる。一人ひとりは唯一無二の存在だ。とりわけ今日の中国においては、中産階級やミドル・ハイクラスの人が増えている。彼らはより個性に合ったサービスを求める。しかし、既存の金融サービスでは個別の対応はしにくい。たとえば、あなたが銀行に行って、番号札を取って、順番を待ち、ガラスを隔てて行員と話をするようでは、あなたは個性ある一人の人として認識されにくい。ただの数字であり預金通帳だ。しかし、第三者決済企業は各種の取引データを掘り起こし、個々人にあったサービスを提供できる。例えば、あなたがエアチケットを購入した際には、あなたの消費記録をもとに、無料や格安の保険を提供することが出来る。

第四に、誠実さを基盤とし、取引データを使って信用データベースを作る。金融の本質は、経営リスクだ。経営リスクの一番の基本は信用の構築だ。現在、中国ではこれが最もチャレンジングな課題だ。中国のインターネット金融の発展により、チャンスは確かに大きくなっている。しかし、問題も多い。これらの問題の解決のための重大なルートは、取引データを利用し、信用データベースを作り、完璧な信用システムを作ることだ。そのためにはビッグデータが必要で、とりわけ決済データによるサポートが必要だ。決済データは将来われわれがより誠実な社会を築くことを助けてくれる。

第五に、慈善事業を推進する。決済と慈善は双子の兄弟だ。汶川地震の際、インターネットの少額寄付が6000万元を超えた。6000万元と言って侮ってはいけない。それは国の内外の多くのネットユーザーが、人種や性別、年齢に関係なく少しずつ積み上げたものだ。2015年、イーペイはインターネット金融の思考法とモデルを利用し、社会公益モデルをグレードアップしようと考え、国内で最初の「社会公益クラウドファンディング」プラットフォームを作った。より多くの人にアイデアに富むポジティブな方法でイーペイの公益社会建設に参加して欲しいと考えたのだ。

以上の第三者決済に対する認識が大きくインターネット時代における決済の内容を広げた。これは第三者金融によって明らかになった「秘密」だ。この基礎の上に、第三者決済は柔軟な組織を通じて、インターネット技術を用いて、大変な苦労の末、たった10年の間に小売り決済の分野のリーダーになったのだ。

決済の国内における発展の歴史

国内における決済の発展をみると、大まかに以下の三つの段階を経てきている。

第一段階は、決済がただの金融ツールに過ぎない状態。これは主に既存金融機関の考え方だ。決済はツールとして取引を完成させるもので、安全の追求が第一だ。少額取引は、インターネットで取引するには不便なので、U盾（USB型のセキュリティツール）までもが必要とされた。

第二段階は、決済は単なるツールではないという考え方で、より高効率で、透明な取引の完成を助けるというものだ。例えばアリペイは担保を取ることで、タオバオ上の買い手と売り手に互いを信用させた。また、イーペイでは、業界決済モデルを作り、業界ごとのカスタマイズされたソリューションを提供した。航空、教育、ゲームなどの業界の取引に高効率、透明な状態を実現させ、強力にこれらの業界のインターネット化を進めさせた。

われわれは現在第三段階に向かって進んでいる。「決済＋」の実現だ。つまり、決済に金融サービス、マーケティングサービスおよび信用調査サービスを加えるということだ。イーペイを例に取ると、決済業務という基礎の上に、「イーペイ金融」と「懶猫金服」という業務を加えた。また、マーケティングにおいては「五味」「哆啦宝」を設立、信用調査においても専門のグループを設置した。これらの派生業務を実現し、秩序ある成長の基礎を築けたのは、決済データが重要なビジネスデータであるからだ。インターネット金融のリスク管理能力を高め、決済を中心にマーケティングの全部分のインターネット化を実現することができる。インターネット信用調査のためにも堅牢な基礎を築ける。われわれは、すでにビッグデータ時代を生きている。決済は閉じた取引の中核であるだけでなく、中核的ビジネスデータの源泉として、その重要性は日々高まっている。

ピーター・ティールは、能力の独占ということを信奉しており、彼は独占ということに関して、大変深い考察をしている。彼の言葉によると、豊かな利益を稼ぎ出せる独占企業には独自の秘密があり、唯一無二の問題を解決している。決済も同じで、第三者決済企業と既存の銀行の間と、第三者決済企業同士の間で発生する、独占のための秘密は異なる。それゆえに解決方法も異なる。

それゆえに開ける未来も当然異なる。

インターネット金融の意義とは何か

インターネット金融とは何か。それは「根本からひっくり返すこと」だという人がいる。また、「足りない部分を補うこと」だという人もいる。どちらも既存の金融との関係で言っている。しかし、われわれは、よりマクロな視野に立って考えるべきだ。インターネット金融の中国の既存銀行に対する最大の意義は何だろう。

「インターネット十金融」の意義

まずインターネットと金融を足し合わせることで、われわれは既存の金融には多くの問題があることに気づいた。同時に、われわれに中国金融のイノベーションとチャンスはより大きいということにも気づかせてくれた。

金融業界に関していえば、インターネット金融は、回帰とグレードアップを意味する。金融はもはや自分たちだけで充足することは出来ず、のんびりしていて稼ぐことは出来ない。商行為と生活の本質にサービスするという根本に立ち戻り、インターネットの思想、技術およびチャネルを通じて金融を改善し、金融をよりオープンで、高効率かつ透明度の高い、インクルーシブな存在にする。それこそがわれわれが考えるべきことだ。

零細企業にとっては、インターネット金融は公平とチャンスを意味する。インターネット金融には非凡な意味がある。非凡とはどういうことか。中国には7000万の企業があり、そのうちの99％が中小零細企業で、94・8％が零細企業だ。しかし、既存金融のそれらの企業へのサービスは全く不十分だった。そのほかに、中国の就業人口は8億人近いが、平均月給は4～5千元に過ぎない。既存金融はこの多数の人たちにも恩恵を授けられていない。しかし、インターネット金融なら中国の中小零細企業や個人に良質なサービスを提供できる。そのことは中国全体のイノベーション主導の発展にとって、重要な意義を持つ。

金融商品にとっては、インターネット金融は融合と再生を意味する。余額宝（ユウバオ）は、珍しいタイプのマネーファンド商品だったが、アリペイのリソースと結びつくことで、インターネットユーザーを中心とした思考法と売買チャネルによって、たった1年の内に中国最大のマネーファンドになった。これが融合の力だ。ビットコインはインターネット社会に突如現れた自由な新型通貨で、発行機関もなく、国家の主権を代表もしていない。われわれの既存の貨幣に対する理解を180度変えた。これは新生と言えるだろう。

金融機関にとっては、逆転と生まれ変わりを意味する。インターネットを単なるチャネルと考えていて、それが全方位に及ぶ革命であることに気がついていないなら、待っているのは今の地位から転落し地に落ちるという運命だ。しかし、インターネット＝新時代であり、根本的な改革をもたらすと考え、それを受入れ、主体的に融合と新生を行おうと考えるなら、生まれ変わり、一つ上の段階にステップアップすることが出来るだろう。

現代工業文明は科学技術の革命によって始まり、金融革命に至った。これは歴史的な事実が証明していることだ。過去に、株式会社、証券市場などの金融のイノベーションが起こったために、蒸気機関が実験室に押し込められているだけでなく、蒸気機関車、汽船を生み出した。そうして世界を変えたのだ。われわれは、全ての先進国が金融イノベーションでも先を行っていることに気づかなければならない。

米フェイスブックなどの企業はその代表だ。フェイスブックは最初ハーバード大学の学生寮の一室で生まれたが、たった10年で世界一のSNSとなり、時価総額が兆単位の世界最大の企業となった。このような急速な成長は、金融の助けがなければ想像出来なかったことだ。

フェイスブックが中国で生まれていたらどうなっていただろう？　インターネット金融が生まれる前は、この問いに対する私の考えは楽観的ではなかった。なぜならフェイスブックは一つの革命であり、リスクが比較的高く、既存の金融には好まれなかっただろうから。当然、最近はベンチャーキャピタル（VC）によるサポートもあるが、7000万という莫大な企業数に対して、VCの力が及ぶ範囲は限定的だ。しかし、インターネット金融台頭後、この問題は解決した。

現在比較的注目を集めているのはP2Pだ。P2Pが解決するのは主に中小零細企業の、3カ月、半年、1年といった短期融資の問題で、債権という方式を採っている。次は株式のクラウドファンディングで、この方法で解決しようとするのは中小零細企業の中長期の成長のための資金問題だ。加えて、サプライチェーン金融、バーチャルクレジットカードなどの方式、また、既存金融機関との連合などによって、中小零細企業の成長と発展に対する「金融全体によるサポートシステム」を作る。つまり、潜在能力があり世界レベルの企業に成長する企業なら一人か二人という状態で始めたとしても、金融機関の有力なサポートを得られる可能性があるということだ。

金融は経済の血液だ。インターネット金融は、中国経済のモデルチェンジと中国社会の進歩にとって大きな意義を持つ。つまり、より多数の中小零細企業がより多くの持続および成長のチャンスを得られるということだ。潜在能力があり急成長の可能性がある企業も、金融により、頭角を現すかもしれない。このことは社会全体のイノベーションと富の増加にとっても大きな意味がある。当然、インターネット金融の意義はそれだけではない。例えばビットコインによるイノベーションは、金融の中の信用とリスクという基本的な面さえも変えるかもしれない。ビットコインはインターネット金融によって信用が裏書きされる数少ない金融商品だ。また、リップルが全世界の決済システムにもたらしたイノベーションは将来社会全体に影響を与えるようになるだろう。

未来のインターネット金融の浮沈のカギを握るのは？

将来のインターネット金融のカギを握るのは誰だろう。銀行だろうか。銀聯だろうか。通信プロバイダーだろうか。ＥＣプラットフォームだろうか。それともＰ２Ｐ？　株式クラウドファンディングのプラットフォーム？　第三者決済プラットフォーム？　私は、第三者決済プラットフォームがその答えだと思う。理由は以下の五つだ。

①取引の中核部分であること

取引というものは、大きかろうと小さかろうと、国際取引だろうと道ばたの屋台だろうと、必ず全て最終的にきっちりと終わらせなければならない。そして、その取引の中核部分は決済（支払い）だ。決済がなければ取引というものは終われない。取引というものがなければ、金融が必要だという話には至らない。決済、取引、金融は三位一体で不可分なものだ。

②正しいビッグデータの基礎があること

金融の本質は経営リスクだ。経営リスクについては、大量の正しいデータを基礎にリスク評価を行わなければならない。インターネット上で採集できるデータは確かに多いが、全てのデータが同等の価値を持っているわけではない。前述のように、決済データは全ての商売の中の中核データだ。決済企業は大量の正確なローデータを持っている。イーペイは毎日100万件に上る取引があり。それらの一つひとつは真実のものだ。データを多く取られ過ぎることをユーザーは望まないし、取るのが少なすぎては店が困るだろう。データの真実性は須く保証されている。

③天然の信用の仲介によるものであること

ある角度から見ると、金融はとてもシンプルだ。金融にはまず情報があり、次に信用があり、それから制度による調整（主に管理監督）がある。決済企業には情報が充分にあり、多くのデータもある。それ以上に信用が充分にある。買い手は代金を決済企業のポケットに入れ、売り手は自分に変わって決済企業に代金を受け取らせる。銀行も決済企業を信じている。制度による手配に関して言うと、人民銀行が監督を行うため、決済にはその面ではじめから優位性があるのである。

④閉じたループの商店というリソース（資産運用＋融資）があること

大型の決済企業は、ともすると百万以上の契約店を抱えている。仮に、例えばその中の10万店が資産運用をしたがっているとしよう。かれらは資金を銀行に預けるが、サービスは満足できるものではない。利息は低い、引き出すのも面倒だ。決済企業に預けておけば、いつでも取り出せる。決済企業と資産運用機関が提携すれば、店に渡す利息を簡単に銀行の倍にできる。また、決済プラットフォームの店には多くの融資のニーズがある。一方で資産運用、一方で融資ニーズがあるのだ。決済プラットフォームは仲人のように、その両者を引き合わせる。資金の出所は明らかだし、資金コストもコントロール可能で、情報は透明性が高く、リスクコントロールも出来る。決済企業にこの種の業務における優位性があるのは当然のことだ。

⑤金融エコシステムの多元化の推進が行われていること

第三者決済は、国内初の、国家が認めた金融あるいはそれに類似した業種である。インターネットが金融をこじ開け、一つの突破口を作った。第三者決済にはインターネットの遺伝子があり、金融の資質も備えている。また、金融の慎重なセキュリティ関連の能力と意識は、決済企業にインターネット金融において重要な作用を発揮させている。P2P企業と決済企業が協力することが保障され、資金は管理監督できるようになる。P2P企業の顧客が不足していても決済企業には多くの顧客がおり、彼らは融資を必要としている。決済企業とP2P企業は緊密に提携することができる。なぜなら決済が行うのは基礎的なことだからだ。決済は中国の金融エコシステムにとって大きな価値がある。それは、既存金融の構造改革を行うことだ。このことは、金融業界全体のモデルチェンジとグレードアップに非常にプラスの意義がある。決済企業が一定のサービスを行えば、多くの既存業界が変わる。例えば、エアチケットは、決済によって根本から変えられた。他にも余額宝にせよ、光熱費の納入にせよ、携帯の使用量チャージにせよ、ゲームのポイントカードにせよ、全て変わった。このことはこれらの業界にとって大変な価値がある。

さらに大きな価値は、それらの変革が中国の既存金融機関に変革を迫ったことだ。中でも銀行は強く変革を迫られた。過去12年間、決済企業との競争と協力のせめぎ合いの中で、銀行も変化してきた。中国工商銀行は最近インターネット金融戦略を打ち出した。もし、アントフィナンシャル、アリペイ、イーペイ、テンペイなどのイノベーションによる猛追がなければ、既存金融機関はこんなに変革を急ぐことはなかっただろう。

世の潮流から見たモデルチェンジとイノベーション

上述のように、イーペイの共同創始者の余晨は体系的にインターネットの発展の流れと中核的思想を整理した。現在われわれはこれらの流れと思想を結びつけ、「インターネット+金融」についてて以下の七つの大きな潮流を見てみよう。これにより既存の金融のモデルチェンジと新興のインターネット金融の改革にそれぞれ独自のロジックと路線を見いだせるようにしたい。

①ロングテールを掴め

ロングテール理論はクリス・アンダーソンが提唱した理論だ。アンダーソンによると、既存の売り場において、販売方式は往々にしてパレートの法則を遵守し、少ないヒット商品によって多くの販売量を稼いでおり、大部分の商品は問い合わせられることも少ない。しかし、アマゾンのようなネット上のマーケットが出現してからは状況が一変した。理論的には、ネットショップの展示スペースは無限であり、全ての商品が展示できる。検索エンジン、ナビゲーション、キーワードによるタグ付け、EC用のAIなどのツールの助けにより、全ての商品は、正しくそれらを気に入る人たちに選ばれる可能性が生まれた。これらは1回あたりの販売量は少ないが、全部合わせると、驚くべき数になる。これがロングテール理論だ。

伝統的な金融機関は、比較的大型でハイクラスな企業にサービスを提供する。そのロジックはシンプルだ。これらの企業は業務量が多く、返済能力も高い優良顧客だからだ。しかし、企業の99％は中小零細企業で、サービスにコストがかかったり、リスクが高かったりする。既存の金融機関の中小零細企業に対するサービスは往々にして満足できるものではない。インターネット金融は大量の中小零細企業および個人をまとめて、彼らが「金融のロングテール」を掴む手助けを行い、誇るべき成績を上げている。２０１３年の余額宝がその典型例だ。アリペイにはもともと膨大な顧客がいる。これは一種の「ショートカット」型インターネット商品だ。既存のファンド企業と結びつければ、膨大なユーザーグループが既存金融業務の大きな力を引き出す。「天弘ファンド」も余額宝を手がけたことで一気に業界の寵児となった。

②境界を越えて融合する

インターネット時代が来る前には、さまざまな境界が明確に分かれていた。例えば、自動車、飛行機といった当時の商品や企業の組織構造もその境界を意識していた。

しかし、インターネットは水のようなもので、明確な形がない。インターネットはさまざまな分野に入り込み、その境界をあいまいなものにしつつある。ウィーチャットやＰ２Ｐプラットフォームなど、今日の人気商品は、全て具体的な境界や形態のないものだ。既存の商品でさえ、テスラの自動車などは、物理的境界から完全に定義することが出来ない。

それだけでなく、インターネットは産業や専門の領域さえあいまいにしつつある。例えば、ノキアを倒したのは既存の携帯電話メーカーではなく、アップルだった。アップルは、最初にＰＣ

を作り、今度は携帯電話業界をも革新したのだ。通信の分野では、テンセント、グーグルなどのインターネット企業が三大独占プロバイダーの利益を食ってプロバイダーを倒そうとしている。

企業も同じだ。内部組織構造がユーザー中心にフラット化しつつあり、境界がわかりにくくなっている。例えばビッグデータの台頭は、技術とマーケティングを想像しなかった形で結びつけた。これは以前では考えられなかったことだ。金融の分野でも、こういった例は多数ある。「東方財富網」「和訊網」などは、過去には単なるメディアでしかなかったが、現在は販売という分野に進出している。この変化を軽く見てはいけない。彼らにはトラフィックがあり、ユーザーがいる。また、ビッグデータをうまく使えれば、より一層ユーザーへの理解が深まる。ビッグデータを通してエンドユーザーを掌握すれば、将来、既存金融が対峙しなければならない「自らを脅かす手強い敵」になるかもしれない。

筆者は、もっと危機感を持つべきだと考えている。将来、あなたの最強のライバルは今見えている敵だとは限らない。過去には、タオバオや京東はEC、百度は検索、という区分けがあったが、現在、彼らは大々的に金融業に進出してきており、越境という状況は日々鮮明になっている。余額宝一つで、２０１３年の中国金融界は大いに沸いた。ウィーチャット一つで三つの巨大プロバイダーがどうしたらいいか分からなくなっている。それゆえ、将来の「越境」は依然として期待に値するものだ。

③脱中央集権化

ケビン・ケリーの『「複雑系」を超えて』(邦訳：アスキー)という著作は新しい視野を切り開いた。ケリーは、進化論の角度から技術の発展を紐解いたのだ。その中に素晴らしい文言がある。ネットワーク(あるいはインターネットを指す。同書の出版時期にはインターネットはまだ未開の分野だった)の発展は中央によるコントロール方式ではない。一人の人や一つの中心がインターネットの誕生や発展をデザインするのではなく、イノベーションは辺境の地で発生するのだ。

前述のように、中国の企業数は7000万社で、就業人口は8億近い。携帯ネットユーザーの規模は2014年で5.57億で、PCによるネットユーザーより多い。これらの莫大な人々に金融サービスを提供するにあたって、上意下達の中央集権型のシステムでは、そのニーズが日々多様化する膨大な顧客群に対応できない。また、瞬く間にさまざまに変わる環境にも俊敏に対応できない。

このようなときには、脱中央集権化が必要だ。イーペイでは、最近2年のうちに、少なからぬ系列企業を分離させ、それぞれ独立させ、提携させた。自らがイノベーションを主導しようとするならば、リスクに対して最初の責任を負わなければならない。また、他と提携し共同で、顧客のために最良のサービスを提供しなければならない。筆者それを「人々のロマン」と呼んでいる。

上記の企業は全部が成功するわけではない。しかし、もし一つの中心しかなく、イーペイに全ての業務をさせたとしたら、決して成功しないだろう。一つの中心では全ての市場、政策情報を反映できず、また、全ての変化に機敏に対応できないからだ。脱中央集権化により、つなぎ目の力量が弱まり、リスクに対抗できないようになる可能性がある。しかし、成長のチャンスも得られるのだ。金融市場の発展に関して言えば、今までのように、コントロールという観点から見るよりも、進化という観点から見たほうがいい。

④P2Pとシェアリング

今日のインターネット金融においては、P2Pが最も注目を集めるホットワードだ。P2Pというと、インターネットの貸借プラットフォームを想像するだろう。しかし実は、P2Pは一つのインターネット精神の体現である。インターネットが生まれたときからそれは存在していたのだ。例えば、過去、ブルートゥースを使ってソフトをダウンロードしていたとき、あなたは不思議に感じなかっただろうか。ダウンロードする人が多いほど、速度はかえって上がるのだ。これはサーバーが中心となり、アクセス人数が増えるほど速度が落ちる過去の状況とは真逆の体験だ。なぜそんなことができるのか。P2P方式では、人々が自らのリソースを共有して、参加する人が多いほど、共有できるリソースも増える。当然使い勝手もよくなる。

それゆえP2Pはインターネット金融における代名詞の一つとなった。これは大変良いことで、近代型銀行誕生以来400年、金融史上初めての仲介排除の革命だ。過去には、われわれは資金を銀行に預け、必要なときは銀行と貸し借りし、銀行という仲介者から離れることはなかった。しかし、P2Pというシステムは銀行という仲介を回避する。P2Pの意味はpeer to peerで、点対点ということだ。多くのリソースを個別にマッチングする。そうすると、例えばネットワーク上での貸借では、資金の需給双方のリスク選好を合わせることが出来る。これは既存銀行の標準化されたサービスでは出来ないことだ。

Ｐ２Ｐの出現は、かつては銀行などの既存金融機関からは危険視された。これらの庶民によるプラットフォームは、銀行の貸し付け客を奪っていくだけでなく、銀行の生存の糧である預金と資産運用リソースを少なからず絡め取っていくからだ。多くのインターネット業界人は、ネットワークによる貸し金モデルは、一部銀行に取って代わると考えている。Ｐ２Ｐと銀行の間には利益の衝突があり、銀行はＰ２Ｐ市場の前途は大きく広がっていることを明確に意識しているが、その行動は遅く、中で争いあう事態になってしまい、そのうちに一部の銀行がＰ２Ｐを試すようになった。

Ｐ２Ｐの発展は極めて早い。２０１５年の推計では３０００社を超え、取引規模は５０００億元を超えているが、玉石混淆だ。しかしそれは発展途上の段階ではよくあることだ。いかにすればＰ２Ｐは、いい形で発展できるか。ポイントは三点ある。一つは「根を探し当てる」こと。Ｐ２Ｐを成長中の一本の木だと考えよう。木の将来を決めるのは現在の葉の茂り具合とか美しさということではない。見えない根がどうなっているかだ。Ｐ２Ｐの枝葉はインターネットの融資の部分で、主にサイトに現れる。根はいかに効率よく融資が必要なプロジェクトを見つけそれらのプロジェクトのリスクをきっちりと管理するか、ということだ。これは、Ｐ２Ｐ企業が独自のデータや顧客といったリソースを持つことの必要性を意味する。二つ目はインターネット技術を使いこなすことだ。インターネット金融が既存の金融を追い越せる主な理由は、インターネットが新しい技術をもたらすからだ。その技術により顧客を見つける効率も上がり、有効にリスクをコントロールできる。そして最後は自律である。

⑤ビッグデータとカスタマイズ

ビッグデータの応用はすでに始まっている。それは一部の人が言うほど深淵でとらえどころのないものではない。簡単な例を挙げてみよう。ホームページ管理者用の分析ツールを使ってあなたのサイトを分析すると、すぐにあなたのサイトの訪問人数が分かる。そして訪問者の、あなたのサイトに来た過程、サイトへの滞留時間、見たページ、どの部分からサイトを離れたのか、などが明確に分かる。

これは、マーケティングにとって大変価値がある。さらに一歩データマイニングを施せば、さらに多くのチャンスとイノベーションが見つかるだろう。例えば、ユーザー登録時の資料を、その人がアクセスしたページ、閲覧したニュースや知識情報サイトなどとつきあわせて見れば、その顧客の探している資産運用商品や、リスク選好などがわかる。これらのデータは購入を促進するばかりでなく、商品の開発補助にも使える。

ビッグデータの金融における利用の利点は言うまでもない。前述のように、決済企業はインターネット金融における中核だ。なぜなら、決済企業には豊富かつ真実の中核的ビジネスデータがあり、それによってリスクコントロールが行えるからだ。

このほかに、ビッグデータの利用は、われわれが顧客にさらにカスタマイズしたサービスを提供できるということを意味する。長期的に見て、個人金融サービスという面で、ビッグデータの最大の活躍の場は個人信用調査サービスシステムの構築にある。十全な個人信用調査システムがあれば、インターネット金融全体の健全かつ長足の進歩のための堅牢な基礎となり、個人でも一層便利に金融サービスを享受できるようになるのだ。そうなれば、われわれが再び消費したり、融資を受けたりする場合に煩雑な手続きや担保を入れる面倒から解放される。

⑥ショートカットと組織のフラット化

金融企業がインターネットを行うのとインターネット企業が金融を行うのに、違いはあるのか、という問いに対する答えは、「ある」だ。しかも小さい違いではない。ここでは「ショートカット」についてだけ強調しておこう。これはインターネット企業と既存企業の最も顕著な違いだ。

既存の金融モデルの欠点の一つに、ユーザーからするとその行程が長すぎる、ということがある。多くの既存金融機関も、ユーザーファーストを掲げ、ユーザーの利便性に配慮しているが、豪華なロビーを見ると、預けた金を無駄に使われているように感じる。飴どころか針仕事のサービスまであり、銀行のスタッフもサービス精神を強調し、本当にユーザーに利便性を提供しようとしているようだ。しかし、皆さんは考えたことがないだろうか。あなたが大変な努力をしても、金融商品を使えるまでの道のりは非常に長い。ユーザーは、家あるいは職場から、大変な時間をかけて銀行まで出向き、銀行に着いたら用紙に指定の事項を書き込む。そのときも間違えたらまた最初から書き直さなければならない。順番が来るまで長い時間待たねばならず、多くの手続きに予約が必要で、細々した審査や許可が必要だ。

インターネットの商品はなぜ生命力が強いのか？　まず、それらの商品は使用するまでの工程が短いからだ。オンライン決済なら1分かからずに終えられるし、操作も非常に簡単だ。余額宝にはなぜそんなに生命力があるのか。まず、その利用工程が短いことだ。自分が使い慣れているアカウントを用いて瞬く間に操作を完成させられる。一般市民にマネーファンドのことを理解させ、マネーファンドの操作プロセスに慣れさせる必要がある場合、そのプロセスが長すぎると、多くの顧客を取りこぼすことになるだろう。

インターネット金融のプロセスが短いということは、既存金融企業も業務プロセスおよび組織構造に関して変革を行わなければならないということだ。前述のように、中央集権型モデルは現在金融が直面している課題に適応しにくくなっている。非中央集権型モデルでは、組織をフラット化、非中央集権化する必要がある。真の中心はユーザーであり、ユーザーエクスペリエンスを出発点にして再び組織構造の構築を行うべきだ。

⑦指数関数的成長

現在、一部の既存金融機関はまだ充分にインターネット金融の生命力を意識できないでいる。研究はしているが、現実的に脅威と感じられていないのである。それは理解できる。結局インターネット金融が金融体系全体に占める比率は大変小さく、まだ既存金融と同列に語れるものではないからだ。

しかし、既存金融機関と異なるのは、生命力のあるインターネット商品は、直線型に成長するものではなく、指数関数的に成長するということだ。インターネット金融も同じ特性を持っている。つまり、それらのインターネット金融企業の成長は、初めはゆっくりだが、少しずつ成長してある閾値を過ぎると、まるでわき上がるように高速成長の態勢に入るということだ。そして、その成長の速さは既存金融機関には追随することが出来ないほどだ。

２０１４～２０１５年、イーペイは北京、深圳、杭州および成都でそれぞれの「Ｐ２Ｐ資金移動委託管理プラットフォームの発表およびＰ２Ｐ業界研究会」を開催し、多くのＰ２Ｐの大型企業、Ｐ２Ｐ業界専門家、Ｐ２Ｐ投資家などに多角的な研究を委託した。皆、業界の発展のための多くの問題に関して意見の相違があったが、ある問題に関しては驚くほどの一致を見た。それは、Ｐ２Ｐ業界は今後5～10年で噴水のように高速成長し、現在と比べて１００倍近く成長するだろうということだ。また、あるゲストは大胆にもＰ２Ｐ投資家は大多数の携帯電話ユーザーをカバーし、一つの「基本装備」的な投資チャネルになるとさえ予測した。

既存の金融業界がこのような予測を笑い飛ばそうとしても、インターネット金融はそれを達成するだろう。筆者の意見では、この「噴水」は必ず起こる。問題はいつ起こるかということだ。インターネットの商品の価値が従っているのはメトカーフの法則で、ある商品の価値はそれ自身によって決まるのではなく、その商品を使っている人の人数によって決まるのだ。例えば、携帯電話、インスタントメッセージなどにもこの法則は当てはまる。Ｐ２Ｐにおいて、参加する投資家と借り手が増えれば、リスクと収益の選好度の組み合わせがよくなり、資本の流通が早くなる。これはプラスのフィードバック型成長だ。また、プラスのフィードバック型成長の様相を呈すると、すぐ指数関数的成長が起こり、驚く程のスピードで成長する。

インターネットプラスと中国の夢

22年前、筆者はシリコンバレーに行き、インターネットが大衆化を始める過程を目撃した。これはインターネットが起こした感動的な第一の波だ。この波はわれわれの情報取得、エンターテイメント、ショッピングのスタイルを変えた。

今日、スマートデバイスの普及とクラウドコンピューティング、ビッグデータなどの新テクノロジーが成熟を続けることによって、インターネットは深い部分に入り、第二の波を起こした。この波では、インターネットはビットから原子に回帰し、既存のビジネスと社会に深く入り込みそれらを改造し始め、全面的にわれわれの生活を変えた。

中国では、インターネットが長年の独占を打ち破り、思想、経済および金融などの方面の活力を開放した。まさに皆さんがすでに目撃したように、通信の独占はウィーチャットによって打ち破られた。権力の独占はインターネットによる「可視化」によってさらに有効な監視が実現している。伝達の独占はすでにウェイボーなどのセルフメディアによって打ち破られている。大きく、閉鎖的で、低効率であり、長期に及び独占されてきた金融という領域も第三者決済を先鋒としたインターネット金融によって打ち破られる。特に、インターネット金融は、われわれにより深く金融業界に存在する問題と潜在能力の大きさを意識させる。

実は、インターネットとは「人間らしさ」である。筆者はインターネットに一種の信仰を抱いている。インターネットは真の意味で人を基礎とし、非中央集権型構造と新テクノロジーによって、東洋と西洋の文化を融合させ、人類を新時代に連れて行く。そうして、「人々は私のために、私は人々のために」という自由人の大連合を実現し、一人ひとりを、世界と緊密につながる過程で、より独立して自由で強い存在にする。そして、世界全体を、つながりと創造およびシェアによって、より調和して豊かで多彩なものとする。これが筆者の考える「人々のロマン」だ。

物事は単独では起こらない。中華文明の根本は調和だ。人と自然の間では「天人合一」という考えを信奉し、人同士では、「和して同せず」の君子の道を重んじる。国同士では「内聖外王（内には聖人、外に対しては王）」という王道を重んじる。インターネットと中華文明の根本は相通じる。それはわれわれの文化への自信だ。筆者はそれもインターネットが中国でこんなにも広がった深層的な理由の一つだと考える。インターネットプラスはすでに国家戦略になっている。私は、インターネット時代の先端的思想と技術が結びつけば、中華文明の根本が必ず良い結果を出し、中国の夢を実現すると心から信じている。

唐彬（イーペイＣＥＯ、共同創始者、インターネット金融１０００人会輪番主席、「インターネットプラス１００人会」共同発起人）

第9章 インターネットプラスとスマート生活

世界は、モバイルインターネットが全てをつなげる時代を迎えた。モバイルインターネットは、かつての電気のように経済社会の発展に極めて大きな変化を起こした。人々は皆、モバイルインターネットが公共サービス、生活への恩恵といった面で発揮する潜在能力を目の当たりにした。中国は世界最多のインターネットユーザーと携帯電話ユーザーを擁する国だ。6・5億のインターネットユーザーの中で、5・6億が携帯電話ユーザーだ。モバイルインターネットの浸透率は世界の平均よりも明らかに高い。このことは、中国に他にはない基礎をあたえ、モバイルインターネットを利用して「人と公共サービス」を完全につなげて、スマート市民生活サービスを実現させる。

馬化騰

一つひとつの存在が全てインターネットプラスの中の不可分な一部である。全てのものが「全てをつなげる」の重要な構成要素なのだ。インターネットプラスは人類の生活を変え、われわれはそのことを次第に深く感じ取るようになっていく。われわれの住む世界は、より一層つながり、スマート化され、ＡＩの息吹の濃い、人間らしさが輝く世界になっていく。インターネットプラスがもたらす変化を分析し今後を展望する。「人」という要素はその中でも不可欠な要素であり、それこそが中核なのだ。「人」を基にしたものでなければ、「人間らしさ」を掘り下げて観察することは出来ない。そうなればインターネットプラスはすぐ崩壊してしまう。

インターネットは社会の生産、生活に深く入り込み、産業の変革とボーダレスな融合を促進する。ハードウェア、センサーがソフトウェアとユーザーの境界を越え一つのデバイスに融合させていき、世界が「ＩｏＥ（Internet of Everything）」へと歩み出していくことを予告する。ハードウェア、ソフトウェアとモバイルデバイス間の境界はもはや明確ではない。本章では、スマートハウス産業のエコシステムを読み解き、その全体像を垣間見たい。

われわれ自身が、ゲームの『ぷよぷよ』になる

『ぷよぷよ』は人気のミニゲームだ。インターネットプラスはそれよりも見た目のいいゲームだ。より多くの人を挟み込んでいき、決してオフラインにならず、われわれの中に深く入り込んで、ユーザーと一緒にシーンを作り、ストーリーを組み立てる。彼らの一人ひとりを『三体』で有名な劉慈欣に変えたり、想像力のアーキテクトにしたり、ネット商品責任者にしたり、ユーザーインターフェイスデザイナーにしたりして、個人個人に自主的に進み方と方向を決めさせる。

つながる、ゆえにわれあり

映画『アバター』に出てくるハレルヤ山の魂の木はナヴィたちのトーテムであった。皆のコネクターをつなげることができ、互いにつながり合える。その素晴らしい調和した世界に人々は魅了された。

つながりは構造を変化させる。つながりは開放性を強化する。つながりは越境を促し、スマート化を推進する。これと同じではないか？

例えば、「シンギュラリティ」はAIと人の知能、集団的知性をつなげる「物語」だ。「時間旅行」というのは、全てが取るに足らないドタバタ劇ではない。映画『タイムマシン』の中の時間のトンネルおよび『インターステラー』で表現されている多次元、ワームホール、ブラックホール等はもう一つのつながりを作り得る可能性を示している。

前述の通り、つながりという面から見ると、3種類にまとめられる。つながり、相互性、関係である。この3レベルのつながり方、つながりの内容、つながりの質は全て違う。最後の1層で、信頼関係を蓄積することがつながりの最終ゴールとなる。

ユーザーを意思決定に巻き込み、生産と販売が融合し、コミュニティの社会グループ化が起こり、シェアが価値を生む。……つながりが基本ロジックになり、全てのシーン、個人の世界と公共空間を浸食するとき、われわれは、つながりとはつまるところ人の本質が突き動かすものなのか、あるいは、技術によって突き動かされるものなのかを問わずにはいられなくなる。「つながりの溝」はデジタルギャップの次の副産品なのだろうか。

ときには、つながりの変化は革命を引き起こし、世界を変えることさえある。われわれは仮想通貨を扱う「リップル」という企業に対し、このような予想あるいは展望を持つ。それらの、構造再編したり、全てをつなげたり、有機的に関係し合ったり、エコシステムを改良したりする組織がリーダーの地位を手にするだろう。

つなぎ目、コントロール、感知、エコシステム……このようなつながりと関係することは、単なる言葉ではない。人間らしさ、信用、畏敬の念、受容、謙虚、責任、利他という言葉も同じだ。そして、最も強く、つながりを失いにくいのは、気持ちの交流だ。『アバター』は、われわれに「心でつながり、心で感じ合え」と教えてくれる。

全てがつながっているこの世界において、人と人、人とロボット、人とサービス、人と動植物、人と自然は皆「心で感じる」ことが必要なのだ。

存在する、ゆえにわれ表現せり

全ての人がインターネット上で他者という存在を意識する。知らない人と出会えるアプリ「陌陌（モモ）」が登場すると、画像をきれいに加工できる「美図秀秀」が流行したし、友達同士で戦える『打飛機遊戯』というゲームは、ほぼ全てのネットユーザーがプレイした。また、動画、事件、写真、出来事をスマホで見ることも普通のことになった。自らがつながりの中にいるということの表現方法は皆それぞれだ。「いいね！」やリツイート、花のギフト（投げ銭のように、好きな人にポイントを贈れる制度）などをしたり、自分の生活をアップしたり、人に自分の精神状態がよくないことを知らせることとさえ、形を変えた「アピール」なのだ。社会的グループにおいて、自分をアピールしたり、ＲＯＭ（発言せずに閲覧だけすること）したり、シェアしたり、オフラインの活動の采配を振るったり、あるいは、広告を大量に出したりすることも、一つの個性や品格の表現なのだ。

シェイク、スキャン、レーダー

ウィーチャットには、スマホを振って遠くの他人とつながれる「シェイク」という機能がある。なぜシェイクをすると、気分がいいのだろう。いくつかの要素がある。シンプルなこと。刺激的なこと。シェイクして開くと面白いことが起きること。それらの要素が重なり合い、シェイクが好きになるのだ。

シェイクの動作をするとライフルのような音がするようになっていて、非常にセクシーだ。シェイクは、どんな相手とつながるか全く予想できない仕組みになっており、刺激的だ。数千キロも離れた全く知らない人とつながる瞬間は、このような不思議な形で生み出される。

張小龍は、「ナチュラルな体験というものはユーザーに何も考えさせないものだ」と考えている。彼は馬化騰が３年前に多くの人にスティーブ・クルーグの『超明快Ｗｅｂユーザビリティ』（原題：Don't Make Me Think　邦訳：ビー・エヌ・エヌ新社）を薦めていたことを今も思いだす。

張小龍はシンプルとナチュラルという二点に重きを置いており、ナチュラルということは人の本質的性質と関連しているのではないかと考えている。ウィーチャットのシェイク機能は「ナチュラル」を目標として設計された。握る、振る、という動作は道具のなかった大昔にも人間に備わっていた本能だ。スマホという機械が、古代から続く人間のこの本能を触発する。シェイク機能のデザインは、人の「自然さ」あるいは本能的動作と一致させることを目標に作られた。これより簡単なコミュニケーション体験はほぼないだろう。張小龍は、スマホに感謝している。古代人は石を投げて他者とつながり合っていたが、現代ではスマホを振るとバーチャルに人とつながれるのだから。

また不思議なことに、現代ではわれわれはスマホを振ることで、音楽、割引などのサービス、紅包（お年玉、お祝い金）、テレビ番組にアクセスできる。

シェイク機能が、見知らぬ土地の他人同士をつなげるものならば、「レーダー」は近くにいる他人同士をつなげるものだ。レーダー機能は特定のシーンで、何人かの人と同じ屋根の下にいるときに使える。レーダーでかっこよくスキャンして相手を探してもいいし、顔を合わせてグループに加えてもいい。それぞれに妙味がある。

「スキャン」にはSFチックな趣がある。スキャンは一種の儀式的な色合いが強いつながり方で、O2Oの神秘的な影が「スキャン」によって一掃される。多くの人の名刺にはまだQRコードは印刷されていないので、直接互いにウィーチャットコードをスキャンしてつながる。シェイクでWi-Fiにつながったり、スキャンでサービスにつながったりする。このようにすれば、つながるのは簡単であり、コミュニケーションをその場で発生させることができる。

ソーシャル、投稿、シェア

自らの生活について投稿することはソーシャルな活動の一つだ。また、「いいね！」は電話をかける代わりにもなるし、「紅包」を受け取ることも出来る。シェアにより価値を創造することもできる。そしてその創造した価値をシェアする権利もある。「いい友達」かどうかはどうやって見分けるのか。それは、「いいね！」の数や、コメントの適切性、リツイートの早さなどだ。これら全てが親しさを表す指標になっている。これはどんなロジックに基づいているのか。これらのシステムは、一種の推薦に基づくシェア経済の発端を生み出した。そこで、パレートの法則が再びその機能を発揮する。つまり、皆に情報や写真をシェアしたり、新しいモノを試したりする情報ハンター役となる人が2割。そこに、それを広げる人や情報をまとめたりする人が集まってくるのだ。友人がやっていた「美食中国」というテレビ番組は、人を訪ね試食し、その情報をシェアし、伝えるもので、効果は大変高かった。この種の伝播することの恐怖およびブームを呼ぶ威力は、『社交紅利（ソーシャルボーナス）』等の著書で知られる徐志斌先生が素晴らしい分析を行っている。

スマート生活と自由なカスタマイズ

スマート生活の達人の最大の趣味は、自分に合わせてカスタマイズしたものを人に見せることだ。彼らは他人との違いをアピールするチャンスを決して逃さない。われわれはインターネットプラス時代の六つの特徴のうちの一つを、「人間らしさを尊重すること」とした。それゆえ、インターネット産業であれ、「＋」でつなげられる側の産業であれ、個性を尊重する時代であることは避けようもないことだ。

あなたのつながりはあなたが主人公

一人の幸福感は多くの程度において自由度に対する満足度から来ている。皆が他人と違うことを望んでいる。自由で、独立していたいのだ。たとえ自信のなさを隠していたり、不安だったりしたとしても。

全ての人が現実世界とバーチャル世界で自分の立場と資産を管理しており、遠くないいつか、その種の資産の間にも合理的な価値の対価のロジックができるに違いない。自分の全ての行動がビッグデータの一部となり、人間関係や信用を守ったり、評判や誠実さを判断する役割を担ったりするだろう。

あなたの生活はあなたがデザインする

自撮りをする人たちの「武器」は日々充実していく。画像修正をしないと「すっぴん」で人前に出たような気持ちになる。買い物マニアの凄まじさは人々の襟を正させ、彼らを見下す気持ちにはなれない。両者の共通点を探すとすれば、節操のない自己アピールだ。各種の写真のポーズはバーチャル世界の中でグループ分けするための「タグ」になっており、強大なファン達のクリエイティビティはスターのＯ２Ｏの見本モデルを確立している。

あなたのイノベーションはあなたがコントロールする

これは比較的ハイクラスなテーマだ。「泡否科技」のＣＥＯ馬佳佳、中華風ファーストフード「黄太吉」の創始者・郝暢、レストラン「雕爺牛腩」の孟醒などは、必死で自分独自の個人ブランドを作り上げると同時に、ビジネスにおいて革新的な模索を続けた。また、「インターネット＋メイカーズ」こそが、国が推進する「大衆による起業、万民によるイノベーション」だと言える。インターネットプラスの環境において、イノベーションも過去のそれとは異なる。各種の越境、融合がイノベーションをセクシーでクールなものにした。もし、あなたがイノベーティブなアイデアを持っていなくても、このイノベーションの渦にまきこまれているのだ。つまり、あなたの一度の閲覧、一度のリツイートなどが全てイノベーションの一部になるということだ。一方で、奇抜な方法で表現しないと、メンツが立たないと感じる人もいるだろう。そのような凡庸ではいられないメイカーズからすれば、最高だけがあり、最悪はない時代だ。

あなたはあなたの自由になる

自分のウィーチャットの朋友圏（モーメンツ）、スペースをいかに運営するかについて、あなたは最高権力者だと言ってもいい。すこしセンチメンタルになってもいいし、斜に構えてもいい。

イマイチなロードショーのことをどのように書く？　偶然有名人と一緒に写真を撮るチャンスに恵まれたらわざと秘密っぽく演出し、詳しい説明を書かない？　かわいいと思ったアイデアを見せる？　あるいは、テーブルに載せたばかりの料理を見せる？　……それらは平凡な自分の日々の忠実な記録なのだろうか。あるいは「夢の空間」を必死で運営しているのかもしれない。

当然、バーチャル空間は、自由に対しても無限に関与してくるし、そこには独立したルールや慣習もある。鳥は飛んでいっても空にはその羽の痕跡が残る。深層機械学習に基づいたユーザープロファイルはいかなる手がかりも見逃さず、あなたについて多元的に作り上げられた描写はどんどん精密になっていく。

スマートアシスタント――ワトソンからSｉｒｉへ。そして小氷へ……

アップルのスマートアシスタント「Ｓｉｒｉ」は、ほぼ全てのユーザー達に認められている。たとえ、頻繁に「すみません、おっしゃる意味が分かりません」と言ったとしても。Ｓｉｒｉをからかうのも人々の楽しみになっているのだ。Ｓｉｒｉはある面では召使いでありながら、淡々と主人の無理な冗談を拒絶したりもする。それに対してマイクロソフトの「小氷（Xiaoice）」は、それほど悪くないのにあまり人気がないようだ。これは小氷の初期の失敗とかなり大きな関係がある。また、ＩＢＭのＡＩ「ワトソン」は目立ちたいと考えているようで、単なるアンサーマシンではなく、料理の腕を披露したり、料理を教えてくれたりする。

スマートアシスタントの音声認識能力も見る間に進化しているし、ＡＩも成熟しつつある。当然、検索技術の絶え間ない進歩とも無関係ではない。考えられるのは、より一層あなたを理解し、あなたに合った、生活秘書および知識の秘書を務めるアシスタントやパートナーがすでにあなたのそばにいるということだ。スマートアシスタントは、インターネット産業が争うもう一つの戦場になるだろう。

「スマート」なものはあらゆるところに

スマートフォンは個人の生活を革命的に変えた。大多数の人は毎日24時間それに触れることが出来る。ある情報によると、2020年の全世界のインターネットデバイスは最低で410億台、最大で800億台になるという（2018年実績・307億　参考「令和元年版 情報通信白書」）。当然、スマートテレビ、スマートカー、スマートコンセントなどの多くの端末の登場により、スマートフォンがインターネットデバイスの中で占める比率は下がるだろう。今後、IoTはわれわれの家、車およびオフィスをつなげて、大量のデータを収集する。ビッグデータとクラウドサービスプラットフォームによって、個人の情報、習慣、ニーズおよび嗜好に対して精密な分析と予測が行われるようになるにちがいない。

電気機器からネットデバイスへ

インターネットの強い浸透力は、全ての設備に、計算、通信、メモリーという能力を備えさせる。人類は正に電器時代に別れを告げ「ネットデバイス」時代に入りつつある。ネットデバイス時代は端末の多元化により、ハードウェアも端末もそれほど重要でなくなり、重要なのはプラットフォームだということになる。もはや端末は中心でなく、人が中心となる。その背後にはクラウドコンピューティングとビッグデータ技術がある。一人ひとりがバーチャルなクラウドの世界にも唯一の「身元」となるものを持つようになる。一人ひとりがたった一つの「身元（ＩＤ）」で多くの端末にアクセスするようになり、さまざまな端末が送るのは個別化されたインターネットによるサービスだ。[1] そうなると、当然、「ネットデバイス」の領域における模索で最も成功するのはハイアール、楽視、シャオミなどの家電やスマホのメーカーになる。

２０１５年3月11日の中国家電博覧会で、ハイアールは商品と生活の関係という視点から、洗濯、水道、空気、グルメ、健康、セキュリティ、娯楽の7分野のスマートエコシステムと関連ネットデバイスを発表した。これは、ハイアールがインターネットを使って作るスマート生活の青写真を具現化したものだ。電気機器から「ネットデバイス」への変化は、ハイアールのインターネットによるモデルチェンジとスタイルの革命がもたらした変化を体現している。これらの冷蔵庫、洗濯機、エアコンおよび調理家電などの多くの製品は、これらのスマートエコシステムのデバイスとなった。それらは、インターネットとつながれるだけでなく、ＡＩ化されており、スマート生活の一部分になる。

スマホ以外の多くのコントロール方法も出現し始めている。現在、絶対多数の家庭内設備としてのスマート製品は、皆スマホとつながっており、スマホアプリを通して、それらの製品をコントロールしたり監視したりできるようになっている。スマホはスマートハウスの最もよいコントロール器具だ。しかし、安全性を考え、現在ではスマートハウス製品にはタッチコントロール、音声コントロール、ジェスチャーによるコントロールなどのさまざまな方法によるコントロール法が生み出されている。例えば、洗濯機、空気清浄機などでは、現在タッチコントロールができる製品が出てきている。音声コントロールはさらに多く、テレビ、スマートスピーカーなどで使われている。また、手のジェスチャーによるコントロールはコップ、エアコン、音響設備などで使われている。「リモコン」という言葉が指すのは、家電に付いているリモコンではなく、付帯品ではないプッシュボタンの付いた機械のことだ。これらの独立型リモコン器の強みは、汎用性が高いことで、いろいろな家電をコントロールでき、わざわざスマホを開けてロックを外してアプリを開ける必要がないことだ。

スマートハードウェア

スマートハードウェアのメーカーはすでに多くの試行を繰り返してきた。最も成熟しているのは、脈拍を記録したり、運動記録を残したり、パートナーと互いに管理し合えるようなアスリート用製品だ。健康関連では血糖値測定なども悪くない。ウィーチャットなどを通じて迅速に友人の血糖値などを知ることが出来る。クラウドヘルスケアもスマートハードウェアによって、リアルタイムで状況に合わせてユーザーのデータを収集し、ピンポイントで注意喚起することができる。しかし、最先端のアップルのスマートウォッチは多くの長所を見いだせず、見せかけだけの豪華品になっている。かつて一世を風靡したグーグルグラスも見向きもされなくなった。当然、スマートウォッチはすでに簡単にスマートハードウェアに分類することができなくなっている。専門家が指摘するように、アップルのスマートウォッチの出現は、実際はＩｏＴが間もなく迎える新しい進化を予見させるものだ。ハードウェア、ソフトウェアとモバイルデバイスの間の境線はあいまいになった。いかにせよ、脳波と深層機械学習が結びつけば良い方向に向かうだろう。医療、教育、娯楽、スマートデバイスなどの方面は全て深く結びついていくことができる。

スマートモビリティ

ここで問題を出そう。５年前に戻って昔のやり方でタクシーや公共交通機関を待ちたい人はいるだろうか？　多くの人がいやだというだろう。

外へ出て聞いてみよう。一つ聞けばすぐ分かる。ＤｉＤｉや快的（２０１５年にＤｉＤｉと合併）はあなたが行きたいところを言っただけで（その上もはや貴重なものをタクシーの中に忘れるのを恐れる必要はない）、すぐに迎えに来てもらえる。「微微拼車」は出退勤の時をもはや孤独な時間ではなくした。各種のビジネス用高級乗り合い自動車、タクシー、運転代行などが、いつでも素晴らしい態度で待っていてくれる。ナビゲーションも進行方向に渋滞がないかを知らせてくれ、スマートパーキングエリアでは前もって空いているスペースがどのくらいあるか教えてくれる。また、迷路のような地下駐車場でもあなたを愛車まで導いてくれる。

もはや駅で切符があるかどうかも分からないまま長時間待たされることもない。また、何度も飛行機の便について問い合わせて回る必要もなく、前もって搭乗手続きができる。しかしそれではまだ不十分だ。あなたは前もって同じ便に知人が乗っていないかどうか調べることも出来るし、電子式でセキュリティチェックや検疫を受けることも出来る。また、ネットで前もっていくつかのホテルを比べて一番いいホテルに予約を入れ、理想の旅行をアレンジすることも出来る。

VRとAR

嘘が本当になり本当が嘘になる。一人ひとりの頭の中には理想の国がある。ＶＲ（仮想現実）とＡＲ（拡張現実）はその実現を助けてくれる。映画『アバター』でジェームズ・キャメロンが描いた理想の国は少なからぬ人に影響を与えた。マイクロソフト発売のゲーム機「キネクト」では、音声、ジェスチャーとプレイヤーの感覚を感知し、プレイヤーに今までになかったインタラクティブ体験を提供する。その名は運動学（kinetics）とつながり（connection）から作った新語だ。ＡＲに関して言えば、例えばスマホカメラで実際の情景の中にある実在のモノを見ながら、あるプログラムにタッチすると、ＡＲを体験できる。例えば、スマホを通してポスターを見ると、突然そのポスターに写っている人が走り出す、というように。

ＡＲデバイスは人類の視覚機能を再現することを重視している。例えば、自動で物体を識別し追跡するというように。主体的に追跡し、周囲の現実の風景に対して３Ｄモデリングを行う。典型的なＡＲデバイスは普通のモバイルスマホで、そのグレードアップ版がグーグルの Project Tango（２０１８年３月サポート終了）だ。また、ＶＲは主にバーチャルで、ゲーム制作のように、一つのバーチャルシーンを作り出し、素晴らしい体験をわれわれに提供してくれる。VRデバイスは没入型のものが多く、代表例は米オキュラス社のヘッドマウントディスプレイ「リフト」だ。しかし、現在リアルタイムの３Ｄモデリング技術の進歩に伴い、ビジョンとグラフィックスの多くの技術において融合が進み始めている。ＡＲとＶＲの重複部分は今後、より一層増えるだろう。

スマートシティ、スマート市民生活

重慶の一般市民は今、インターネットプラスが生活にもたらした利便性を目の当たりにしている。先日、重慶市とテンセントは戦略的合意を締結し、テンセントはインターネットプラスに基づいた「スマート重慶」というソリューションを特別に作り、重慶市は全面的にウィーチャット「都市サービス」というサービスリストの中に組み入れられた。そして市民はウィーチャットで気軽にインターネットプラスが提供する生活における各種の便利なサービスを享受できるようになった。また、この種のサービスはすでに、広州、武漢などの市民にも提供されている。

「都市サービス」は、交通、医療、社会保険、公的積立金、旅行、金融などのバラバラな生活サービス機能をウィーチャット上に集め、携帯電話の中にワンストップ型の市民生活サービスの「総合受付」を作ろうとしたものだ。家を出なくても、指先でスマホをいじればスピーディーかつ効率よくサービスを受けられる。例えば、料金などの納入においても、ウィーチャットの「都市サービス」からウィーチャットペイで支払える。橋・道路の通行料、都市交通カード、スピード保険金、医療費、車両交通違反の罰金などの多くの支払いに対応している。また医療において

は、ウィーチャットは重慶市内の各大病院と提携し、予約受付サービスを始めた。一つのウィーチャット上の窓口から、重慶のそれぞれの病院や医師の予約が出来る。また、さまざまなサイトを探したり電話をかけたりする必要もない。

そのほかに、「スマート重慶」は、民政（行政サービスの内の民間組織管理・災害救済・地域社会・社会福祉・婚姻・選挙等に関する業務）や、出入国などの市民生活サービスにも活用される。市民はウィーチャットによって、結婚登録の予約、出入国の予約ができ、さらに、証明書発行プロセスの問い合わせができる。また、政治に関する意見や問い合わせ、環境保護、公益救助、景観地のチケット購入、採用募集など多くのサービスを実現し、手続きをするのにあちこちへ行ったり何度も説明したりする必要はない。

スマート地域社会

「スマート地域社会」は地域管理の一種の新モデルである。ＩｏＴやクラウドコンピューティング、モバイルインターネットなどの新しい情報技術を集中して利用することは、地域に安全、快適、便利な近代化およびスマート化した生活環境をもたらす。そうすることで、社会管理と社会サービスの情報化、スマート化に基づいた新しい地域管理形態を作った。それらは細部にわたり、地域への出入りのスマート管理、基礎的な不動産業サービスの改善、さまざまな日常的サービスをまとめて発注すること、小区（居住区）コミュニティの設立、生活共同購入および予約式共同購入などにおいて、居住区住民の生活の利便性とサービスのスピードを上げる。

インターネットプラスは「スマート地域社会」を再定義した。不動産管理業者や宅配業者を探すこと、スマートパーキング、リモコンで家中の家電をコントロールするなどの生活サービスはスマホ一台で出来るようになり、そのようなスマート生活は現実になりつつある。業界人曰く、将来のスマート生活はより一層「インターネット＋生活」の様相が濃くなるだろう。「インターネット＋地域社会」というエコシステムは大きくなり、スマートハウス、スマートセキュリティ、スマートビルなども皆一つに融合することが出来る。[2]

スマート生活と産業――スマートハウスを例に

モバイルインターネットとＩｏＴ、ＩｏＥの結合は、時と場所を問わず、あなたがこの世界と、情報およびデータの交換を行えることを意味する。あなた個人の情報、習慣、ニーズおよび嗜好などのデータが記録され、データの蓄積およびＡＩの絶え間ない能力向上に伴い、ついには前もってあなたのニーズを理解するようにさえなるかもしれない。

未来はすでに訪れている。プラットフォーム争奪戦は乱戦模様に

２０１４年初頭、グーグルが32億ドルでスマートハウス企業「ネスト・ラボ」を買収してから、スマートハウスというコンセプトが世界中でブームを迎えた。ただ、スマートハウス技術が広汎に使用されている局面においても、その進歩はまだ初期段階である。しかし、グーグル、サムス

ン、アップルなどが参入し、大手テクノロジー企業が次々とスマートハウスという「大きなパイ」を奪い合い、スマートハウス市場は明らかに成長を加速させている。フィリップ、ハニウェルなどの老舗ブランド家電も虎視眈々とスマートハウス市場に参入しようと狙っている。

２０１４年のアップルグローバル開発者大会で、同社は初めて一般に向けて「ホームキット」プラットフォームを発表した。ＩｏＴデバイスと接続できるスマートハウスプラットフォームは、メーカーがアップルから権利授与および認証されれば、「ホームキット」に対応するスマートハウスデバイスを製造することが出来る。一方、ユーザーはＳｉｒｉを通じてそれらのデバイスをコントロールできる。またユーザーはカスタマイズされた指令によって一連の家庭内デバイスをコントロールできる。例えば、電気を消したり、カギをかけたり、車庫の門を閉じたり、あるいは、サーモスタットの温度を最適な温度に調整することさえ出来る。

２０１４年10月、アップルは正式に傘下のホームキット・スマートハウスプラットフォームのハードウェア規格のオーダーメイド業務を完成させ、ＭＦｉ（アップルのサードパーティーが製造した周辺機器用の認可制度）を通じて権利付与し、スマートハウスデバイスに関するパートナーに向けて全面的にこのプラットフォームを開放した。ハイアールと美的も相次いでアップルのホームキット・スマートハウスプラットフォームに加入することを宣言し、このプラットフォームに基づいた、スマート空調商品を打ち出した。おそらくアップルユーザーは、音声あるいはアプリを使ってエアコンを動かすことになるだろう。

前述のネスト・ラボは、グーグル史上第２位の買収案件である（本書執筆当時）。ネスト・ラボはグーグルにとって、アップルとの競争の新しい切り札となり、スマートハウス市場でチャンスを奪い合った。この頃、グーグルはまだ家庭用監視カメラメーカーのドロップカム買収を考えているところだった。

マイクロソフトも、家庭自動設備メーカーのインステオン社とパートナー関係を結んだことを発表しており、流行の家庭自動ネットワークをウインドウズのエコシステムに融合させ、スマートハウス製品を出そうと計画していた。

サムスンは「スマートホーム」という新しい概念を打ち出し、冷蔵庫、洗濯機、テレビなどをスマホ、スマートウォッチでコントロール出来るスマート家電を打ち出した。消費者は家で各種のデバイスを、ネットワークを通じてつなげ、簡単にスマホやタブレット、スマートウォッチあるいはスマートテレビを通じて、家にあるスマートハウスシステムをコントロールする。本質的な話をすれば、サムスンの「スマートホームシステム」はコントロールアプリを装備したモバイルデバイスをリモコンに変え、いつでもネットワーク内の任意の機器をコントロールできるというものだ。サムスンの新コンセプトはある程度、将来のあらゆるつながりの基礎を作った。

2014年初頭のCES（コンシューマー・エレクトロニクス・ショー）で、LGのホームチャットというスマートハウスシステムが披露された。このシステムでは、ユーザーはスマホアプリの「ライン」か「トーク」を使ってスマート家電を遠隔操作できる。その技術は自然言語処理技術とラインという全世界で登録人口が3億人に及ぶスマホアプリを採用し、ユーザーにLGのスマート家電を操作でき話ができるようにした。人性とインタラクション機能が備わった同製品は、友人とのおしゃべりを模し、40種類以上のラインスタンプをデザインした。そうして、スマートハウスをより一層「人間らしく」し、個人個人の色合いを強めて気楽に使えるものにした。[3]

2015年3月11日、シーメンス家電は初めて中国で新しいスマートハウスプラットフォーム「家居互聯(Home Connect)」を打ち出した。さまざまなブランドの家電製品をつなげ、スマホあるいはタブレットPCを通じて感覚的に操作できるものだ。そのソフトは、オープンプラットフォーム戦略を採り、商品のさまざまなタイプ、ブランド、機能およびサービスとつながることができる。

国内企業も手をこまねいているわけではない。シャオミはこの市場に早くから目を着け、2013年末にスマートハードウェアエコシステムを構築し始めた。スマートルーターから小米盒子(シャオミテレビボックス)、シャオミテレビ、カメラから、美的とのコラボレーション、100社のハードウェア企業への投資計画に至るまで、その歩みは速く、着実だ。テンセントはウィーチャット上でハードウェアプラットフォームのアクセスを開放しており、デバイス一台ごとに一つのIDを設定したいと考えている。バイドゥは少し前、バイドゥスマートハウスソフトウェアプラットフォームを作り、同社のプラットフォームを通じてメーカーの低コストでの迅速なスマートハウス市場への参入を助けたいと考えていた。少し前、アリババはスマート生活事業部を立ち上げ、スマートデバイスのインキュベートとアクセスの布陣に重点を置くと宣言した。京東も京東起業エコシステムを打ち出し、株式クラウドファンディングプラットフォームをつくり、重点項目がスマートハードウェアであることを明確にした。ハイアールは一方でアップルと密かに通じ、一方では自らの「U＋スマート生活」プラットフォームを作った。その背後にはハイアールの「インターネットファクトリー」（ハイアールのカスタマイズ型生産の工場のコンセプト）というコンセプトがあり、ユーザーの個別のニーズを直接「インターネットファクトリー」につなげていた。また、美的も「M-Smart スマートハウス白書」を発表し、価格がたった10元のブルートゥース版スマートハウスモジュールを販売し、Ｗｉ－Ｆｉ版モジュールも15元前後で準備した。

自社構築か提携か、それが問題だ

スマートハウスプラットフォームは中間専門サービス業者のモデルチェンジと誕生を促した。米マーベルがアップルのホームキットのために専門のソフトウェア開発キット（ＳＤＫ）を出し、ホームキット部品の開発を簡略化した。マーベルＳＤＫを採用したハードウェア製造業者はホームキットスキームの完全なサポートを受け、開発期間を数カ月短縮することができる。

しかし、スマートハウスもさまざまで、関係者にもつながりとプラットフォームの方向性がはっきりと分かっておらず、市場とユーザーは戸惑っている。また、ＩＯＳとアンドロイドの適応問題が起こり、ユーザーがさまざまなアプリでさまざまな商品とサービスを管理する状態になっている。このこと自体が、インターネットの互いに通じ合うという本質や「つながり」というものと相反している。それに加え、長らく統一の業界技術基準が存在していないため、連結方法、連結規約、連結モジュールがバラバラになっている。

マイケル・ウォルフはスマートハウスのアナリストで、『フォーブス』オンライン版の記者である。彼はホームキットの出現はスマートハウスをより簡単にはしない、と考えている。アップルはホームキットの助けを借りて、ユーザーを出来るだけアップルのエコシステムの中に囲い込みたいと考えていた。しかし、ホームキットは、煩雑なインストールを必要としないという前提の下で、すぐに順調に使えるようにはならなかった。そのため、ホームキットは少しずつ消費者に見捨てられていった。そのほかに、Ｓｉｒｉの利用範囲と機能を広げる必要があったが、多数の音声指令はスマートハウス商品に対してあるべき効果が得られず、かえってユーザーの反感を招いた。

どのようにソフトウェアを使い全ての家電をコントロールすれば、消費者を煩わしい家事から解放できるのか。市場にはスマート家電が続々と出てきているが、大部分はつながっておらず、機能も完全ではない。メーカーがばらばらなので、それぞれ違うアプリをダウンロードしなければならない。通信規格だけでもＷｉ-Ｆｉ、ＺｉｇＢｅｅ、Ｚ-Ｗａｖｅ、ブルートゥースなど複数の種類がある。家の中で、それぞれがつながって、インタラクションや交流がおこることはなく、スマートハウスシステムの構築などは話にもならない。

定規がなければ図形は書けない。各大企業が続々と自らの業界基準を打ち出すが、権威ある答えは出せないままだ。提携は多くの場合、小さな範囲に留まっており、深いものでもない。もし、これらの機関が共同で何かを生み出せないのなら、ユーザーはその製品を買わなくなるだろう。

つながりこそが唯一の指標だ

「スマート」とは、機械が自分で考え、行動すること指す。スマートハウスにとっては、テクノロジーという要素がどのくらいあるかだけでなく、生活スタイルをも変えるかどうかも大事だ。出来るだけ早く基準を統一してこそ、消費者に最大の「スマートさ」を提供でき、またそれは業界の発展にとっても急務だと言える。

２０１４年半ばに、さまざまなタイプの商品の間のつながりが国内外の関心を集め始めた。国外においては、米ミスフィットとスマートウォッチのペブル。また、ジョウボーンＵＰ２４リストバンドはネストのサーモスタットとデータの互換が出来る……などの例がある。国内におけるシャオミと美的、ハイアールとメイズ（魅族）の提携は互いの商品のデータのシェアおよび連結ができるというものだ。彼らのスマートハウスに関する最終目標は、さまざまなブランドの商品を全てつなげて一体として試用し始めることだ。つながるためには、互いがつながることと、多種目のコントロールシステムを有効にまとめることが必要だ。

この成長を実現するためには、われわれ全てのデバイスとデータを充分につなげなければならない。２０２０年には、全ての人が平均して４台以上のＩｏＴ設備を所有していると言われる。しかし、それらがそれぞれ孤立していたのでは、何の役にも立たない。ＯＳがすでにモバイルエコシステムの基礎となっているのと同様、ＩｏＴデバイスも互いがつながる中央プラットフォームを業界の基盤とする。そのプラットフォームは各種のソースから来たデータを収集し、分析する。それと同時に、モバイル決済と、ビジネスやその他のサービスと結びつけて、そのことにより、ユーザーにそれらの情報に基づいた行動を取らせる。オープンなプラットフォームはＩｏＴエコシステム構築のためのカギだ。このシステム全体はそのシステムの構成要素の総和より強大である。[4]

また、さまざまなブランドの間を相互に接続しなければならない。各プラットフォーム業者は皆アクセス方法を統一する。その目的は、さまざまなスマートハードウェアを相互接続し、データを共有させることだ。まず、クラウドデータの連結から見ると、アリババ、バイドゥあるいはテンセントクラウドは皆、つなげることが出来る。また、同一ブランドのサービス間でもデータがとれる。シャオミのスマホ、リストバンド、ルーターのように。ハイアールテレビ、冷蔵庫、洗濯機なども相互接続が可能だ。現在は、皆、異なるブランド間の相互接続問題を解決しようとしている。シャオミ、ハイアール、あるいは、京東、バイドゥ、テンセントは皆統一のアクセスを表示して、オープンプラットフォームを作っている。そうして、より多くの違うタイプかつ違うブランドの商品を接続する。しかし、この目標は依然として競合商品の間では実現しにくい。テンセントは、すでに人とデバイスの連結を実現している。現在ウィーチャットのハードウェアプラットフォーム、携帯ＱＱも「マイ・デバイス」のタブを加え、追加したデバイスに対して管理が行えるようにした。接続するデバイスは、テレビ、空調、空気清浄機、コンセント、電灯、カーテンレール、カメラ、体重計、血圧計などだ。そのＱＱＩｏＴプラットフォームには現在Ｗｉ－Ｆｉ、ブルートゥース、ＧＳＭ、ＺｉｇＢｅｅ、Ｚ－Ｗａｖｅなど多くの接続方式がある。基盤からチップメーカー、デバイスメーカーおよびシステムメーカーと協力して、ＳＤＫ

をスマートデバイスの中に入れると、パートナーの開発コストとユーザーの学習コストを低減し、スマホがデバイスを見つけ、そのハードウェアを識別し、そのハードウェアとつながることが極めて簡単になる。[5]

支配するのは誰だ? エコシステムが全て

スマートハウス業界のアナリスト、マイケル・ウォルフは、本来ならよりオープンであるべき市場をアップルが閉鎖しつつあると批判している。アップルの過去を見てみると、同社は全く新しい商品分野に足を踏み出す時に、それに基づいた完全なエコシステムを構築して、その後、他の企業に加入を呼びかける傾向がある。しかし、スマートハウスの分野での発展にはオープンかつ通じ合う環境が必要だ。アップルの上述のやり方は明らかにそれに反する。ウォルフは、最終的にホームキットはアップルの完璧なエコシステムを完成させるだろうと予測した。しかし、他の同業者と良好な協力関係を保てるかどうかはまだ不明だ。

企業レベルにおいては、一つのパワフルなエコシステムを構築することも成功のカギだ。IoTの勝者は、膨大かつロイヤルティの高いユーザーを集めた企業だ。商品について言えば、ユーザーが多いほどより多くのデータが生み出される。このことは、アルゴリズムにより多くの情報を与え、よりよい結果を出させる。より多くの出荷量も企業にサプライヤーに対する優位性を持たせる。また、提携相手の企業対しても、自らの吸引力をより高める。正に、ソーシャルの場と同じく、ネットワーク効果は常に重要なものなのだ。

ＧＧＶキャピタルのジェニー・リーとハンス・タンの研究によると、成功したＩｏＴ企業になるのはたやすいことではない。企業のタイプ別に卓越した以下の資質が必要だ。

①**ハードウェア企業**：データの収集に用いる高品質センサーの優秀な製品を生産し組み合わせる。

②**プラットフォーム企業**：大量のデータを収集、処理及び分析し、価値のある意見を提供する。

③**ソフトウェア企業**：素晴らしいユーザーエクスペリエンス（ＵＸ）を作り出し、データの中から得た知見を実行に移せるようにする。

スマートハウスプラットフォームの競争初期に自らのエコシステムを構築し始めたのは以下の企業だ。ＥＣを代表する京東、アリババと、テンセント、バイドゥ。ハードウェアブランドを代表するレノボ、ハイアール、シャオミ、サムスンなど。サムスンは２０１４年に米ＩｏＴプラットフォーム開発企業スマートシングスを買収し、スマートデバイスのオープンなエコシステムを構築することを宣言した。６０８０万台のスマホを販売しているシャオミ、世界の大型家電市場のシェア10・２％のハイアールなどは皆リソースを通じてターゲットを変えようと考えた。シャオミと美的の提携にせよ、ハイアールの「Ｕ＋スマート生活」プラットフォームがメイズ、ハイワイファイなどの一群のスマホメーカーやスタートアップと同盟を組んだことにせよ、どちらも自らのエコシステムを構築するためだ。これらのプラットフォーム企業の動きから見ると、スマートハウスはすでに単独の企業同士の戦いから、アライアンス同士の戦いやプラットフォーム同士の戦いに様相を変えている。[6]

中国企業の実践

スマートハウスという果実を取りに行く企業は多い。しかし、その方法はさまざまだ。ブロガーの「Maomaobear」氏は最近、新浪の「創事記」というコラムで、以下のように分析した。シャオミはパートナーに投資をすること好み、自らのリソースをパートナーと共有する傾向がある。マラタ（万里達）というメーカーの空気清浄機の場合、シャオミの名義で宣伝し販売を盛り上げ、その影響で、同商品を購入する人もいた。美的とシャオミの提携も資金が道を開いた。シャオミが12・66億元で美的の株を買い、利益共同体を作り、その後提携した。シャオミ方式の長所は速度だ。スマートハウスがシャオミのシステムに入りさえすれば、シャオミの資金とリソースを使え、急速に拡大できる。アップルと組むより、明らかに早い。しかし、問題は利益共同体となると、どこかに問題が起きると全体に波及するということだ。

バイドゥにはハードウェアはないので、アップルのように影響力と技術によって自らが基準を定めることは難しい。また、シャオミのように自らの「帝国」を拡張し続けることも難しい。バイドゥの選択は利益の引き寄せであり、「農村が都市を包囲する」路線である。バイドゥのスマートハウスの推進のロジックは、バイドゥ大脳（バイドゥのＡＩプロジェクト）、バイドゥクラウド等のハイレベルなリソースにより、一般のスマートハウスメーカーに廉価なソリューションとプラットフォームを提供し、メーカーを引き寄せ、同盟を作るというものだ。加盟数が充分ならば、標準となり得る。

京東と美的という2社の比較も興味深い。2014年末、この2社は戦略的合意を締結した。興味深いことに、美的は、すでにシャオミと株式による提携を結び、テンセントハードウェアプラットフォームとも協力を行っており、京東とも提携することで、大変高いオープン性を見せている。当然、美的にとって3社から得られる価値はそれぞれに重要だ。京東には、インターネットの遺伝子があり、強力なマーケティング能力がある。ビッグデータによるピンポイントなマーケティングに対するサポートがあるが、スマートハウスプラットフォームをつくるにはまだ「駆け出し」と呼ぶべきだろう。しかし、京東のトップである劉強東はスマートハードウェアチームを作り、スマートハードウェアの起業家をサポートしようとしている。京東スマートクラウドと「JD（京東の頭文字）+」計画の実行および、2014年に発表した「スーパーアプリ」は、異なるブランド、異なる品種のスマートハードウェア同士でのつながりを実現し、スマートハウス分野における布陣を成功させた。実は、京東はスピードサービスにも強く、2014年11月、全国で初めて大型家電の「京東幇サービス店」を河北省で開業し、その後3年で全国で数千軒の開業を予定していた。「京東幇サービス店」計画を通じて、京東は自らの家電販売チャネルを四級から六級都市（地方の小都市）からさらには農村地区にまで伸ばすことができ、多くの消費者に京東の家電の「スピーディーな配達、設置、メンテナンス」という一連の優れたサービスを提供することが出来た。美的の方洪波社長はこう語る。「京東は、消費者にはスピーディーな工程全体における優良な『購買体験』を提供でき、われわれメーカーのためには物流配送、インターネット技術、ビッグデータ分析、スマートクラウドプラットフォーム関連のサポートを提供してくれる。この点から見ても、インターネットへと対応中で、積極的にスマートハウスの分野を開拓しつつあるわが社にとっては、正に理想的な戦略パートナーだ」

ハイアールはスマートホームを中心に「1クラウドNデバイス」という産業スキームを構築しており、それにより、最終的にそれぞれの家電商品を全てインターネットデバイスに変えつつある。これらのデバイスはスマートセンサーを備えており、相互連絡および協調シェア機能を持っている。それにより、人と家電、家電と家電間のコミュニケーションを実現し、ユーザーがいつでも充分にスマート時代のサービスを受けられるようにした。

U+スマート生活オープンプラットフォームの開始は、ハイアールグループを既存企業のインターネット化という流れの最前線へ押し出した。同社の張瑞敏CEOは明確に、U+スマート生活プラットフォームの構築を通じて、単一サービスからスマートサービスへの変換を実現したいと考えていた。それにより、出来るだけ早く、スマートハウスの分野のアクセスを独占し、大量の参加者を引きつけハイアールによる基準を確立することを望んでいた。

U+開発プラットフォームという野心――ハイアールはスマートハウスの業界基準を作る[7]

インターネット経済という大きな渦の中で「オープンプラットフォーム」というコンセプトを

打ち出したことで、ハイアールグループは既存企業のインターネット化という流れのトップ企業となった。

「U＋」の目標は、単一サービスからスマートサービスへと変化させるために、さまざまなサービスのアクセスを統一し調整して一つのプラットフォームに載せることだ。このオープンプラットフォームの構築には、洗濯、水道、空気、グルメ、健康、セキュリティ、娯楽の七大スマートエコシステムが含まれる。

ハイアールグループの梁海山副主席は「U＋スマート生活プラットフォームを通じて、メイカーズとユーザーの交流を実現し、商品設計、開発、製造、物流配送などの各所でそれを徹底させたい。全工程を全てプラットフォームに移し、ユーザーに全工程体験を提供したい」という。最近行われたホームエキスポ（インテリア、内装などを含めた家に関する展示会）では、U＋プラットフォームのサポートにより、ハイアールはスマート厨房商品パッケージを発表した。このスマート厨房は、それまでの厨房の概念を覆し、調理電器の真の「ネット接続」を実現し、製品同士、あるいは製品と人をつないだ。

U＋プラットフォームには接続プラットフォーム、業務データセンタークラウドプラットフォーム、ビッグデータプラットフォームおよび関連のリソースが含まれる。オープンなIoTモジュールを通じて、ソフトウェアのミドルウェアおよびクラウドプラットフォームは互いにつながりあい、プラットフォーム上の全ての関与者はエンドユーザーにスマートヘルスケア、スマートセキュリティ、スマート物品認識、スマート家電などのワンストップ型のスマート生活ソリューションを提供できる。例えば、スマートセキュリティと空気測定は、ガス漏れが起きると、システムが自動で警報を鳴らし、スマホを通じてユーザーに知らせる。ユーザーの火の消し忘れや鍋の空だきがあった場合、システムはユーザーに通知し、自動で火を消す。また、厨房の空気の状況を健康的・やや劣る・悪いに分けそれぞれ、緑・オレンジ・赤色で表示し、適切な換気扇を動かし、室内を換気する。

「まず、家電商品を生産し、その後に家電商品を販売する。これはシングルチェーン型マーケットだ。現在ではモデルチェンジし、ハイアールはプラットフォームとなった。プラットフォーム化の大きな特徴は、両面市場あるいは多面市場だ」梁海山にとっては、U＋というのは両面および多面的なモデルであり、「ユーザーはプラットフォームにより、自らのスマートライフをカスタマイズする。その中にはハードウェア、サービス、スマートウェアコンテンツが含まれる。U＋はアクセスポイントを提供する。アプリであれ他の方法であれ、全てリクエストを出せる。プラットフォームがどのようなスマートハードウェアやソフトウェアサービスを望んでいようとも、U＋プラットフォーム上のサプライヤーはユーザーの要求を満足させられる」

２０１４年の正式運営開始後、U＋オープンプラットフォームは1年間発展を続け、日増しに整備され、ハードウェア業者、ソフトウェア業者、コンテンツ業者、プラットフォームサービス業者とユーザーの間のギャップをうめつつある。現在のU＋プラットフォームの毎日のデバイスからのレポートデータは1億件に達し、プラットフォームとつながる商品数は百万レベルになっている。また、アクセス製品の種類で見ると80以上になっている。同時にU＋も一つのオープンなエコシステムであり、ファーウェイ、アリババ、360、マイクロソフト、クアルコムは皆パートナーとなっている。また、U＋は今年、コントロール、センサー、インタラクティブといった面での計画と実行を加速し、U＋アプリのエコシステムを形成し、U＋アプリスマート生活家庭管理システムを作り上げる。

戦略の意図をみると、張瑞敏の洞察力に敬服するしかない。彼は明らかに、U＋開発プラットフォームの構築を通じて、出来るだけ早急にスマートハウスという分野のアクセスを独占しようとしており、多くの関与者を引きつけ、それによりハイアール基準というものを打ち立てようとしている。早期のグーグルはネスト・ラボを買収し、サムスンはスマートシングスを買収した。どちらも規範や基準を自分たちで作りたかったからだ。そして、その目標のために、張瑞敏は彼らよりもさらに徹底して全面的に計画を実行した。それゆえ、張瑞敏はU＋のオープン性を保持しなければならなかった。また、いわゆる「閉じたループ」を作るのではなく、「水を引き入れ活気を呼ぶ」ことこそ彼の本質である。

ハイアールグループのU＋プラットフォームの陳海林ディレクター曰く、U＋プラットフォームは多くの面でかなり幅広いオープン性を持っている。また、接続モジュールは多くのスマートハードウェア業者および既存業者が使っている。USKはユーザーマネジメントの基本的機能を実現できる。UGWは最も強いハードウェアキャリアである。このほかに関与者に対しては、ハードウェア業者はプラットフォームを超えたインタラクションと高速アップグレードとモデルチェンジを行うことが出来る。ソフトウェア業者にとってはU＋プラットフォームを簡易にカスタマイズでき、実際のシーンでのUXに基づいた、「安全に開放できる」「完全互換」「長年の経験の蓄積」「出資プラットフォーム」「全産業チェーン」という五大長所がある。筆者（『南方週報』記者）は、U＋プラットフォームは開発者のために3・2億元のファンドを提供し、2015年にU＋プラットフォームの全体を完成させ、価値あるスマートハウスエコシステムができあがることを望んでいると、理解した。

「U＋はユーザーにとって、生活をカスタマイズできるシステムだ。一つのアプリで家電をコントロールでき、ユーザーの『自分に合ったものを使いたい』というニーズを満足させるプラットフォームだ。パートナーにとっては、スピーディーかつ簡易かつ低コストでつながれるプラットフォームだ」と、ハイアール家電グループの王曄副総裁は言う。将来、U＋は、コントロール、センサー、インタラクションなどの面で計画と実行を加速させ、U＋アプリのエコシステムのスキームを完成させ、U＋アプリスマート家事管理システムを作り上げるだろう。

張暁峰（価値中国会連合会長、「インターネットプラス100人会」発起人、「価値中国智庫叢書」主編）

注

1 侯継勇「従電器到網器：人口智能時代（電器からインターネットデバイスへ——ＡＩ新時代）」百度百家　２０１４年5月14日

2 新華網「互聯網＋重新定義智慧社区　合肥楼市〝智慧昇級中〟（インターネットプラスはスマートコミュニティを再定義する　合肥不動産市場は「スマートレベルアップ中」）」２０１５年4月10日

3 「盤点智能家居五大平台系統　蘋果 HomeKit 不一定最適合（スマートハウス五大プラットフォームチェック　アップルホームキットが最適とは限らない）」OFweek 智能家居網　２０１４年10月24日

4 ジェニー・リー、ハンス・タン「物聯網：捜索引擎的終結者（ＩｏＴ——検索エンジンを終らせるもの）」財富中文網　２０１５年3月26日

5 范蓉「２０１４ 智能家居：平台戦初　現産品従単個智能走向互聯（２０１４スマートハウス——プラットフォーム戦争初　最新商品は一つの「スマート」からインターネットへ）」ソーフＩＴ　冷眼観潮　２０１５年2月27日

6 注5に同じ。

7 『南方週末』２０１５年4月8日

第10章 インターネットプラスX

われわれはインターネットと既存産業の根本的な融合という歴史的チャンスを捉え、モバイル時代に、戦略を「人と情報をつなぐ」ことから、「人とサービスをつなぐ」ことへと拡張しなければならない。われわれはすでに15年という時間を費やし、情報と知識の下で人々を平等にしてきた。将来、われわれは人々が各種のサービスを受けるときも、同様に高効率かつ平等になるようにしなければならない。この目標を達成するために、われわれはさらに15年はおろか、それ以上の年月を捧げることも惜しまない。

ロビン・リー　２０１５年1月24日　バイドゥ２０１４年大会15周年式典スピーチ

スマートデバイスはいたるところにある。ＩｏＴの時代には、全てのものがデータとなる。ディケンズの語り口を借りれば、「これは全てが可能な時代でもあり、想像力に対し挑戦する時代」でもある。「コントロール」を信奉する一方、「アウト・オブ・コントロール」が求められる時代でもある。また、世界が180度覆る世紀でもあり、再生の世紀でもある。また、光明の季節でもあり、漠然とした季節でもある。われわれはほぼ全てのことを知り、分からないことがないかのように思える。そんな中、われわれは極限を超えて、再出発するのだ。

インターネットプラスとスマート農業

農業は人類の母なる産業であり、衣食の源、生存の根本である。最古の産業であり、季節の規律に基づいた産業であるがゆえに、急成長するインターネットと比べると、その変化は亀の歩みのように感じられ、スピードの速いテクノロジーや産業とマッチしていないと思われる。農業は「インターネットプラス」の未踏の地と言えるだろう。

農業 meets インターネット

2009年にネットイース（網易。中国大手ポータルサイトの一つ）の創始者・丁磊が豚を飼い始めた。2010年にはレノボホールディングスが現代農業に進出し、2013年には「佳沃」ブランドで華々しく農業を始めた。また、2011年には、京東商城の劉強東が本業と離れた米の栽培を始め、2010年にはソフトウェアの九城グループが有機農業に参入し、生鮮ECプラットフォーム「沱沱工社」を設立した。このようにIT企業の農業進出はすでに盛んになっている。IT企業の農業進出に呼応し、大型既存農業側も次々とネット業界へ進出している。大北農（北京大北農科技集団股份有限公司）はインターネットプロジェクトを立ち上げた。畜産農家および代理店を対象に、猪管網（豚管理）、智農網（スマート農業）、農信網（農業情報）および智農通（農業管理アプリ）という「３網１通」というエコシステムを構築し、積極的にインターネットプラットフォームに基づく農業派生業務を開拓した。１９８２年設立の大手農業グループ「新希望」は産業チェーンデータにおける優位性を利用し、少額融資という農業金融サービスを展開するとともに、畜産業および食品業のインターネット型発展を専門に推進する新企業を作った。また、１９８７年設立の「芭田股份」はＭ＆Ａによって、農業ビッグデータ、農業ＩｏＴ、農業地理情報システムなどの分野に参入し、データ分析に基づく新型の農業派生業務のビジネスモデルを模索している。ＩＴ企業が試験的に模索しつつ農業に参入しているのに対して、既存の大型農業企業のネット進出は、直接的かつ全面的なものだ。それは、既存農業側がインターネットの急襲に対する危機感を強く持っているからだ。その進出に関わる部分は耕作、牧畜、農業金融、農業ＥＣ、農業ビッグデータなど多岐に亘る。

「インターネット＋農業」が近年市場の注目分野になっている理由は少なくとも三つある。一つは、農業が中国において特殊な重要性を持っていること。庶民にとって食は何より重要だ。13億以上の人口を擁する中国にとって、農業は経済発展の基礎でもあり、社会の安定の基礎、あるいは国家の自立の基礎でもある。その重要性は言うまでもない。もう一つは、「インターネット＋農業」の巨大な成長の可能性だ。推計によると、インターネットにより既存農業の産業チェーンを作り直し、農業の近代化を促すことで、兆レベルの市場をもたらすことが出来る。その魅力には抗い難い。三つ目は技術面、経済面での可能性だ。ここ数年インターネット産業は急成長を見せた。特に顕著なのは、モバイルインターネットの普及、スマートデバイスの価格の大幅な低廉化およびインターネットサービスの急速な成熟だ。「インターネット＋農業」は技術的に可能であるし、経済的にも利益が見込めるようになってきた。実行可能性が一定レベルに達しているのだ。特に、スマートデバイスの農業における応用は古い農業にも「スマート」の羽根を生えさせる。

スマート農業の風景

食卓の側から考えると、新型農業の近代化を背景とした農業生産には、「量重視、衣食の不足をなくす」から、「安全重視、品質を満足させる」へのモデルチェンジを実現する必要がある。農産品の安全は健康に関わる重要事項だ。所得水準の上昇に伴い、人々の食品の質に対する要求は高まり、より多くの個性ある品種へのニーズが生まれた。そのため、食卓から田畑へのトレーサブルシステムによって商品の安全を確保する必要がある。また、ユーザーのニーズに基づきカスタマイズされた生産モデルが必要となる。当然、コストダウンおよび生産量を増加させる農業生産システム、管理モデルおよび支援体制も必要である。

考えてみよう。農地の各種の耕作の指標情報が、全てクラウド側に伝えられてあなたに提供される。あなたが望めば、いつでも農地の作業状況を見たり、食卓の上の農産物の産地を調べたりできる。スマート冷蔵庫などのスマートハウス製品およびウェアラブルデバイスが正確にあなたに必要な栄養と好みの味を計算するようになれば、将来はあなたの農業派生商品へのニーズも農地の生産管理システムに自動で伝えられるようになる。農地側の端末は土壌、気候などの環境や状況に基づき、ニーズに合わせて自動で最良の生産計画を立て、その後、システム化された物流を通じて、生産された農産物を注文に従って家に届けるようになる。農業生産は過去のデータに基づき、将来のある時期の生産計画を推計することができ、自動生産が実行できる。われわれは、このような工業製造4・0に似た新型農業は、すでに考えられており、「スマート」の性質を備えていると言っている。現実に、インターネットに基づいた「スマートさ」は農業の各方面に浸透している。

ムーアの法則は過去40年以上コンピューター業界の急成長を支えてきた根本的要因だ。ムーアの法則の影響を受け、センサーはかつてないほど安価になり、われわれは、低価格のセンサーがもたらす「低価格な」ソリューションをエコシステムおよび自然体系全体に応用している。例えば、農地全てに安価なセンサーを取り付けると、土地、土壌、気候、水、農作物の品種、施肥の状況、作業過程、作物の生長過程などの各種の情報の収集が、より早くリアルタイムで、低コストかつ高精度になる。また、これらのデータに基づいて分析して作られた農業のマクロ管理およびアラート発報システムは、疑いなく「インターネットプラス」の農業管理および計画立案過程をより科学的かつスマートに行えるようにする。

農地のセンサーシステムとスマートハウスシステム、個人のウェアラブルデバイスを結合すれば、農業生産の過程をさらにカスタマイズし、スマート化させることができるだろう。農業生産におけるインターネットおよび関係テクノロジーのサポートという点から見ると、現在、すでに集積応用コンピューターおよびネットワーク技術、IoT技術、無線通信技術、音声および動画技術、3S（GPS：全地球測位システム、RS：リモートセンシング、GIS：地理情報システム）技術などが存在する。それにより農業生産の過程におけるリアルタイム画像や映像による監視システムが構築される。その中で、監視システムは無線ネットワークを通じて作物の生育情報を収集し、自動灌漑、ビニールハウスの自動ビニール貼り、自動温度低下、自動農薬吹きつけ、自動液体肥料散布などの農業生産過程における自動コントロールを行う。監視システムは無線センサーを通じて各種の植え付け状況および作物の生育情報を収集し、植え付け作物に必要なものに基づき、事前アラートや情報を提供する。そうして、農業生産人員が作物を作る上で最もよい生育条件を整えるために、タイミングよく情報によるサポートを行う。また、リアルタイム画像と映像監視システムにはわかりやすく農作物生産のリアルタイムの状態および栄養レベルが映し出され、これらの情報は農家に一層科学的な植え付け計画の根拠を提供し、農業生産システムをさらにスマート化させる。前述のプロセスにおける映像および蓄積された各種のデータに、運輸、販売などの各過程で生まれたデータの追跡情報を加え、エンドユーザーにトレーサブルな情報を与える。このシステムにより産地から生産における農作物の安全を保証できる。

スマート農業という新しい「風の吹くところ」

中国では、ある産業が「風の吹くところ（勢いがあり、そこに立てば急成長できる場所。シャオミの雷軍の言葉で有名）」になるかどうかは、インターネットがその産業の各部に入り込める余地があるかどうかにかかっている。また、インターネットが実際に効果的にその産業の発展に関わる根本的な問題を解決できるかどうかも大きく関係する。それ以外にも中央政府の政策にどのくらい沿っているかも影響する。２０１５年の中央政府１号文書は依然として「三農」に重きを置いており、この状況は12年も続いている。「三農」に関する活動は政府の活動の内でも極めて重要なものだ。李首相が開いた国務院工作会議は、農業に注ぐ力を緩めず、投入するものも減らすことはなく、改革を深化させる歩みも止めるべきではないと明言した。また、成長スタイルの変化に力を入れ、新しい農業の近代化の道を進むともした。中央政府の重視、農産品の硬直的需要という特性、「インターネット＋農業」の巨大な潜在力は、産業資本が「三農」に向けた布陣をするように後押しする。農業は、インターネットにより根本から変革される次の産業になったようだ。

インターネット農業の分野に関わる株は最近の資本市場で注目を集めている。

インターネットプラス行動計画の推進を受け、スマート農業という「風の吹くところ」を作るため、さまざまな方面から力が集まっている。まず、「インターネット＋農業」が形成する巨大な投資は、現在の新常態において、投資に依拠し経済成長を牽引するのに有利なポイントだ。過去数年間、政府の投資は一貫して経済成長を牽引する主要な推進力となっていた。しかし、インフラが完備するにつれ、投資による経済牽引効果は弱まった。わが国の農業や農村におけるインフラと公共サービスは比較的後れており、インターネットプラスという追い風が生み出す大量の新しい投資ニーズによって、農村における就業問題が解決でき、新しい経済の成長点を育てることができる。それ以外にも、安定した成長のために内需を維持する力を提供することができる。ここからも、「インターネット＋農業」は大きな流れであることが分かる。

また、「インターネット＋農業」はわが国の農業が健全に発展する上での「ペインポイント」を効果的に解決できる。現在、わが国の農業の最大の問題は、長期にわたり過剰に施肥してきたことによる土壌汚染とそれに伴う農産品の品質、安全の問題である。センサーに基づきシステム化されたスマート農業のエコシステムは、農地、牧畜養殖場、水産養殖場などの生産機関を一つにつなげ、さまざまな部分や用途における物質交換やエネルギー循環に対して、体系的に、精密な計算を行うことができ、生産管理プロセスにおいて、ピンポイントな灌漑、施肥、農薬散布などが実現できる。リソースの投入が節約でき、健康にもよいのみならず、時と場所を問わず農産品の生産過程をトレースすることができ、農産品の品質・安全を、農地から食卓までの全過程において管理監督することができ、効果的にペインポイントを解決できる。

また、スマート農業は明らかに農業生産の経営効率を上昇させる。正確かつ精密な農業センサーがリアルタイムで監視をおこない、クラウドコンピューティング、データマイニングなどの技術を用いて多層的な分析を行う。その分析・指令および各種の制御設備を連動させ、農業生産と管理を完遂する。このスマート機器は人の代わりに農作業を行い、日々深刻化する農業労働力不足を解決するだけでなく、農業生産の高度な大規模化、集約化、工場化を実現する。それにより、農業生産の自然環境リスクに対する対応能力を上げ、弱い既存農業を効率的な近代産業に変化させるのである。

最後に、インターネットの既存農業に対する強大な浸透力について触れておこう。農業には巨大な市場の成長余地がある。産業としては比較的後れているが、産業チェーンは長く、各部の情報の非対称性は高い。インターネットによる情報の透明化により、その価値は大きく向上する余地がある。そのほか、農村には大量の分散した農家があり、インターネットにより、それぞれの農家と個別に多様化した消費の間のマッチングを行うことができ、また、分散した農家を集約した経営や、互助的経営および農業における最良の実践例の迅速な伝播とシェアが実現できる。また、農業は取引コストが高く、取引過程が長く、取引の持続性が高い。インターネットEC等の方法により、大幅に取引コストを減らすことができる。そのため、2014年以降、アリババ、京東などのEC大手は次々に業界を超え、農村戦略を立ててきた。以上のことから予見できるように、将来インターネットは明らかに農業の産業チェーンを変化させ、インターネットプラスにより農業を爆発的に発展させるだろう。

インターネットプラスとスマートビジネス

スマートビジネスとはなにか

ビジネスにおける「スマートさ」は、消費者の個別のニーズに関して深く洞察し、ピンポイントにニーズを見つけ、親身なサービスを提供することから来ている。われわれは、以下に挙げる三点のような場合に、その種の、自動化され学習能力を備えたイノベーティブな新ビジネスモデルをいわゆる「スマートビジネス」と呼ぶことができる。まず、ビジネスがそれぞれの客に対して精密なプロファイルを行い、前もって消費者一人ひとりのニーズを予知でき、自動で消費者が求める商品とサービスをプッシュすることができるような場合。また、ビジネスが自動でその人の消費の軌跡を記録することができ、さまざまな階層で継続して人を満足させるセットになった商品とサービスの推薦をすることができる場合。最後に、ビジネスが情報の流れ、商品の流れ、物流、資金の流れを統合し、自動的なビジネスサービスを提供することができる場合だ。

「スマートさ」は情報テクノロジーによって支えられている。そのスマート化の特徴は、ビジネススタイルのさまざまな部分に現れる。例えば、クラウドコンピューティング技術を利用した「スマート財務監査」、モバイル端末、ＲＦＩＤによる「スマート決済」、ＩｏＴ、クラウドコンピューティング、モバイル端末技術を用いた「スマート物流」、そして、クラウドコンピューティング、情報位置特定技術、ビッグデータ処理技術を用いた「スマート旅行」などがそれにあたる。これらの新しいビジネスモデルは絶えずＥＣインフラとサービスを支える環境の改善を進め、全体的な社会コストの統合や生産の集約に重要な作用を及ぼす。

ビッグデータ時代の産物として、スマートビジネスは日々主流になりつつある。その中のＯ２Ｏの融合はスマートビジネスの主要形態となるだろう。英国、米国などＥＣ先進地域では、Ｏ２Ｏモデルはすでに成熟している。例えば、英国の Argos、スーパーストアチェーンの TESCO、米百貨店のメイシーズなどがその例だ。同時に、Ｏ２Ｏのビジネスモデルも、もはや百貨店、家電、自動車、インテリアに限ったものではなく、コミュニティビジネス、家事、飲食、不動産、メディアなどより幅広い範囲に拡大している。当然、未来の人間の生活においては、いかなる商行為が行われる地域も、全てビッグデータで覆われ、独自のスマートビジネスモデルを形成するだろう。

インターネットによるスマートビジネスのサポート

疑いなく、インターネットはスマートビジネスの基礎となるプラットフォームである。インターネットとＲＦＩＤ、ＥＤＩ（電子データ交換）、ＧＰＳ、ＭＰＳ（Mobile Positioning System）、ビッグデータ、クラウドコンピューティング等の技術を結びつけ、既存企業の改革発展を後押し、絶えず新しいビジネス形態の誕生を促進すれば、ビジネスは日々情報化、スマート化、透明化、可視化、効率化し続ける。モバイルＥＣ、モバイル決済、近距離通信などはよく知られているが、これらのツールの利用により、毎日大量の電子データが生まれている。クラウドコンピューティング、データマイニング、機械学習などの技術を結びつけることで、売り手は時と場所を問わず消費ニーズと習慣を知ることができ、さらに多くのチャンスを育て、それらに出会うことができるようになる。

消費者のニーズに対する理解が進むことにより誕生したのは、ＵＸ（ユーザーエクスペリエンス）を上げ続けるスマート物流とモバイル決済である。最新のインターネット、ＩｏＴ技術と設備を用いることで、センサー、機械、コンピューター、情報などの技術を集めて利用できるようになった。スマート物流は購買行為を予測し顧客が注文を出す前に出荷することさえでき、物流にかかる時間を最大限短縮できる。モバイル決済は端末デバイス、インターネット、アプリ業者および金融機関が融合し、かつてないスピーディーな決済サービスをユーザーに提供している。

ケーススタディ——万達のスマートビジネスの風景

ビジネスの巨人・万達は、早くからスマートビジネスの「儲かる匂い」をかぎつけていた。万達は、その商圏をめぐり、「ECプラットフォーム＋モバイルアプリ」をもとに、オンラインとオフラインのUXをつなぐスマートビジネスの模索を始めた。万達の商圏では、毎年10数億の既存顧客がオンラインへと移動している。優秀なアプリプラットフォームで顧客をつなぎ止める必要があり、強大なITインフラおよびデータマイニングサービスでバックヤードを支える必要がある。

「万匯網」と「万匯アプリ」は万達のO2O実践の「表側」であり、その「裏側」はデータマイニングとユーザープロファイルに基づく万達ECの会員システムである。消費者が万達広場（万達のショッピングモールの名称）に行くと、2種類のデータが作られる。消費データと行動データだ。前者に対しては、ブランドショップの会員システムと接続することで、万達は直接会員の消費行動を追跡し、消費データをリアルタイムで巨大な会員システムに同期することができる。後者に関しては、それぞれの店舗のユーザーに無料のWi－Fiサービスを提供することで、万達は実際の消費者の行動ルートを再現することができる。例えば、消費者が何時に着いて何時に帰ったのか、とか。どこの店舗にどのくらいの時間滞在したのか、など。

この2種類のデータにより、万達は効率よく各種のビッグデータの実験を行うことができ、O2Oサービスの形態を改革することができる。消費行動プロファイリング、個人ごとの商品及びサービスのレコメンド、屋内ナビサービス、位置測定に基づくショッピング案内情報などは、まさに縦横無尽といえるだろう。情報によると、将来の計画では、万達は、ショッピングモール、映画館チェーン、ホテル、リゾート地など傘下の全ての業態を統合し、全体で「大会員制度」のECプラットフォームサービスとし、ワンストップ型のスマートサービスを提供するつもりだという。

インターネットプラスとメディア再編

収益力という点から見ると、メディアの価値は広告収入によって決まる。インターネットメディア出現前は、テレビと新聞の広告収入は視聴率と発行部数、すなわち世間からの注目度によって決まっていた。しかし、インターネットメディアが出現してからは、既存メディアの勢いは衰えている。

既存メディアの価値下落

米国の2013年のインターネット広告収入は428億ドルに達し、初めて既存のテレビの広告収入を超え、最も価値のあるメディアになった。中国でも、2014年にインターネット広告収入がテレビの広告収入を超えた。実際『ハーバードビジネスレビュー』では、2013年にすでに「広告業の未来」という特集の表紙で、既存の広告の終わりを告げていた。

既存メディアの価値下落の理由には、インターネットユーザーの急速な増加以外に、インターネットメディアの広告にインタラクションとピンポイント型プッシュ、成果報酬型ビジネスモデルという優位性があったことがある。既存メディアに広告を出した場合、広告費用がどこに行ったのか広告主は知りようがない。しかし、インターネットメディアに広告を出した場合、広告主はその効果を正確に統計に取ることができ、広告の各ネットワークメディア間の相互関連状況を正確に把握できる。そのため、営業目標に基づき、リアルタイムで広告予算を分配でき、広告呈示の戦略を調整することができる。

躓いたところで起き上がればいい。急速に発展するインターネットメディアにより転覆させられた既存メディアは、インターネットとの深い結びつきの中から、新しいチャンスを探し、レベルアップするきっかけを探すことができる。

テレビとインターネットの提携

既存メディアとインターネットの結びつきはわれわれに大きな衝撃をもたらした。2015年の春節番組で「お年玉を飛ばす」というアトラクションが登場した。春節番組ではピーク時毎分8・1億回の視聴者とのインタラクションがあり、その総数は110億回となった。185カ国の3兆キロにお祝いが伝わり、「シェイク」が人々に意外な驚きと喜びをもたらしたと同時に、メディアの伝達の歴史と、テレビの視聴スタイルを書き換え、テレビと携帯電話のディスプレイが呼応し合い、テレビ局とインターネットの融合の巨大な魅力を見せた。春節番組の後でウィーチャットはすぐさま「シェイクテレビ」というテレビ・インターネットの融合サービスを打ち出し、2カ月足らずで50以上のテレビ局と100近い番組が、その企画に加入した。インターネットはもはやテレビメディアを転覆させるものではなく、日々テレビと共に成長するパートナーになりつつある。

インターネットと融合したテレビメディアは、もはや、旧来の意味でのテレビメディアではない。まず、ウィーチャットの「シェイク」という手軽なコミュニケーション方法は、テレビの「弱インタラクティブ性」あるいは「無インタラクション」というやり方を書き換えた。斬新にもテレビを「インタラクション・ツール」と再定義したのだ。テレビ視聴はもはや受動的に情報を得ることではなく、いつでもインタラクションできるものになった。そのため、ブランドメーカーはテレビでインタラクティブなマーケティングを行うことができる。広告だけではない。ウィーチャットの「位置情報」機能と「シェイク」の登場後は、無限のアクセスが可能であり、テレビとインターネットが融合すればテレビメディアの広告はピンポイントのマーケティングと商品体験を拡張するという二つの機能を備えることができる。企業は位置情報に基づき特定の人に各種の差別化した体験とサービスを提供することができ、ユーザーは「シェイク」の後、何が起こるかとわくわくする。「想定外」というのは、人が最も期待することだ。

各自の優位性に基づいたネットとテレビの融合は、より多くの人を喜ばせるインタラクション体験と情報の伝達方式を生み出し、既存メディアとインターネットの結合は多くの分野にウイン・ウインをもたらすだろう。

屋外メディアのO2Oモデル

インターネット広告と比べて、看板などの屋外メディアの広告は、広告を出す企業にその効果を知る方法がなく、ユーザーとインタラクションすることもできないことに不調の原因がある。しかし、モバイルインターネットアプリの急速な普及によって、屋外メディアにもこの問題を解決するための効果的なツールが提供されるようになった。

スマホディスプレイで屋外の広告ディスプレイを動かすのだ。二級、三級都市の公共バスの停留所の広告を運営する企業を例に取ってみよう。旧来の照明看板にユーザーとのインタラクションをさせるために、この企業は画像認識技術に基づいた写真自動加工アプリを開発した。ユーザーはこのアプリで広告の画面を写真に撮ると、その広告企業の指定するサイトにつながり、屋外広告とスマホのディスプレイの連結ができる。ユーザーは写真を撮ることで、より多くのその広告に関連する、値引き、販促、イベントなどの情報を得ることができ、リアクションをしたり、直接注文して商品を購入したりできる。さらに興味深いのは、その広告により、どんなユーザーが反応してくるのかを企業に知らせ、広告効果の統計という課題を解決できることだ。全体的に、モバイルインターネットという羽の生えた屋外広告は、既存の屋外広告の宣伝モデルをオフライン体験とオンラインインタラクションを結びつけたO2Oモデルに転換した。公共バスの停留所の照明広告は企業が出した商品や活動情報の窓口であると共に、ネットワークによるPRの入り口でもある。ユーザーは写真ソフトを使い、直接企業が指定するページにつながり、より豊かなインタラクションを行う。

モバイルインターネットの入り口争奪戦は屋外のメディアの価値を浮かび上がらせた。中国のモバイルインターネット史上最大のM&Aはバイドゥによる「91無線」の買収だ（買収額18・5億ドル）。バイドゥは巨額の資金と引き替えにモバイルインターネットのアプリ販売の入り口を手にした。このあと、さまざまな特定の状況に置けるモバイルインターネットの「入り口争奪戦」は加熱し続けた。例えば、シャオミは現在各種の4GおよびWｉ－Fｉ環境下で自社の端末を使ってインターネットにつながる入り口の布陣を行っている。また、インターネットメディアグループ「バスオンライン」と通信機器メーカー・中興通訊（ZTE）は、戦略的提携を行い、共同で中国最大の「公共交通機関モバイルWｉ－Fｉ」プラットフォームを作った。ユーザーが高速鉄道、地下鉄、公共バス停などの屋外広告に興味を持ったとき、すぐにそのままスマホで写真を撮って、対応するリンクサイトにつながり、やりとりをしたり、直接売買を行うことができる。このとき、屋外の照明は、単なる広告スペースではなく、モバイルインターネットとつながったインタラクティブメディアであり、売買プラットフォームなのだ。ここから分かるように、屋外メディアのモバイルインターネットの入り口としての利用が進化するに伴い、「屋外＋モバイルインターネット」というO２Oの統合マーケティングモデルが、人々の屋外メディアに対する認識を書き換え、大幅に屋外メディアの価値を高めるだろう。

モバイルインターネットは放送を飛躍させる

時間、地域、一方通行性というのが、既存の放送を制約していた三つの要素だ。その中で、時間の制約というのが意味するのは、特定のコンテンツが特定の時間にのみ放送されているということで、検索することができず、聞き逃せばもう聞くことができないということだ。その結果、ユーザー流失率が極めて高くなっていた。二番目の地域の制約が意味するのは、CNR（中央人民広播電台。中国国内向けラジオ局）以外の地方のラジオ局は放送内容の地域性が強いだけでなく、特定の地理的範囲内でしか聞くことができないということだ。三つ目の一方通行性というのが意味するのは、放送内容の伝播が一方通行で、インタラクションが足りず、個別化できていない、ということだ。しかし、モバイル端末の迅速な普及に加え、モバイルインターネットが既存の放送のルールを覆したことで、既存の放送に、時間、空間および一方通行といった制約を突破させ、最大限放送の特定の優位性を発揮させた。つまり、モバイルインターネットは音声にも羽を生えさせたということができる。

モバイルインターネットの助けにより「移動可能」という特性を手にしたあとのラジオ放送の最大の特徴は、動画や文字コンテンツの情報キャリアと違い、聞いている間もその目と手が自由に使えるということだ。ユーザーは何かをしながら、あるいは細切れの時間に、モバイル放送を使ってコンテンツを聞いたり、リアクションをしたりできる。例えば、トレーニング、ハイキング、運転中、寝転がって……などの状況で楽しめるのだ。ラジオ放送はコンテンツの最もよいインタラクション方式である。モバイルインターネットはラジオ放送メディアの全時空化を実現し、もはやモバイルで放送が聞けない場所はない、とも言える。さらに期待できるのは、モバイル放送はユーザーの聴取の軌跡を記録することができ、ユーザーの聴取の好みを分析し、ユーザーの特徴に合わせてぴったりの音声コンテンツを送ることができ、個別化された音声サービスが可能だということだ。

モバイル放送の将来はこの一連のデータから解説できる。2014年のわが国の自動車保有数は1・54億台で、2020年には2億台を超えるだろう。現在カーオーナーは毎年600時間の音声番組を聴いている。ほぼ一日1・6時間だ。2014年末までに、わが国のモバイルインターネットユーザーは5億人をこえ、推算では2018年に7億に達する。調査会社の「Cannalys」のデータでは2013年下半期、全世界で160万台のヘルスケアリストバンドとスマートウォッチが販売された。2014年の1年間でスマートウェアラブル商品の販売数は1700万台になるとみられ、2020年には年出荷量が5億台に増えるとみられる。ここから予想できるのは、各種のモバイル端末が突如現れ、音声放送の天下になるということだ。

インターネットプラスと社会公益

企業の社会に対する責任意識の高まりと所得の増加が続いていることによって、ここ数年、社会公益という分野に注目が集まっている。財物の寄付にせよ、時間を使うことにせよ、公益への援助は全てリソースの投入に関係する。おおよそ、リソースを投入する場所では、コストと効果の効率を見較べるシステムによってリソースの利用効率を引き上げる。

インターネットと社会的利益の効率

営利性企画に関していえば、市場価格のメカニズムにより、リソースの分配をよくするメカニズムが提供される。例を挙げると、同様のリソースに対し、高い値段を付けた買い手企業がそれを獲得する。なぜ高い値段を付けられるのか。それは、より良い方法でそのリソースを有効に利用できるからだ。それゆえ、価格決定メカニズムは、リソースの利用方式が分かる情報発信のメカニズムを提供するといえる。そのことにより、リソースを有効利用できる企業は優先的にリソースを獲得する。しかし、リソースを獲得した企業が本当に効率よくリソースを利用できるかどうかは、市場の検証を経なければならない。効率の悪い企業は最終的には淘汰される。それゆえ、市場が競争を通じて生み出す利益は修正メカニズムをも提供してくれ、市場において活動している企業は皆リソースを効率的に配分している企業であると保証される。

しかし、公益組織については、リソースの配分効率情報をいかにして取るのだろうか。現在、主流となっている方法は、寄付をした人が、公益組織への信頼に基づき、リソースや時間を集中して援助を行うように、公益組織に委託するというものだ。また、公益組織は援助の効果に関する情報を、寄付した人にフィードバックする。公益組織が代理人を担当する理由は、公益組織には規模および専門性という優位性があるからだ。この委託代理関係において、公益組織が代理人として提供するリソースの効率情報を第三者に審査してもらう必要がある。しかし、第三者の審査にかかるコストが高いため、現在主流となっているモデルでは、有効に公益資源の利用効率情報を提供することができない。有効に利用効率の情報を提供できない以上、寄付した人の公益機関に対する信用も低くなる。その対策として、寄付する際にP2P方式を使う人がいる。つまり、寄付する人と寄付をされる人の一対一の助け合いだ。この方法だと、救助するためのリソースが完全に使われることが保証されるが、規模と専門性による優位性が十分ではなくなる。例えばテンセントの公益事業の2015年3月までの累計寄付は3・2億元で、2900万人以上の人から寄付があった。一件の平均寄付金額は約11元で、このように細かくすると明らかに規模による優位性はない。同時に、人を助けることは大変専門的な行為で、多くの市民には援助をする専門能力が備わっていない。

インターネットは公益リソースの投入効率の算定という問題を解決できるのだろうか。公益リソースの効率を最大化させる主要な方法は次の二つだ。一つは、最も援助を受けるべきで必要としている人が優先的に援助を受ける、ということだ。二つ目は、公益リソースの効果を最大化することだ。前者に関しては、誰が、最も援助を受けるべきで必要としているのは誰かを判断するのか。寄付をする人それぞれが自分の寄付で誰を援助するべきかを決めて、バラバラに意思決定するのが最も効率的だ。それゆえ、新しいモデルでは、寄付をする人が援助する対象を決め、それから、その人はリソースを公益組織に提供する。公益組織はそれにより専門的なサービスを行う。寄付する人が援助する対象を決めるため、援助が的を射たものであったか、効果があったかなどを自分で確かめることができる。

その過程で解決しなければならない課題は、寄付をする人が各種のリクエストや援助する対象の情報に触れることができ、非中央集権的で、境界がなく、時空を超えたインターネットが各種のソリューションを提供できるようにする、ということだ。それゆえ、インターネットプラスは公益のリソース分配の効率的な基盤となる。

インターネットと公益生産性

公益への寄付は、ボランタリーなもので、援助は無料で行われるが、公益活動が提供するのはサービスであり、サービスを提供すれば労働生産性の問題が関わってくる。われわれはいかにすれば、公益活動の労働生産性を上げることができるのか。

公益の労働生産性とは、結局のところ、公益サービスが、それを受ける人の問題をいかに効率よく解決するか、ということだ。それには二つのことが関係する。一つは、援助サービスの最良のソリューションを練り上げることと、最もよい実践内容を総括することだ。問題の解決のために実践したことを総括し、その戦略を練り上げなければ、より多くの人に使いこなしてもらえないし、より多くの人を助けることもできない。二つ目は、最良の実践内容のツール化だ。ツール化することにより、専門知識を使いこなせなくても有効な援助活動ができるようになる。

公益活動の最良の実践例とは、一人ひとりの被援助者が苦境から抜け出した生きた事例のことだ。全体的に見て、苦境を抜け出したいという被援助者の訴えには三つの階層がある。一つ目は、飢餓や貧困などの物質的苦境だ。二つ目は、能力的な苦境。自活能力を身につけることであり、「魚を与えるのではなく、魚の捕り方を教える」ことが求められる。三つ目は精神的苦境からの脱出だ。上の方法で技能を身につけられたとしても援助は十分ではなく、被支援者は考え方を変え、生活する自信を身につけなければならない。言い換えれば、被支援者の願いとは、リソースから能力、ひいては自信を求める過程なのだ。

被支援者はどうすれば自信を手に入れられるのか。最も有効な方法は同種の被支援者が苦境を脱した努力およびそのサクセスストーリーの中から自信のもととなるものを探すことだ。類似のケースは有効な手本となる。被支援者は直接のリソースの補助以外に、同種の被支援者同士の交流や、励まし、苦境からの脱出を成功したというストーリーによる牽引が必要なのである。古い言葉で言えば「天は自らを助くる者を助く」ということだ。同種の被援助者の実例こそが「良薬」なのである。

そのため、時空を超えた被援助者の情報交換や交流のプラットフォームや、苦境を脱した被援助者が自らのストーリーを語る舞台は、公益の生産効率を上げるための基盤であり、その時空を超えた情報交換プラットフォームは、正にインターネットの得意分野である。比較的複雑な最良の実践事例の蓄積、伝播およびツール化に、新興のインターネットは解決のルートを提供してくれる。

インターネットと楽しみの公益

公益活動への参加は、社会的責任を果たすだけでなく、一つの楽しみにもなり得るのではないだろうか。公益プロジェクトで寄付を募る際、われわれは往々にしてどうやって人々に寄付をしてもらおうかということばかり考えてしまい、どうやれば寄付をした人がその過程において楽しめるかを考えることはほとんどない。公益活動のプロセスは楽しく、格好いい体験になり得るだろうか。2014年8月の「アイス・バケツ・チャレンジ」の事例は、有力な解釈を与えてくれる。小さなゲーム化をすることで、たった2日間で10万ドルの募金を集めたのだ。一連のデータは公益活動にゲーム的要素を埋め込むことの大きな意義を説明してくれる。2013年、中国ネットワークゲーム企業の売上げは871・75億元で、同年の全国の金銭による慈善寄付総額の651億元より220・75億元も上回った。ある公益活動のミッションを完成させるのと、ゲームのシーン中のミッションを完成させることに、本質的な違いはない。理論的には、ゲーム的要素を公益活動に組み入れることは100%可能である。

考えてみよう。公益活動もゲームのように面白ければ、ゲームにお金を払いたがる人は公益活動にもお金を払いたがるのではないだろうか。公益というものをさらに面白くするのに、必要なのは、多くの「スマートさ」を公益活動の商品・サービスの開発に関与させることである。また、その本質は公益事業全体を一つのオープンソースコードのクリエイティブな事業にすることだ。全ての公益活動は一つの創造的なプロセスであり、全てが人々の力と、人々の智慧を必要としている。公益がインターネットプラスと出会ったとき、われわれは無限に想像を膨らませることができ、公益の未来も無限となる。

インターネットプラスは全てを可能にする

インターネットがどんな業種と結びつき、どんな分野でその力を発揮するかを考えると、インターネットは「どんなものとでも結びつく」といっても過言ではないことが分かる。インターネットプラスがある業界や分野に浸透すると、その業界や分野はネットワークのルールに従い、デジタルの魅力を備えるようになる。

ケビン・ケリーの『ニューエコノミー 勝者の条件』（邦訳：ダイヤモンド社）において強調されているのは、ネットワーク世界のロジックは、「報酬は連鎖的に増える。勝利は勝利につながる。希少性ではなく豊富さが価値を生む」だということだ。ネットワーク効果の感染力は、新しいネットワークの連結点が加わるほど、既存の連結点とそのネットワークの価値が上がるということにある。このとき連結点の価値は、連結点自体によって決まるのではなく、多くの連結点により構成されるネットワークが集めるエネルギーとそれが作り出す豊富なチャンスによって決まるようになっている。より多くの業種がネットワークとつながり、ネットワークシステムに参加する連結点の数が直線的に伸びれば、ネットワークの価値とそれが生み出すチャンスの数は指数関数的に増加する。このことは、全てが可能になることを意味する。

デジタル化の魅力は、0と1がコンピューターが識別できる言語であることにある。一つの業界の各種の情報がデジタル化されてプログラミングされたとき、コンピューターの計算能力が力を発揮する。デジタル化の魅力は、デジタル情報には非競合性があり、かつ複製コストがほぼゼロであることだ。このように「汲めども尽きせぬ」リソースをわれわれは無料で使い続けることができ、チャンスと富の増加が推進される。

インターネットプラスが拡散していくことに伴い、多くの業界、数え切れないほどのスマートデバイスおよび数十億のつながり合う知性ある大脳が一つになって、ムーアの法則とデジタル化の作用により、各種の組み合わせと起こりうる再編型のイノベーションのチャンスが休みなく探索され続ける。そして、われわれの目の前の世界は徹底的に覆されるのだ。

われわれは、インターネットプラスの各種の可能性というものそのものが一つの誤りだと考えている。なぜなら、真の新奇な物事の出現は、予測不可能であり、まさに、その予測不可能性こそが人々に意外性という喜びを与える。また、われわれがするべきなのは、インターネットの発展に肥沃な土壌と自由な空気を提供することだ。そうして、インターネットが根を生やし、芽を出し、生長して、花を咲かせることを見守るのだ。なぜならその中からどのような喜びが得られるかは誰も知らないことなのだから。


鐘恵波（北京理工大学経済学部主任、経済学博士、経営学博士ポストドクター）

結語

「創造」は、あなた自身のインターネットプラス時代の中に

アップルは１９９７年頃、"Think Different"というシリーズ広告を作った。そのなかにスティーブ・ジョブズが自らアフレコしたバージョンがある。

クレイジーな人たちに敬意を表したい
彼らは超然として気高い
彼らは世の流れにこびない
彼らは問題を引き起こす
彼らは他人と相容れない
彼らは人々と違う視点でものを見る

彼らは前例に従うことを嫌う
彼らは現状に安住しない
彼らをたたえてもいい、彼らの言葉を引用してもいい、彼らに反対してもいい
彼らに質問してもいい、彼らを褒め称えてもいい、彼らの悪口を言ってもいい
それでも彼らを無視することはできない
なぜなら、彼らは物事を変えたから
私たちは彼らのためにチャンスを作る
あるいは、彼らをクレイジーだと見る人がいるかもしれない
しかし、私たちは、彼らを天才だと思う

なぜなら
自分が世界を変えられると考えるクレイジーな人だけが
本当に世界を変えられるのだから

1995年、コンピューター科学者のネグロポンテ教授はその力作『ビーイングデジタル』(邦訳：アスキー)の中で、われわれにデジタル時代の壮大な青写真を示し、物理世界からデジタル世界へと発展していく壮大な流れを解説してくれた。今日すでに、同書に書かれた、デジタル技術とネットワーク技術が人々の生活と仕事に与える新しい面の多くが実現している。しかし、その

ことは、終わりではなく、新しい始まりを意味している。物理世界とデジタル世界の深い融合を特徴とする新工業革命と、全てがつながるスマート世界の新しい旅が始まったのだ。人類は、どのような進化の方向を選ぶのか。技術はどのような規則に則って進化するのか。ビジネスはどのような秩序に基づいて再編されるのか。このような探索の旅は新しいものに満ちあふれている。新しい変化を観察し、それと手を取り合うものだけが、時代に適応し、時代を牽引できるのだ。[1]

ファーウェイは、インターネットプラスがデジタル世界と物理世界の融合を主導し、次の情報化の波を牽引するときに、五つの新しい成長の潮流が生まれると考えている。

インターネットは単なるインフラではなく、全く新しい思考様式だ。その中核は「全面的なつながりと距離ゼロ」によって再構築される私たちの思考モデルだ。人と人、企業と客、ビジネスパートナー同士の間は全て、全面的なつながりであり、距離ゼロなのだ。

インターネットは、既存産業の価値伝達の部分に浸透し、そこを変化させた。そして、価値伝達の部分から価値創造の部分に浸透し、既存産業を深部から変化させる。現在は、製品の研究開発と製造などの価値創造部分に浸透し始めている。例えば、テスラなどは、情報技術とインターネットを用いて自動車というものを再定義している。

情報とデータによる経営はすでに中核的競争力となっており、インターネットはさらに高次元の情報独占と情報の非対称を生み出すだろう。情報社会においては、情報が既存のインフラよりも重要なインフラになる。情報とデータの運営はすでに強大な中核的競争力になっているし、これからもより一層強くなるだろう。

これまで供給側が持っていた権限はユーザーの側に移る。ユーザーは全てのプロセスに関与できるようになり、ユーザーの知恵を集めて新しい「制空権」を持つ。顧客をビジネスチェーンの各部に関与させ、ユーザーの知恵を集めることで、企業はユーザーと共に未来を勝ち取れるのだ。[2]

ＩＣＴ技術の力によってイノベーションを実現し、市場を再定義し、ＩＣＴを企業の中核的競争力にする。情報化時代に、企業のＩＣＴシステムの「産業デジタル化、データの資産化」に向けた成長は、企業の業務を発展させるエンジン及び中核競争力になっている。

インターネットプラスに期待されるのは、既存業界の改革や生産効率の向上、経済成長の促進ではなく、個人という能動性が最も強い存在の活性化であり、また、彼らが自らイノベーションへの追求あるいは起業への情熱を主体的に発することだ。「二つの『創』」（大衆創業、万衆創新。大衆による起業、万民によるイノベーション）が社会のコンセンサスを得つつある。若者が青春の光に満ちあふれ、手を取ってイノベーションと起業の精鋭軍となり、イノベーション型国家を作る主力軍となったとき、私たちは初めて中華の復興と「中国の夢」を実現する前夜にたどり着けるのだ。

インターネットプラスはイノベーションと起業の方向を明確に指し示し、イノベーションのための条件を揃え起業の環境を提供する。インターネット、オープンソース技術プラットフォームは起業の限界費用を低減し、より多くの起業家の参入と集合を促進する。また、メイカーたちはインターネットプラスのパートナーであると同時に推進者でもある。彼らによるイノベーションと起業は、インターネットプラスが各既存業界、垂直統合領域、価値を生むポイントへの浸透を進めるに当たり、堅実なサポートをしてくれる。「インターネット情報プラットフォームを通じて、起業家の奇抜なアイディアにユーザーやオペレーターが直接触れることができ、メイカー達とユーザーの距離を縮め、イノベーションの歩みを早めることができる」と、万鋼・科学技術部部長（日本の旧科学技術庁長官に相当）は語る。

李首相がメイカーズに賛同したのは偶然ではない。報道によると、現在、中国民間のメイカーズ団体は雨後の筍のごとく増えており、北京創客空間、深圳柴火創客、上海新車間を三大中核とするメイカーズエコシステムを形成している。業界内部では、現在、既存の工業化量産型モデルは多様化したニーズを満足させられないと考えられている。そして、メイカーズのようなボトムアップ式の科学技術のイノベーターが、大規模工業型モデルの足りない部分を補い、展開を進め、新テクノロジーと新ニーズをより早くマッチさせていくと考えられている。しかし、メイカーズから実際の起業までの過程を完遂するには、資金、技術、産業チェーンおよびブランドマーケティングなどさまざまな要素を結びつけていくことが必要だ。[3]

では、究極のところ、「メイカーズ」とは何者なのか。メイカーズとは身の程知らずなヤツらだ。メイカーズはシェアする。メイカーズはイノベーションで遊ぶ。「創造」は彼らの信仰だ。モノ作りは彼らのライフスタイルだ。メイカーズは自分のコミュニケーションとインタラクションのスタイルの中にいる。また、自分が認めたルートとスタイルが大好きだ。

メイカーズは「デジタルジーンズ（デジタルによる異端児）」あるいはインターネット「土着民」

を自称するが、そのレッテルを貼られるのはいやがる。

メイカーズは、ある面では世界に対する責任感と優雅さを見せるが、別の面では世を恨む矛盾をはらんでいる。

メイカーズは昔ながらの意味での「組織」を嫌うが、メイカーズスペースやメイカーズクラブのことは受入れている。

メイカーズはさまざまな方法を試して、今ある問題の解決方法を探り続ける勇気がある。あるいは、彼らは相手の身になって、満足できていない問題の解決を試みる。

メイカーズは独立を重んじ、変革を受け入れる。喜んでシェアし、新しいことを試みる。メイカーズは、自分たちの「ボス」、技術の秀才、オピニオンリーダーに対して普通とは異なる情熱を捧げる。

実際、「メイカーズ」というのは、呼称というよりも、むしろ信仰、精神、ライフスタイルだと言える。メイカーズとはあなたのことだ。あなたの体の中にもメイカーズの影を探すことができるだろう。

スタンフォード大学の未来予測学者、ポール・サフォーがアメリカ経済の成長過程を、生産者経済、消費者経済、創造者経済（1998年以降）に分けてから、人々は「創造者社会」というものを受入れ始めた。同時に人々はこの「セルフメディア」の世界に関心を持ち始め、創造者経済のルールとメイカーズ時代の管理について考え始めた。

メイカーズは創造者経済時代が来てから生まれたのではない。メイカーズには自発性、自己主導性、シェア志向、肯定志向があり、いかなる組織にも雇われることをよしとしない。彼らの特徴は、ＴＥＤのスピーカーが備えている条件「好奇心、創造力、オープンな思考、世界を変える情熱」そのものだ。実際、孔子、老子、釈迦たちは皆メイカーズだ。古代ギリシアの三大哲学者のソクラテス・プラトン・アリストテレスも活躍したメイカーズということができる。作家たちも皆それぞれメイカーだ。皆さんご存じのハリウッドだって実はメイカーズの共同工場である。投資家が金を出し、脚本家に脚本を依頼し、監督を決め、俳優を選び、シーンを製作し、プログラムを組み、カメラでパフォーマンスを記録し、フィルムに収め、それを取捨選択し、編集し、映画にして観客に提供する。観客は、制作中や制作前からでさえ、この「創造」に参加したり、それを主導したりできる。

しかし、クリス・アンダーソンの『メイカーズ 21世紀の産業革命が始まる』（邦訳：ＮＨＫ出版）のなかの「メイカーズムーブメント」（ネットユーザーと現実世界の共通項）は、今日の状況を表している。グローバル化、デジタル化、リアルタイムインタラクション化、文化改革のマネジメント、知財権制度などにより、人々がメイカーになることが可能になった。これらはメイカーズ時代の駆動機関だ。アンダーソンは、「メイカーズムーブメント」はデジタル世界が現実世界を１８０度転換させるためのブースターとなり、時代を変える新潮流となると考えている。また、全世界で全ての人が創造活動を行い、新しい工業革命を起こすだろうと予測している。

創造者経済時代のオープン性、つながり性、エコシステム性の影響は深い。リチャード・ストールマンの呼びかけとオープン性が一つになり、フリーソフトウェア財団（Free Software

Foundation：FSF）の誕生につながり、１９９０年代のソースコードオープンのＯＳ、Ｌｉｎｕｘも誕生した。ナスダック上場企業「レッドハット」の陳実グレーターチャイナ地区総経理は、以下のように「オープンソース」の魅力を語った。「手で掴んでその中をみると、そこには何もない。手を開くと全てが手に入る」。Ｌｉｎｕｘの意義は、ソフトウェアのソースコードをオープンにすることを奨励していることだけではない。ウィキペディアから、フェイスブック、ツイッターに至るまで、また、App Storeからアンドロイド、クラウドソーシングからクラウドファンディング、ウィーチャットからアマゾンキンドルショップに至るまで、私たちがその影を見出すことは難しくない。

創造者経済時代の重要な特徴は、分散性、自主性、相互作用性である。関係構造が変化し、相互作用への要求は過去と同様に語れず、相互作用のインターフェイスは日々新しくなっている。同時に、クラウドソーシングとメイカーズの領域には、大量にバーチャル性、流動性、見知らぬ人との協力が充満している。組織、グループ、境界、共同、能力、リソース、価値、優位性などは全て新しく区分され見直されつつある。また、メイカーズ時代はオープン、コミュニティ、関係に対しても新しく再定義が行われ、私たちはすでに、「一人ひとりがセルフメディア、一つひとつがマイクロフォン」という公開された時代に足を踏み入れている。

米ＭＩＴスローンスクールのエリック・フォン・ヒッペル教授は、私たちが見落としている重要なリソースを指摘した。それは、消費者のイノベーションへの情熱と能力だ。大量の事例を研究した結果、彼は、「イノベーションの民主化」を提唱するに至った。つまり、消費者によるイノベーションは軽視できない状況になっていると認識したのだ。彼は、ユーザーを中心としたイノベーションを提唱し、商品設計は、製造業者主導から消費者主導へと転換すべきだと述べた。家電メーカー・ハイアールCEOの張瑞敏は、同社のビジネスモデル変革の目標を「三化」とした。企業のプラットフォーム化、スタッフのメイカー化、ユーザーの個別化だ。企業が優れたプラットフォームを作れば、そのプラットフォームで、一人ひとりがそれぞれ一つのスタートアップを作ることができる。

デジタル社会は新しい成長の波を迎える。デジタル社会と物理社会はより深く融合していき、インターネットプラスは既存産業の改革の焦点となり、既存産業のデジタル化再編のスタート地点になる。

個人についても同じだ。われわれはこのような時代に入っている。自分の知識、リソース、関係、人的資本を、より良くゲームルールのデザイン、制定、価値創造と価値分配の過程に関与させる。そのことを私は「価値の正義」と呼ぶ。

インターネットプラスの中核は「全てをつなげる」だ。全てをつなげれば、私たちの国全体に新しい成長の構図をもたらし、私たちが期待するだけの価値のある、個人のつながりがより緊密な未来をもたらす。

一人ひとりが、あるいは一つひとつの組織が、自分自身のインターネットプラス時代を創造しますように。そして、私たちの国が新しい道の途中で、知恵と力を融合させ、インターネットプラスを通して、より良く世界をつなげ、国の競争における優位性を強化し、思想および文化の輸出力を上げ、それぞれの個人がより多く将来に向かう自由に想像できる空間を与えられることを祈ります。

張暁峰（価値中国会連合会長、「インターネットプラス100人会」発起人、「価値中国智庫叢書」主編）

注

1　ファーウェイ「2014年年報——業界潮流篇」

2　ファーウェイ「用趨勢贏未来、数字化重構新商業（流れにのって未来を勝ちとれ、デジタル化がニュービジネスをリファクタリングする）」 http://www.huawei.com/cn/special-release/hw-323283.htm

3　余建斌、鄧圩「〝創客〟縁何引総理点賛（〝メイカーズ〟はどうして総理に「いいね！」してもらえたのか）」『人民日報』2015年3月19日

後記　インターネットプラスは一種の能力だ

2015年4月29日　馬化騰
「勢在・必行――2015インターネットプラス中国サミット」におけるスピーチより

インターネットは既存産業の座を奪ったり、既存産業を転覆させたりするものではなく既存産業のブースターだ

インターネットプラスというコンセプトは、調査会社「易観（Analysys）」の2012年のレポートが初出ですが、当時、私はそれを見ていませんでした。

2013年、私は上海で「衆安保険」設立のための活動を行っていた時に、あるインタビューを受けました。そのとき、私は初めてインターネットとは「越境」という概念とイコールだということに気づき、私たちはその考え方をシェアしました。実際、私のいるインターネット業界に対して、既存業界にいる友人達は「バーチャル経済」だという印象を持っていました。後にインターネットが急速に発展しましたが、皆、そのときになっても「既存のものを転覆させる」「衝

突する」「既存産業に取って代わる」などという風に定義づけていました。

ですが、私の意見はそれとは少し違っていました。なので、私は彼らに対して、私がやっているインターネットという仕事は一つの「ツール」であり、このツールは全ての業界で利用可能なのだと言いました。たとえ話で、インターネットを二度の産業革命になぞらえ、蒸気機関や電力と同様に、インターネットを第三次産業革命の一部だと定義したのです。そのときの友人達の表情から、その考え方を理解してくれたと分かりました。

インターネットと既存産業の融合は新しい「情報エネルギー」だ

さらに一歩進んで、実際はインターネットと既存産業は一貫して融合を続けてきています。では、前述の蒸気機関や電力と同様に、インターネットはエネルギー形態なのでしょうか。その問いに対し、われわれは今日それを一種の情報エネルギーだと定義づけます。

このことを、全ての業界は明確に理解すべきだと思います。インターネットプラスという新しい業種が自分の業界に完全に入り込んできた際に、もしあなたがそれと融合しなければ、あなたが所属する産業と業界は落伍し、ついには淘汰されてしまいます。

以前、私はよく以下のような例を挙げていました。2年半ほど前、ウィーチャットとプロバイダーとの間でいざこざが起きました。外部では、ウィーチャットはショートメッセージに取って代わり、プロバイダーの行く手を阻み、プロバイダーの今までの地位を奪い取るものだ、と言われていました。このことは、われわれにとって大きな悩みの種となりました。われわれが北京でセキュリティチェックを受けているとき、周囲に気づかれて、「あんた達のウィーチャットはお金を取るのか?」と聞かれたことまでありました。それほど、モバイルインターネット通信の台頭は既存の通信業者にとって衝撃が大きかったのです。

1年半前、インターネット金融もまた、多くの人の議論と関心を呼びました。当時、私たちはアリババと共同でインターネット金融を推進していましたが、その過程で、監督部署の目にとまり、バーチャルクレジットのように停止させられてしまいました。それゆえ、多くの人は、インターネットは一定の程度にまで発展したが、例えば金融業などの既存産業との再編には多くの問題があると考えています。しかし、これらの問題は健全なものであり、皆さんの検討と理解が必要だったのです。

最近1年では、中国版Uberと言われる「DiDi(滴滴)」と「快的」の競争がありました(その後に合併)。インターネット交通という分野はまた社会の議論を呼び、両会期間中も注目の話題となりました。多くの人はインターネット交通を是認し、良いことだと考えていましたが、対応する規定が監督部署になかったため、この新業態のサービスと既存業界のタクシーや昔からある「白タク」との区別ができなかったことで問題となりました。

私が挙げた例は全て、最も関心を集めているインターネットプラスと既存業界が結びつくまでの苦労の例であり、多くの友人はこれを聞くとすぐに理解してくれます。

われわれは、さらに多くの分野がインターネットと統合できると考えています。

なぜなら、ここ3年間のモバイルインターネットの急速な発展のおかげで、中国のインターネットユーザー数は6・5億人になり、この数は世界最多だからです。そしてそのうちの5・6億人がスマホでネットにつながっており、中国のスマホユーザー数は世界1位となっています。

このような大きな基盤があってこそ、5・6億人が24時間、絶えず周辺の既存産業とリアルタイムでつながれるのです。この基盤があるからこそ、多くのビジネスチャンスが生まれています。これは大きな流れであり、まず、中国で現れた事象です。私はこれを得がたいチャンスであり、潮流だと考えています。

テンセントは二つのことしかしていない。コネクターとコンテンツ産業だ

実は、この大きな波が来る前、われわれはその最前線に立っていました。3年前、わが社では一つの組織改革が行われ、創業以来最大の組織構造の調整を行い、モバイルインターネットおよびインターネットと既存産業と結合に対応しました。われわれは過去の多くの業務を改めて整理し、かつての「なんでもやる」という業務戦略を改め、検索事業もEC事業も売却しました。そうして、多くのO2Oと小さな業務を全てカットしたのです。

同時に、われわれはテンセントエコシステムの周辺のパートナーに大量の投資を行いました。現在のわれわれの立ち位置は非常に明確でシンプルです。われわれは二つのことしかしません。一つはコネクターという役割。ウィーチャット、QQ通信というプラットフォームは人と人、人とサービス、人とデバイスをつなげる一つのコネクターになりました。われわれは多くのビジネ

スロジックに介入することはできません。われわれはただ最良のコネクターになるのです。そして、もう一つはコンテンツ産業です。コンテンツ産業とは一つのオープンプラットフォームでもあります。

「非中央集権的」スマートソリューションの提供

このポジショニングにはどんなメリットがあるのでしょう。われわれは将来のインターネットプラスモデルは非中央集権的であり、過去の「定期市場」のような存在ではなくなると考えています。われわれは、非中央集権的、シーン適応、地理的位置と関連する、人それぞれ、全ての人のニーズが実現できる……という存在です。そうなって初めて、既存業界で自らの垂直統合領域で成果を上げているパートナーと、最大限統合できるようになります。そうした力量こそが最大だといえます。

テンセントのインターネットプラスのソリューションは、誰にでも見ることができます。それは、長期的展望に立って、より非中央集権化した一種のスマートソリューションなのです。

各方面と協力しインターネットプラスを推進する

われわれは現在積極的に各大都市とのインターネットプラスによる提携を進めており、先ほど言及したように市民生活、行政関係を含めた多くの産業で、われわれは積極的に各地の行政と協力してインターネットプラスの融合を進めていこうと考えています。われわれは各地方の「経済和信息化委員会」（経済・情報化委員会）とも協力して、「インターネットプラス指数」という概念を打ち出しました。これは、12項目あるいは20項目の観点を列挙して、一項目ごとに他の省や市と対比して、何点取るかを見て客観的にその都市の産業のインターネットプラスに関する進展具合と結合度を判断するものです。これは大変有意義なことだと思われます。

最後に、以下のことを言わせていただきたいと思います。インターネットプラスという領域は大変広いです。そして、国家は現在新しいメイカーズスペースというものを提唱しています。これは、壮大なイノベーションと起業のコンセプトです。

テンセントは4年前から3年間をかけてオープンプラットフォームを提唱してきました。昨日、私たちはモバイルインターネット大会の席上で、テンセントのオープン戦略をメイカーズスペースへと転換、昇華させることを宣言しました。

僭越ながら、テンセントのこの3年のオープンプラットフォームの功績は大きいものです。3年の時間をかけ、われわれのプラットフォーム上にテンセントを再構築したと言うことができ、提携のプラットフォームは生産額２０００億元を超え、それぞれ数百億に上ります。今日われわれは、インターネットプラスの存在、多くのＯ２Ｏの結びつき、メイカーズの増加、起業チームがそれぞれの産業や業界と深く結びついた起業思想を見ることができます。前回、上海で３０００人以上のイベントを行い、多くのクリエーティブな企業を生み出しました。今日、われわれは、ご列席の全ての都市の方に提携の申請を出したいと思います。より多くのリソースを提供して頂き、われわれと共にインターネットプラスというイノベーションと起業のプラットフォームを作りましょう。

まとめれば、「インターネットプラスという世界は大変広い。われわれと一緒に見て見ませんか」ということです。

皆さんありがとう！

馬化騰（テンセント主要創始者、取締役会首席、CEO）

【日本語版巻末付録】馬化騰講演録

記者発表会（2018年3月3日）

本日は皆さんとまたお会いできて大変うれしく思います。これは私にとって6年目の両会（全国人民代表大会・中国人民政治協商会議）参加になります。ここ3年はこのような会見を開いており、ここにおられる多くの皆さんとは古い友人のような感じです。

私は、再任した代表としてまとめをしておきたいと思います。5年前、元々私には自分の業界の知識しかなく、提言も自分が熟知している業界や分野に関してだけでした。それが、市民生活、社会のさまざまな方面にまで、自分の視野を広げ、関心を持ち、書面を書いて提言までしなければならなくなりました。人民大会の代表の資格に恥じないように、私は、それらの分野へより多くの精力を傾けて学ばざるを得ず、これは、私にとっての鍛錬になると感じました。

この5年で、私は提言の書面を22部出しています。その対象は、テクノロジー、市民生活、地域、文化、セキュリティの5分野に及んでいます。インターネット全体が、数年前のＰＣ時代から、モバイル時代へと変化しました。現在皆さんが日常的にコンピューターでしていることの大部分はスマホで完結できます。このことが、正式にオンラインとオフラインをつなぎ、インターネット経済と実体経済を融合させる門を開いたのです。われわれは実体世界とデジタル世界全体が深く融合し始めたのを目にしました。

過去数年の提言を見返して、面白い法則に気づきました。例えば、２０１３年、モバイルインターネットが少しずつ使われ始めました。当時の私の提言の多くは、やはり、自分の業界に注目したもので、「インターネットの成長戦略の実施について　経済社会のイノベーションおよび成長を加速する提言」を出しました。しかし、まだ、これは漠然としたものでした。

２０１５年に、私は「インターネットプラスにより経済発展を推進する提言」を出し、幸せなことに、政府の行動計画に採り入れられ、現在、各地で実行に移されております。すでに、それから2年以上が経ち、効果は大変顕著なものとなりました。

２０１７年、インターネットと各業界・業種の融合はすでに一つの潮流となっており、また、この形勢は日々明らかになっていると感じられました。それゆえ、この年に私が両会に出した提言は「デジタル経済を大きく発展させ、ネットワーク強国戦略を推進する提言」で、その中でも、インターネットプラスは手段であり、デジタル経済は結果、ネットワーク強国は目標であると述べました。

2018年、1年が過ぎ、また進展がありました。われわれが接するビッグデータ、クラウドコンピューティング、AIは増え続けています。とくにこの1年は進展が早く、すでに、それらは政務やスマートシティなどに及んでいます。各地の行政府は次々にデジタル化のタイムスケジュールを進めています。

私の今年の提言は「デジタルチャイナ建設の加速および市民生活と福祉を成長させ続けることについての提言」です。

見たところ、デジタルチャイナというコンセプトはデジタル経済よりも拡張されたものです。元々は、経済のみに焦点を当てていましたが、現在は状況が変わっており、社会における多くのものが拡張し、デジタル化できるようになっています。

私たちはここに一つの論理的関係があると考えます。2015年に語ったインターネットプラスから、デジタル経済へと進んできたのは、主に「縦向き」の拡張です。デジタル経済が広がってから、われわれは「横向き」、すなわち市民生活や政務へと拡張し、デジタルチャイナというコンセプトを作りました。それゆえに、「縦・横」という成長ロジックはわれわれがこの5~6年の時間を整理して得た感覚です。

今年の提言は比較的多く、デジタルチャイナという大きなスキームの下で、「一つと五つ、それに二つ加える」という合計八項目の提言を行います。後続の五つの提言は実際には、デジタルチャイナと関係がありますが、重点は工業、文化、金融、医療、教育というさまざまな方面に置いています。

以下、時間をいただいて、簡単にこの五つの提言をご紹介し、その後で二つの提言の内容をお話しします。

第一――工業

テーマ：工業インターネットの成長を加速し、実体経済のモデルチェンジとアップグレードを促進する提言

皆さん、これまでのインターネット利用は、基本的に全て消費インターネットでしたが、実際に

はもう一つその奥がありました。われわれは、将来、消費インターネットは工業インターネットに浸透していくと考えています。実際、これは、現在実体経済のモデルチェンジとアップグレードのキーポイントであり、実体経済のデジタル化、情報化、テクノロジー化が求められるとも言えます。当然、そのネットワークは絶対的に重要です。

工業インターネットはまだ新しく、多くの成功事例を目にするわけではありませんが、比較的良い例は、世界的重機メーカーである「三一重工」の工業インターネット利用のケースです。実際には、多くのケースがあります。われわれは先日重慶市の多くの工業メーカーと話をし、彼らには多くのアイデアがあることが分かり、話していて、われわれも大いにヒントをもらいました。また、実体経済、その中でも特に製造業関係では、いかにインターネットを使えばいいのでしょうか。上手くデジタル化することが明るい将来につながると思っています。

ここで、いくつかの問題があります。消費者は生産者が作った商品を使っていますが、昔は両者の間は離れていました。現在は、インターネットによる情報化、デジタル化があり、消費者と生産者の間に存在していた多くの過程を打ち破ることができます。生産・製造時に、リアルタイムで受け手のニーズを感じることができます。農業に関しては、多くの農業生産は実際には製造業と関係があります。ある養鶏のケースをお話ししましょう。多くの鶏は45日で成長します。消費者は、代金を2倍払ってもいいから90日育てた鶏が欲しい、と注文することができるでしょうか。そのようなことは、かつては不可能でした。そのような流通データがなかったからです。その後、生産地をさかのぼれるようになり、オーダーメイドも可能になり、消費のグレードアップが行われてからは、このようなニーズも満たせるようになりました。これらは全て、工業、農業に関係ある分野です。

他に、生産企業の内部でのＩＴ化、情報化およびそれらの基準において、データをどのようにしてクラウド側に置くのか等の事柄は全て密接に関わり合っています。私は提言の中で、それらのいくつかの方面に関する提案をしました。

中国は、製造業大国で、過去の「中国製造」から「中国創造」への道は必ずたどらなければならないものですし、主戦場かつ大変優位性のある分野です。われわれが突き進んだ道は全世界の実体経済のモデルチェンジの規範であり、中国型ソリューションでもあります。

第二――文化

テーマ：「テクノロジー＋文化」の融合と革新を推進し、デジタル文化中国を作ろうという提言

文化に関して、去年私は、「文化輸出」に言及しました。また、中国の文化企業がより多く輸出を行い、グローバルな文化の主導権を握って欲しいと思っています。今年の私の提言は主に国内文化

の成長に的を絞ったものです。十九大（中国共産党第十九回全国代表大会）の報告に、「日々大きくなる人民のすばらしい生活へのニーズと、アンバランスで不十分な発展が現在の主な問題である」とありました。すばらしい生活とは、物質だけでなく精神面により一層強い関係があります。

しかし、文化の領域では、多くのリソースの分布および利用の不均衡が数多く残っています。現在のデータでは、文化消費は人々の総支出の10％程度に過ぎませんが、将来のニーズは非常に旺盛で巨大です。私は文化における優れた商品を作り経済成長を推進するなどして、国家の文化的ソフトパワーを強化することを提言します。

私は、文化とテクノロジーが結合する必要があると思っています。テクノロジーと文化には関連があり、多くの新テクノロジーが文化の発展を促進します。例えば、ＡＲ（拡張現実）、ＶＲ（仮想現実）、ＡＩ（人工知能）などの技術は、全て文化と結びつくことができ、デジタルカルチャーは未来の進むべき方向です。また、私たちは、テンセントの位置づけを「テクノロジー＋文化」としました。

全世界的に見て、わが社のような立ち位置の企業は少数しかありません。純然たるテクノロジー企業はコンテンツや文化的商品を扱いません。また、純然たるコンテンツ企業は、インターネット技術と関わらないでしょう。テンセントに関していえば、ちょうどいいことにその両方に比較的強いので、これが新しいポジションとなります。

当然、過去には、中国に大変多くの伝統的ＩＰ（知的財産権。具体的にはキャラクター、作品を指す）がありました。例えば、皆さんよくご存じの故宮博物院、万里の長城、敦煌などです。この分野のいくつかの面で、われわれは多くの提携を行い、伝統文化の新しい息吹を輝かせています。

第三――金融

テーマ：インターネット環境下の金融リスクを防ぎ、金融のセキュリティ防御線をしっかりと築こうという提言

昨年、友人の記者が私に、金融に対する考え方を聞いてきました。その質問の中には、なぜテンセントは金融サービスグループをやらないのか、という点が含まれていました。私の意見は以下の通りです。現在、私は金融の安定と穏健性について最も懸念しています。これは、一つのマラソンレースで、誰が速く走るかではなく、だれが長持ちするか、誰が遠くまで走れるかということが、最も重要です。

実際に、「金融イノベーション」という仮面をかぶった多くの違法な金融活動が行われています。例えば、最近の「銭宝網」の事件では、高収益をエサに資金が集められましたが、多くの投資家の出資金は返ることがありませんでした。われわれは、ネット上で多くのリベートを出すとかマルチ商法、あるいは「大衆による起業、万民によるイノベーション」の旗印を掲げる詐欺師さえ見かけ、その数は次第に増えています。このリスクは非常に大きい。

過去半年から1年の間、政府とプラットフォームはこういった面における攻撃の力を強めており、押さえ込んでいると言うべきでしょう。しかし、やはりリスクはあり、そのことは、注意を促すべきです。

そのほかに、マネーファンドの市場規模も成長しつつあります。流動性が高いため、もしなにか大きな波が来たら、生じる危機にも大きなリスクがあります。また、現在多くの少額現金貸付業者に、深刻な多重債務者の問題があります。借り手の債務に関して、いくつかの大きなインターネットプラットフォームは、大量のユーザーデータを有しており、ユーザーの信用度を知ることができ、貸し付け限度に比較的科学的な根拠があります。

しかし、社会の多くのいわゆる貸し金業者にはデータというリソースがありません。それで、金を借りたいという人に、テンセントのようなデータを持っている企業に行ってみて認められる貸付額を聞いて見ろと要求します。そして、その額を根拠に貸し付けをするというのです。このやり方には、大変大きなリスクがあります。なぜならリスクを増やすことになるからです。例えばテンセントが、本来その借り手が返済できる金額だと判断しても、もしその人が他で10件とか8件の借金をしていれば、おそらく返せないでしょう。そこから多くの問題が引き起こされます。信用情報が集約できないということは、構造的なリスクがあるということです。それゆえ、これらの面も、国家の難問のうちの一つと考え、解決しなければなりません。

また、違法金融活動の駆逐、共同防衛と共同制御および段階的対応制度の構築を提言します。これらの業務に関しては、早めに、小さいうちに攻撃することが必要です。事件例を見てみましょう。われわれは、かつて、公式アカウント上で投資プラットフォームが展開されているのを見ました。一見、いいプロジェクトで、収益も大変高かったのですが、われわれはリスクがあると感じました。しかし、運営主体が持ち逃げしたり、事件化されなければ、法律上は問題があると判断するのは大変難しくなります。通報があっても、運営は正常に続きます。しかし、一旦持ち逃げされて、損害が出てからでは遅いのです。

それゆえ、リスクには早いうちに、小さいうちに対処する必要があります。問題の萌芽を見たら、段階的に処置するべきなのです。いいプロジェクトに投資しているのか、あるいは、右のものを左に動かして帳尻を合わせているだけなのかを見る必要があります。これは大きなリスクです。ここでは多くのテクノロジーによる手段が利用可能です。ビッグデータ、ＡＩはバックヤードで彼らの資金の行き先にどんな問題があるのかを見て、問題を見つけ出します。その分野ではわれわれは金融監視テクノロジーを強化することを提言します。

第四——医療

テーマ：デジタル技術によってヘルスケア・医療事業を進め、バランス良く充分に発展させる提言

インターネット＋各業界・業種は全て順調に進んでいます。ただ、医療と教育は最も難しく、しかも極めて難しい分野です。主に人と関係があり、医師や教師は共に個人です。経験は頭の中にあり、かつ、他者との相互作用が必要です。医療は患者とのコミュニケーションが必要ですし、教育では学生とのコミュニケーションが必要です。そこは大変複雑で、つながりが多く存在します。われわれは多くのインターネット教育や医療企業に投資しましたが、全て異なった角度から着手しています。

教育の分野の状況は悪くありません。１００億ドルレベルの企業が数社あります。医療の方はまだ特に大きいユニコーン企業がありません。比較的大きい唯一の企業がわれわれも投資している「微医グループ」です。しかし、全体的に見ると、微医グループは、医療業のあるべき規模には足り

ていません。しかし、私は、医療は大変重要だと考えており、あきらめることはありません。この分野にはやる価値があります。

医療をなぜそんなに重要視するのかというと、中国の高齢化は加速しており、慢性病患者も増え続けているからです。今後10数年から20年の間、高齢化は激化し、労働者がより多くの高齢者を養わなければならなくなります。これは大変大きなストレスです。この医学という分野で、もしテクノロジーの力を借りず、過去の既存のやり方に沿って行うなら、大きな試練とぶつかるでしょう。

それゆえ、私たちは、「テクノロジー＋医療」というスキームを多用することを提言します。テンセントＡＩラボは、囲碁対戦ＡＩ「絶芸（ジュエイー）」を開発し、囲碁のいくつかの試合で優勝してから、同種のＡＩ技術（深層学習）を医療に応用し、「テンセント覓影（ミーイン）」を世に出しました。つまり、医療画像のＡＩ認識という分野において、早期に最低のコストで、僻地や、医療が未発達な地域を含め、ＮＭＲ（核磁気共鳴）やＭＲＩ（磁気共鳴画像診断装置）画像を読める医師が不足している状況で、ＡＩ技術によって迅速に疾病をふるい分けることができるようになるということです。現在、効果は非常に高く、この半年で、１００以上の三甲医院（最高レベルの病院を指す）ですでに使用され、将来われわれはそれらを計器の中に統合することさえできるでしょう。そうなると、画像をスキャンしたらそのまま結果が出るようになるのですが、このことの意義は大きいと思います。また、私たちは、現在診断補助システムを開発中であり、画像を読むだけでなく、症状に基づき、医師の診断を補助できるようになります。

多くのわれわれの提言は実行可能です。例えば、電子カルテ、電子処方箋、健康管理、病院事務管理の運営効率などがそこに含まれます。これらは皆、インターネットを含むデジタル技術によって解決できます。

第五——教育

テーマ：青少年の科学教育及びデジタルリテラシーを強化し、未来に向かうイノベーション人材を育成する

過去、私の子供の頃の夢は天文学者になることでした。そのあとにはコンピューターを学びたいと考えるようになりましたが、これもテクノロジーと関係があり、まあ、悪くありませんでした。しかし、現在は、科学者になりたいと考える子供は少なくなり、私たちの時代ほど多くありません。

なぜ、私はこんなにもテクノロジーを重視するのか。ここ数年、世界的なテクノロジーの革新が大きな「風の吹くところ（潮流に乗り急成長が見込める場所）」になったのをご存じでしょう。私たちは将来テクノロジーが全世界の発展をけん引する第一の動力になると考えています。各国の競争は

主に科学技術の力から来ると言えます。現在、よく「グローバル時価総額ベスト10」ということが言われます。過去には、エネルギー運営企業などのリソース型企業でしたが、現在は10社のうち7社がテクノロジー企業です。それゆえ、テクノロジーは、未来の人材にとって、子供が将来何を学ぶかということを含め、将来を見据えたガイドなのです。それゆえ、私たちが過去に提示した「未成年のネット接続を保護しよう」ということだけでなく、保護を超えて「導く」ことをより広げていくべきだと考えています。

私は、科学教育が育成するのはその人の才能であると考えています。そのほかに、ITリテラシーにおいてより一層重視されるのは人徳であると考えています。なので、人徳と才能を兼ね備えたデジタル世代こそが、将来の発展の大役を担いうるでしょう。

これは、非常に複雑で重要なことです。必要なのは、政府、企業、教育機関、科学研究機関ですが、最も重要なのは家庭が協力して行う努力なのです。

以下の内容は大変多いので、一つひとつ紹介しませんが、われわれも一部の新興科学技術とテクノロジーの利用を試していきます。VR、AR、AIのほか、遠隔操作により辺境地域の子供にネットワークを通じて教育とテクノロジーのさまざまな面を楽しんでもらうことなどがそこに含まれます。今年、われわれもシリアスゲームを作りました。シリアスゲームとは、一般的な娯楽用ゲームではなく、科学の普及、物理、科学や多くのインタラクションなどを含む教育をゲームという形式を通じて子供達やより多くの人と接触させるものです。これは、われわれの教育とゲームの結合における方向です。

先ほど私がご紹介したデジタルチャイナは、ほぼ「一つが良くなれば他も良くなる」状況であり、全てがデジタル化に関するものです。

最後に二つの提言をします。去年に倣って、一つ目は「地域発展」で、二つ目は「環境」としましょう。

地域発展に関して、去年、私は、グレーターベイエリア（香港、広東、マカオの湾岸地域）あるいはテクノロジー湾区に関する提言を行いました。今年の私の提言は「グレーターベイエリアの建設を加速し、地域の融合と発展を推進する提言」です。

グレーターベイエリアはこの1年大変「アツい」状態です。われわれは、昨年6月にもこの地域でフォーラムを開催しましたが、その効果は素晴らしいものでした。

ここで、私はいくつかの提言をします。

一つ目の提言は、現在各方面において、素晴らしいトップグランドデザインによる協議システムはまだできていないのですが、中央レベルで広州・香港・マカオの「グレーターベイエリア」の共同リーダーチームを設立し、その構成員は各分野の責任者とすることです。最もいいのはよりハイレベルの人がリーダーとなりグレーターベイエリアの発展を促進することです。

二つ目の提言は、われわれも香港の行政長官と対話すること。例えば、香港と本土の出入り、人材の流動に関して、香港の人は時折不満を感じるようです。香港・マカオの同胞が本土に来たとき、われわれがウィーチャットペイ（微信支付。スマホ決済システム）を使うのを見て、便利そうだとうらやましがります。彼らにはこのサービスは使えません。香港の金融管理局の陳徳霖総裁がこう言っていました。「香港人が本土で食事をして、支払いをするとき、他人がモバイル決済を使っているのを見て、自分も使いたいと思うのだけれど使えない」彼は大変うらやましく思い、いつ香港でもこのサービスがつながるかと見ているそうです。しかし、香港・マカオの同胞は、国内の金融機関およびネットワークサービスにおいて、その身分証を本土とおなじようにすることはできません。例えば、申込書に書き込みをした後、われわれのバックヤードには公安部とのアクセスがあり、その身分証の真偽や写真が正しいかどうかを確認できます。しかし、香港・マカオにはこのシステムがないので、それが欠陥の一つです。このような条件が整わなければ、多くのサービスが使えるようにはなりません。

われわれは、グレーターベイエリアの「E証通」（生体認証による電子証明サービス）あるいは「EID」（電子ID）などの実験地域を作れないだろうか、と提案します。事実上、われわれはそれを推進しており、できるようにしたいと考えています。

当然、香港には多くの意見があります。回郷証（港澳居民来往内地通証。香港・マカオ住民の本土内での通行証）、身分証、香港・マカオ通行証などをそのシステムに入れれば、私が通関するときももっと便利になるでしょう。当然、これは良い提案ですが、そこはやはり複雑で、通関システムとつなげなければなりません。技術的には、私の立場から言うと、全て可能です。

私は、これは小さな一歩であり、少なくとも実際的な提言だと考えています。

三つ目の提言は、グレーターベイエリアと産業の共同設立です。多くの人が深圳、広州は、イノベーション産業が比較的強いことを知っています。香港は金融の分野が大変強く、当然、フィンテックを発展させることができます。また、珠江デルタ地域全体の多くの都市が、スマート製造、ハイエンド製造業に強く、この三者のソフトとハードとサービスを加えると、そのパワーは非常に強くなることをわれわれは知っています。

われわれは、ソフトおよびハードとサービスを活かすことを提言します。この三者を結びつければ、優位性のある産業を際立たせることができ、この施策はグレーターベイエリアに適しています。その中で皆が、互いに排除し合うのではなく、力を合わせる必要があります。競争するのではなく皆が力を合わせて一本の縄を綯い、産業というものを共に作り上げるべきだと思います。

四つ目の提言は文化の融合です。長期的なグレーターベイエリアの隔離による、最大の問題は若者の心にあります。彼らは互いが理解できるでしょうか。いえ、見知らぬ人のような気持ちでしょう。以前は両者間にあまり交流がありませんでした。私は、これが最大の問題だと思います。それゆえ、去年、グレーターベイエリアフォーラムに経済学者の周其仁教授をお招きしましたが、彼の意見は大変興味深いものでした。曰く「この融合はスープを煮るようなものだ。どのように煮れば、このスープは最もおいしくなるのか。カギは皆が融合することにある。この材料にはもう火が通っている。食材がまだ煮えていなければ、人々はまだ疎遠で互いを分かっていないということだ。それではスープは失敗だ。カギは、互いがよく知り合い、融合することだ」それゆえ、私たちは一つの試みを行っています。昨年われわれは、サマーキャンプを開催しました。三カ所の子供達に一緒に集まって欲しかったので、深圳でサマーキャンプを提供しました。われわれは、テンセントや、ドローンメイカーのＤＪＩ、万科の建築テクノロジーなど、多くのテクノロジー企業や多くの文化的産業を訪ね、こどもたちに本土のテクノロジー分野の発展が理解できる機会を提供しました。その効果は素晴らしく、われわれは毎年これを実施し、規模を拡大したいと考えています。多くのグレーターベイエリアの企業は、この方面で力を貸したいと考えています。

五つ目の提言は、中国企業と中国資本をグローバルに進出するための橋頭堡をつくることです。また、私たちは国が政策を出し、本土の大型の中央企業（政府の管理監督を受ける企業）や民営企業に香港・マカオで、国際本部を作ることを奨励して欲しいと考えています。私はこの政策があれば、多くの企業が国内外で力を発揮すると信じています。

最後のひとつは、環境保護に関することです。昨年、私は「スポンジシティ」（雨水を都市の中に蓄え、その雨水の蒸発により冷却される都市）に言及しました。今年、私が注目しているのは、国有公園の建設と管理です。総書記も言及しておられましたが、緑と青い山は大変貴重です。どのように保護し利用して美しい中国をつくるかについては、国外の経験からみて、国有公園制度というのが一つの中核的手がかりになります。昨年9月、政府は国有公園建設の計画を出しましたが、私はもっとできることがあると感じています。いくつか提言をさせていただきます。

法律的には、私は「国家公園法」を定めることを希望します。そうすれば、われわれが参加している「桃花源」のような国内の公益環境保護組織が法律に則り問題を解決でき、できることの境界が明確になります。また、国有公園の公益寄付および協議、保護の制度を整えることができます。例えば、国有公園の中は、国外からも見ることができ、企業や公益組織あるいは個人に寄付させることができます。例えば、山道を作ったり道路を作ったりして、企業の名前を冠してもいい。これは大変有意義で、環境保護や国有公園への旅行にとって大変良いことだと思います。また、過去のように、４Ａ景勝地（中華人民共和国国家観光局が定める各地の観光地の等級の上から二つ目）、５Ａ景勝地（同一番上）を巻き込んで不動産を開発したり、入場料を徴収するのはよくないと思います。そのやり方はもう時代遅れです。私は国の公園を作るべきであり、入場チケットは要らないと考えています。多くの人が入れるが、人数はコントロールし、多くなりすぎないようにする。私は、これは大変よい方向だと考えており、この提言をさせていただきます。

ＩＴサミット（２０１８年３月25日）

今日の大会のテーマは「デジタルチャイナ」です。昨日、クローズドの会議があり、テクノロジー、イノベーションについて相当な量、皆で話をしました。皆さん、テクノロジーの威力と優位性が日々明らかになっていると感じていました。この1～2年、世界の企業評価額ベスト10は、エネルギー、金融、プロバイダーといった旧来のリソース型企業から、純粋なテクノロジー企業へ次々に変わっています。全ての業界は、テクノロジーの進化や情報技術により、モデルチェンジし、グレードアップする必要があります。

10年前、全てのインターネット企業はナスダックへ押し寄せ、中にはニューヨーク証券取引所を志向する所もありました。皆、そのあたりが非常に活発で投資家が多いと感じていたのです。しかし、私たちはＶＩＥ（変動持分事業体）だったので、選択肢が香港証券市場かナスダックだけしかありませんでした。最終的に、われわれは香港を選びました。そのとき多くの人が、香港市場は雰囲気が良くないし、株価収益率（ＰＥＲ）の低い旧来型業界の企業ばかりで、テクノロジー企業が高い収益率を求めるのは難しいと言いました。しかし、われわれは長期的な考えがあり、短期的な1～

2年の高PERを追い求めないようにしました。われわれのユーザーは中国の本土市場にいて、彼らもわれわれがしていることを理解してくれました。われわれは投資家の人たちと同じ場所にいることを望みました。夜になってやっと株価が分かるような事態は避けたかったのです。投資パートナーとリズムが合うことは、夫婦の生活時間が一致することが望ましく幸せなのと同じです。そして、香港取引所は最終的に中国のテクノロジー企業の人気の的になりました。

簡単なQRコードが最も消費者に認知されやすい

講演の時間は長くありませんので、いくつかのことに重点をおいてお話しします。今日、深圳のスピードの源となっているのは何でしょう？　私は、イノベーションだと思います。深圳市委員会市政府のサポートを受け、私は深圳のスピードはまだ続くと信じています。この数年でモバイル決済は大変に普及しました。西北部の農村で、農民が自分の作物を売るときも、その上にQRコードを貼って、「ウィーチャットペイ、対応しています」と書いてあり、50元（約750円）分買えば駅まで届けてくれるような状況になっています。

なぜ、ここ数年、各業界・業種がデジタル化への転換について話題にしているのでしょう。最大の変化は2010年前後に始まりました。従来のPCを利用したインターネットから、モバイルインターネットへと急速にシフトしたのです。これは、スマートデバイスのおかげです。2011年に大ブームが来て、全てのアンドロイドスマホが急速に普及し、大量に生産されました。それに加えて、通信業者は3G、4Gの普及を行い、端末、高速ネットワークなど、全ての基盤が社会経済のオンライン、オフラインを迅速に融合させました。つまり、スマホがあれば基本的に、時と場所を選ばずオフラインサービスをオンラインにつなげられるようになったのです。

２０１２年には、われわれは、ＱＲコードは簡単な技術に見えるが、将来オンラインとオフラインをつなぐ重要な架け橋になる、と言い始めていました。われわれは、ウィーチャットで友達を追加するとき、意図的にＱＲコードをスキャンするように設計しました。皆さんにＱＲコードをスキャンすればすぐウィーチャットが立ち上がると知ってもらうためです。ブルートゥースも、ＮＦＣも不要で、スキャンが、一番簡単なのに消費者に認めてもらえる。シェア経済でも、モバイルのスキャンがなければ、現在、装置の要らないシェアバイク業態は誕生できていなかったでしょう。

「縦」「横」「新」について

中国のデジタル化の過程にはこれらの変化があったため、先進国よりも進歩が早かったと言えます。中国政府は２０１５年にインターネットプラス政策を打ち出し、２０１７年にデジタル経済を、そして今年（２０１８年）には「デジタルチャイナ」を打ち出しました。われわれはどのように、デジタルチャイナの発展を理解すればいいのでしょう。「縦」「横」「新」という三つの角度から私の理解を解説しようと思います。

「縦」はインターネットプラスからデジタル経済まで、インターネットの情報技術を利用してそれぞれの業界を改造することを指しています。以前、人々は、ニューエコノミーと既存業界は衝突し、互いに排除し合う関係だと考えていました。その後、皆、少しずつこの両者は相互補完的で、深く融合することができると認識するようになりました。

最近、多くの人が言及している「スマート小売」ですが、われわれは確かに多くのニーズが変化しつつあるのを知っています。多くの小売店が、新しいテクノロジーを使い始めています。例えば、ウィーチャットのミニアプリ（スマホアプリの中で起動する、機能を特化したアプリ）や公式アカウントなどはそのままスキャンすればオンラインショップに跳べ、注文することができ、非常に便利です。多くの中間サービス業者はこの種のツールを利用し、オフライン店舗にサービスを提供しており、それぞれの小企業が複雑なアプリを開発する必要はなくなりました。

われわれの主な目標は何でしょう？　なぜわれわれのプランはよりオープンで互換的なのでしょう？　テンセントが重視しているのは何でしょう？　われわれは、ウィーチャットユーザーに、より多くのオフラインのサービスとつながって欲しいと思っており、つながると便利だ、という状態が最大の目標です。そこにはどんなメリットがあるのでしょう？　まず、支払いに関するメリットは、決済の後に金融サービスが付いてくることです。第二に、クラウドの発展に関するメリットは何でしょう？　クラウドコンピューティングは、将来、リアルの業界がクラウド側でＡＩを使ってビッグデータを処理するのを助けるようになります。私は、これは全ての企業がするべきだと思っています。第三は広告に関するメリットです。オフライン、ブランド業者の既存の広告のやり方は効率が低く、多くのお金が無駄に使われています。将来、デジタル化という方式で、ソーシャルシステムの中で、成果報酬型広告が採用されれば、より良いと思います。

われわれは、小売はしません。商売さえしません

正に、上記の理由により、われわれの姿勢はオープンです。われわれは自分で小売をしたことがありません。われわれは小売も、ものを売ることさえもしません。われわれはただ、コネクター（連結器）の役割を担い、基盤層として存在します。クラウド、ＡＩ等のインフラを使い、皆さんを助けます。われわれはＳＩ（システムインテグレーション）を、全ての提携パートナーに譲ることさえもできます。ＳＩ業者は今まで通りわれわれと提携でき、長年の努力やシステムは無駄になりません。さらにわれわれのサービスを加えさえすれば、いいソリューションができるのです。

ミニプログラムは注目のプログラミング言語となっており、そのことに感激し誇りに思っています

現在、開発者のエコシステムは少しずつ成長しており、その中にはミニプログラムも含まれています。ミニプログラムはわれわれの、極めてハードルの高いイノベーションです。私はプログラマー出身で、長年プログラムを書いてきました。学んだプログラミング言語は、Ｃ原語もＪＡＶＡも全てアメリカのものでした。

ミニプログラムは現在、中国のプログラマーにとって最も注目の統合開発環境（Integrated Developing Environment：IDE）であり、熱心に学んでいる言語環境となりました。書店あるいはオンライン書店で、ミニプログラムについて探すと、大量の開発、アプリの書籍が出ています。おそらく外から見たら大したことがないと見えるでしょうが、私は、プログラマー出身者として、大

変感激し誇らしく思っています。私はとくにミニプログラムという分野を重視しています。これは、中国のＩＴ業界の一つの成果なのです。

ＩoＴ、ビッグデータ、クラウドコンピューティングは製造業をモデルチェンジしアップグレードする

縦向きの深化と融合には、さらに例があります。小売業はその中の一つに過ぎません。工業化では多くの企業の、製造とインターネットの統合によって、既存の生産者は淘汰されることを恐れています。現在、自動車産業は自動車製造業からモビリティサービス業へと変容しており、ただ自動車製造のみに甘んじてはいません。以前は、自動車の使われている時間は10％に満たなかったのですが、シェアが進めば、使用時間が10倍、20倍伸びるでしょう。新車購入ニーズはそれほど大きくありません。われわれが以前言及した、掘削機メーカーの三一重工は、サービス業に転換し、機械の使用時間の長さによって料金を徴収するようになりました。大型の重い機械を売る必要がなく、リースすればいいようになったのです。

これらは、全てＩoＴ、ビッグデータ、クラウドコンピューティングによって、まるで変身するように製造業をモデルチェンジとグレードアップしたものです。農業にも多くのニーズがあります。消費のグレードアップ、中産階級の増加により、人々は農産品への信頼が高まることを望んでいます。トレーサビリティだけでなく、品質への要求も高まっています。例えば、現在、鶏は全て短期間飼育で、45日で育て上げます。そんななかで、たとえば、２倍代金を払うから90日かけて育てた鶏を買いたいというようなニーズは素晴らしいと思います。

ニーズがあり、情報や手段があり、注文があれば、私は90日かけて育てた鶏が欲しいとか、平飼いにして欲しいとか、運動歩数は何歩がいいとかいうような差別化されたニーズが満足させられるようになりました。過去には、そのような方法はありませんでした。養鶏業者はおそらく「2日多く鶏を育てたら、自分は損をする。他の人より、鶏を売るまでに余計に2日もかかるからだ」と考えたでしょう。それは皆が明確な指標を持っていないことにより、品質を見極められなかったり、そのようなニーズを持った消費者を養鶏業者が知らなかったり、注文が届けられなかったりするからです。今後はそのような状態は変化するに違いありません。

市民生活サービスの分野にはインターネットプラスとデジタル化のチャンスがある

つぎは、「横」について話しましょう。デジタル化は経済から市民生活、政務などの領域にまで広がります。ある程度横に広がったら、デジタルチャイナの全体像が構築されます。交通、医療、教育といった市民生活に関するサービスは、産業でありながら多くの市民生活問題に関わり、政府が最も関心を持っている問題でもあります。そこには、多くのインターネットプラスとデジタル化のチャンスが潜んでいます。

例えば、観光アプリ「一部手機游雲南」（略称「一部游」）は、スマホに、旅行の全ての情報、データを集めることができ、人々が旅行中に不満に思っていたわかりにくさや、店にぼられるといった問題を、情報化という手段によって完全に管理することができます。旅行客はスマホで評価を付け、ワンキーでクレームを付けることもできる。政府は組み合わせてひとまとまりのクレーム処理システムを作り、迅速に処理の進捗を追跡し、改善したかどうかを見ることができます。

われわれが3月1日に北京で記者発表会をした際、多くの市や省、その中でもとくに旅行先として人気の省、直轄地が興味を示しました。旅行産業は消費のグレードアップ後に盛んになり、現在正に巨大ニーズが爆発しているため、内部には多くのペインポイントがある状態です。

「E証通」の試験地区制定の提案

最後に、「新」について話させていただきます。中国経済は現在、高速成長から、高品質成長へと転換している最中です。高品質成長のよりどころとなるのはイノベーションであり、イノベーションのよりどころとなるのは人材です。このロジックは正しく、理にかなっています。われわれの深圳（テンセントの本拠地は深圳）について、グレーターベイエリアを含め、私は一つの具体的な提言をしたいと思います。香港・マカオの身元証明書はつくれないでしょうか。例えば「E証通」などと言う名前で。

現在、香港・マカオの住民は本土でモバイル決済が使えません。なぜなら本土のインターネットサービスや金融サービスは香港・マカオの身元証明証を認証できないからです。一体どうして本土で香港・マカオの人の認証ができないんでしょう。香港・マカオとの行き来を含めて、手続きをもっと簡単にできるか、電子証明書を使って通行可能にできるかなども課題です。われわれは、まず大きなことは言いません。最も基本的な人材の流動が解決できるかどうかは、全て人材、イノベーションと関係することです。

グレーターベイエリアの子供達や青年達が互いによく知り、認め合えば、将来、本当に融合できる

また、われわれは若者を育てたいと思っています。グレーターベイエリアの子供達を交流させたい。なぜならば最大の溝は文化の溝だからです。これまで長年にわたり、あまり往来がありませんでした。子供達や青年たちに互いを知り、認め合うようにさせる必要があります。そうすれば、将来、真の融合ができるのです。われわれは、何か行動を起こさなければなりません。

それゆえ、われわれは、去年サマーキャンプを開催し、香港、マカオ、広東の三カ所の学生をサマーキャンプに招待し、ＤＪＩ（世界トップクラスのドローンメーカー）や万科（大手住宅不動産開発業）を含む、深圳の多くの企業のテクノロジーの成果を見学してもらいました。今年もわれわれは、続けて開催します。香港の大企業は、おそらく不動産業であっても、多くのイノベーションやテクノロジーの要素があり、彼らも金銭やその他のリソースを提供し、子供達に彼らの会社へ見学することを望むでしょう。われわれは深圳でももっと多くの企業が参加してくれるよう望みます。

インターネットプラスは手段であり、デジタル経済は結果である。デジタルチャイナあるいはネットワーク強国が目的だ

全体的に、デジタル化というモデルチェンジは、将来に対する重大なチャンスであり試練です。私の理解では、インターネットプラスは手段であり、デジタル経済は結果です。デジタルチャイナ

あるいはネットワーク強国が目的なのです。

最後に、四つの意見を申し上げます。一つ、中国の実体経済はデジタル化の舞台へ進み、真の主役となる必要があります。さまざまなツールを備えたインターネットと新型のインフラによって、モデルチェンジとグレードアップを実現します。二つ、公共サービス、すなわち市民生活サービス、政務などの分野でもデジタル化というレベルアップにより、社会のペインポイントの解決、市民生活の改善、社会管理の改革が必要です。三つ、グレーターベイエリアでデジタルチャイナのチャンスを捉え、境界を越えたイノベーションを行い、世界レベルの湾岸地区を打ち立てましょう。最後に、デジタルチャイナ建設がグローバルなデジタル化のプロセスを加速させ、世界に「中国モデル」および「中国ソリューション」を提供することを望みます。

皆様、ありがとうございました。

2018中国「インターネットプラス」デジタル経済サミット（2018年4月12日）

ご来賓の皆様、メディアの皆様、こんにちは。

司会の方からご紹介がありました通り、本日は4回目のインターネットプラスサミットです。今回はこの4回で最大規模となりました。今回は12のフォーラムを行い、累計出席者は6000人を超えています。去年の杭州大会と比べ、一段と規模が大きくなったと言えるでしょう。今回のフォーラムでは、小売り、金融、メイカーズスペースなどの新しい領域が加わりました。

今回われわれが重慶を選んだことには大きな意義があります。ある面では、重慶という都市には中国のデジタル化の歩みにおける、大きな象徴性があります。重慶は西部に位置し、イノベーションの活力がある町です。デジタル化というグレードアップを通して、西部地区で、ちょうどレースのカーブで車が追い越しをかけるように、他を追い抜き急速の進歩を遂げることを期待しています。

また、別の面において、嘉陵江と長江がここで合流するという比喩を用いて、楊学山先生が、生き生きとわかりやすくデジタル化の大きな流れを示し、同時にデジタルマイスター精神という新しい理念を提示してくださいました。私も、楊先生がおっしゃった精緻なデジタルマイスターになれることを望んでおり、われわれはその役割をしっかりと果たしたいと考えています。

ご存じの通り、2015年に中央政府の活動報告で「インターネットプラス」が提唱され、去年には「デジタル経済」、今年は「デジタルチャイナ」が提唱されました。デジタル化の歩みは1年ごとに前進していると言えます。私の理解によれば、「インターネットプラス」は手段であり、デジタル経済は結果、デジタルチャイナとネットワーク強国は目標であり、それらは皆同じ流れをくんでいます。

この過程も、「縦」「横」「新」というキーワードで理解できます。「縦」はインターネットプラスとそれぞれの垂直統合業界が絶えず深化し融合しつつあり、そのことがデジタルエコノミーを発展させることを指します。「横」はデジタル化の過程が、経済という領域から、政務や市民生活を含む社会のそれぞれの領域へと急速に拡大し、デジタルチャイナの建設を後押しすることを指します。「新」は「縦」と「横」が交差し融合することがもたらすイノベーションを指しています。中国経済を「急成長」から「高品質成長」へと変化させ、最終的に「大国」から「強国」への転換という目標の実現を後押しするでしょう。

今日、私は皆さんにお伝えしたいことがあります。中国のデジタル化の過程において、テンセントは、どんな役割を果たし、どんな作用を発揮し、どんな目標を達成することを目指しているのか。私は、ここで「一三五七」という数字、すなわち「一つの目標、三つの役割、五つの分野、七つのツール」という言葉を用いて話してみたいとおもいます。

「一つの目標」について。過去数年間、インターネットプラス推進の過程で、テンセントも自らのポジショニングについて考え続けてきました。われわれは、自らの行うことと行わないことは自分で決めるようにしたいと考えています。もし、われわれがインターネットプラスに関することをやる際に、他人をプラスするか、あるいは他人にわれわれをプラスする必要があるなら、まずわれわれは「引き算」を行わなければなりません。インターネットから何かを引いてから、初めて他者をプラスすることができるのです。

現在、われわれの目標はより鮮明になっています。われわれは各業界や業種に進出し、既存のプレイヤーに取って代わるのではなく、各業界・業種の「デジタル化のためのアシスタント」になろうとしています。われわれが長らく蓄積してきた技術と能力により、各業界・業種のデジタル化というモデルチェンジとグレードアップの実現を助けます。

「三つの役割」は、この目標を実現するためにわれわれが専心する三つの事柄です。つながり、ツール、そしてエコシステム。そのため、テンセントは三つの役割をしっかりと演じる必要があります。

一つ目の役割は「コネクター」です。われわれは各業界・業種が「デジタルワールド」に入るための入り口、つまり、API（アプリケーションプログラミングインターフェイス）を提供したいと考えています。最もよく、最も豊富な入り口を提供します。二つ目の役割は「ツールボックス」です。われわれは各業界・業種に最も整備された「デジタルツールボックス」つまりSDK（ソフトウェア開発キット）を提供したいと考えています。三つ目の役割は「エコシステムの共同構築者」で、われわれはオープンで協力し合うという考え方をもって、新しいインフラを提供し、各業界・業種のパートナーと共に、デジタルエコシステム共同体を作り上げ、それぞれの参加者におけるデジタルイノベーションを触発したいと考えています。

次に、「五つの分野」についてお話しします。過去2年間、デジタルチャイナは次の五つの分野で展開され推進されてきました。市民生活関連の行政事務、生活消費、生産サービス、生命・保健、そして生態系や環境保護。テンセントはこの五つの「生」という文字に関わるデジタル化を助けたいと考えています。われわれは多くのプロジェクトを手がけています。時間の関係上、そのうちの一部だけを取り上げて皆さんにお伝えします。

一つ目のケースは「インターネット+税務」。つまり、市民生活関連の行政事務に関することです。今回重慶に来る前、わが社の人間が、私にこのような逸話を教えてくれました。昨年末、重慶の国税局で実行された「インターネットプラス」のプロジェクトで、ウィーチャットの公式アカウントを通じて「電子税務局」が実現したのです。重慶山地区のある養鶏農家は、鶏卵を販売した際の発票（税務管理に利用される正式な領収書）を発行しなければなりませんでした。それで彼は早起きして、数時間かけて、市内の税務庁舎へ行きましたが、窓口で、必要な書類が揃っていないことに気づきました。以前のプロセスなら、彼は家に資料を取りに帰り、翌日再び庁舎へ行かなければなりませんでした。しかし、税務局のスタッフはこの養鶏農家に「重慶国税」のウィーチャット公式アカウントを使って、ユーザー登録し、オンラインで認証することを薦めました。最初、この養鶏農家はスタッフのすすめをなかなか受入れませんでしたが、スタッフは長い時間かけて彼を説得し、やっとやってみる気にさせたのです。すると、彼はその「うまみ」に気づきました。その日、手続きを完了するだけでなく、その後も家でウィーチャットの顔認証を使えば税務手続きができるのです。税務局は郵政部門を通じて、直接「発票」を彼の家に送付することもできます。

ウィーチャットを利用した税務手続きに関するこの実話は象徴的なものです。過去数年間にわたり、われわれは、「インターネット＋生活関連の行政事務、都市サービス」の模索を通じて、政府部門が「役所」をネット上に移行させ、各種の納付、出入国、交通、税務などの手続きの処理を日々便利にしていくのをサポートしました。また、一般庶民が手続きのために、「1回行けば済む」どころか、役所に行く必要もなく、ネット上で手続きを済ませられるようにしました。われわれは、現在、電子書類をウィーチャット上で取り扱うことを模索しており、今後、毎日身分証や免許などの多くの証明書類をいつも身につけている必要はなくなります。当然、これらの利便性の背後には、政府部門とわれわれの大量の作業があります。重慶国税という「電子税務局」は十以上の税務関連事項を統合して、「ワンストップ型」の手続きを実現し、人々の税務手続きの時間を90％も節約しています。その背後では、ウィーチャット公式アカウント、クラウドコンピューティング、ビッグデータ、AIなどの技術が運用されています。

そのため将来、各地方政府が次々とデジタル化のスケジュールを組むという流れになるでしょう。例えば、われわれは広東で非常に重要な「デジタル広東」というプロジェクトを行っています。これは、今年の広東の最重要プロジェクトです。目標は「データの盤面」をつなげ、今年の政府の機構改革と結合させることです。また、このプロセスの再生により、一般庶民や企業への政府のサービスのプロセスと効率全体を簡略化できるよう望んでいます。

二番目の案件は、交通、教育、旅行の「ワンコード」で、生活消費に関することです。昨年末、私は重慶で、乗車コードで長江ロープウエーに乗車できるという体験しました。今年、われわれはすでに重慶、広州、三亜、鄭州、合肥、フフホトなど50近い都市で、スマホを開いてウィーチャットのQRコードをスキャンすれば、すぐに乗車できるようにしています。乗車コードは0・2秒という反応速度を実現し、電波のつながらない状況でもスキャンでき、「まず乗車、後で支払い」が可能です。将来われわれは乗車コードを切符のようなデザインにしたいと考え、また、コレクターの人が交換し合ったりして楽しんでいる郵便切手のようなソーシャルな遊び方が加わるといいと考えています。また、もし乗客の身許がちゃんと認証できたら、将来、おそらくセキュリティのストレスの緩和を模索するのに用いられるでしょう。同時に、乗客の身許も実名での認証が可能になり、都市のセキュリティを含めた管理の負担の緩和にとってもメリットがあります。

同じことが教育分野でも言えます。われわれは大学でも、デジタルキャンパスというソリューションを推進しています。例えば、学生が学内においてスマホでQRコードをスキャンして、寮の出入りのセキュリティチェック、授業の出欠、図書館のゲートチェック、食堂での消費などのシーンで使うことができます。現在、われわれは、北京大学などの数十の大学で、「キャンパスコード」を通じてこのようなアイディアを実現しています。「キャンパスコード」の背後には「ウィーチャットキャンパスカード」の一連のソリューションが存在しており、大学内での全てのシステム全体をつなげることができます。講義の出欠も登録でき、学生はスマホのコメント書き込み機能により、教室で教師と講義に関するインタラクションを行うことができ、図書館へ行くときも、スマホで座る位置を選ぶことができます。かつて、われわれが学生だったときは、ノートで席取りをしたものでしたが、そのようなこともスマート化によって解決できるのです。

旅行に関して、先月、われわれと雲南省政府は「一部手機游雲南（一台のスマホで雲南を旅する）」というプロジェクトを発表しました。今後はスマホで、アプリやミニプログラム、あるいは公式アカウントを開けば、雲南で気軽に旅行を楽しめるようになります。この中には多くのイノベーションが隠れています。彼らはこのサービスに関して「一碼通（一つのコードで通れる）」という面白い呼び方を提示しました。つまり、皆さんが雲南各地へ旅行した際に、いちいち乗車切符を買わなくてもよく、全てのオフラインの支払いという過程を「一碼通」でできるようになるということです。そのほかに、「食、住、移動、観光、ショッピング」の五大サービスも、全面的なデジタル化というアップグレードが進んでおり、ワンキーで注文したり、トイレを探したりでき、ガイド等の情報もスマホで「一網打尽」にできます。このアプリは一方で千万に上る旅行客とつながっており、もう一方で数百の政府部門及び数十万の店とつながっている。それゆえ、旅行客は旅の全工程において、いつでもどこでも「ワンキー投書」を監督部門に送ることができ、また、下の方には各店ごとに全ての信用スコアが書かれています。

第三番目のケースはスマートリテール（小売）であり、生活消費分野に属するものです。多くのパートナーが、テンセントの小売分野での戦略を知っています。最近も何回も、われわれは自分で小売をすることはなく、小売商のための「デジタル化のためのアシスタント」になりたいということを強調してきました。数年前に始まったウィーチャットによる決済から、現在の「スマートリテールソリューション」までの過程で、オンラインとオフラインの商品の販売システムの構築、ファンの一体化運営、広告とマーケティングの閉じたループを完成させてきました。例えば、最大の小売商であるウォルマートが電子化を開始し、多くの店舗がウィーチャットミニプログラムによって「スキャン支払い」が可能になり、人手がなくても支払いができるようになりました。また、「永輝スーパー」では、ウィーチャットミニプログラムを通じて、直接オンライン店舗を開き、家にいながらにして注文を完成させ、30分で配達してもらうことができます。

また、例えば、昨年末、われわれと深圳の靴販売企業「ベル（百麗）」は共同でスマート店舗のグレードアップソリューションを開発しました。例えば、われわれは顔認証カメラなどのセンサー設備を配置しており、客の流れや、店舗のホットスポットがどこか、あるいは、顧客は店をぶらつくときどのように移動するかなど全てデータによって見ています。例えば、店長はリアルタイムで全ての店員が案内している顧客の数、時間、成約率などを見ることができ、ねらいをしぼってスタッフに特別な指導を行うことができます。

今後、店は消費者の購買行動に対する分析を通じて、店舗の場所決定、商品棚の陳列の改良を行い、同時にＬＢＳ（位置情報サービス）広告で流れを呼び込んだり、公式アカウントでコンテンツをプッシュしたり、ミニプログラムのサービスや優待券を出すなど、人に合わせて千差万別のやり方を実現できます。近いうちに、テンセントと、電子機器メーカーの「歩歩高」が提携して作ったスマート店舗が運営を始めます。歩歩高が今大会にもたらした素晴らしいケースに注目してもいいでしょう。将来、消費マーケティングという分野のデジタル化の生産設計という部分に対する影響は次第に強まると信じています。このことは、工業インターネットとスマート製造の発展にとって、深い意味があります。

四つ目のケースはスマート医療、つまり生命と健康に関するものです。われわれは医療の分野でも多くの模索を続けてきました。ここ数年、人々は皆病院で受付や支払いの際には並ばなければならないものだと感じていましたが、われわれは病院と提携し、受付、支払いから着手し、ウィーチャットで、患者さんの診察に関わる全過程の問題を解決し、人々の時間を節約しました。これらの問題の解決後、われわれは、検査カルテ、処方箋、医療保険、疾病保険という部分をつなげることができると気づきました。それゆえ、われわれと社会保険部門は提携し、次々に27省・市において「ウィーチャット社会保険カード」を発行しました。多くの都市の使用経験に基づき、病院が「ウィーチャット医療保険支払い」をリリースすると、患者は一人あたり40分以上の時間を節約できました。

昨年、われわれはデジタル技術を医療分野に応用し、診療という過程を変革しました。テンセントではAIに基づく医学製品である「テンセントミーイン（騰訊覓影）」を世に出し、AI医学映像技術を用いて、診療をサポートしており、食道がん、肺結節、糖尿病の眼底病変など多くの疾病の篩い分けをカバーしています。現在、ミーインはすでに100以上の三甲病院（最高レベルの病院）で実用され、医師の診断効率及びその正確性の向上に資しています。現在、「テンセントミーイン」は重慶の多くの三甲病院でも使われています。

それと同時に、われわれと広西省柳州政府はウィーチャット受付、支払いなどの機能を基礎とし、全国初の「院外処方フロー」サービス、院内処方発行、院外での薬品購入、さらには薬品宅配の実現を試みています。処方フローは衛生委員会、病院、薬局、製薬会社などの多くの部門に関わり、そこでわれわれはブロックチェーン技術を用いて処方の改ざん防止を実現しており、この技術の実際の利用を推進することを考えているところです。

五つ目は「インターネット＋農業」、すなわち生産サービスです。このケースは比較的長いので、一つひとつは紹介しません。全体的にいうと、企業用ウィーチャットの技術を利用して、企業が効率向上という面において多くの業務を行うことをサポートしています。

最後に、七つのツールについてお話しします。デジタル化ツールボックスの中に何が入っているか簡単にご紹介しましょう。これらは「七つの武器」とも言え、企業のデジタルの壁攻略に関していえば、最高の武器です。表から裏へ、また、フロントからバックヤードへと順々にご紹介していきます。

一つ目は公式アカウントです。ウィーチャット公式アカウントプラットフォームは、最初、2012年に運営を開始しました。当時私たちには「どんな小さな組織にも、自らのブランドを」というスローガンがありました。われわれは「脱中央集権化」という方式で、それぞれの店や機関に直接自らのエンドユーザーとの関係を構築させ、自らのファンとトラフィックを持たせたいと考えています。現在、われわれの公式アカウントシステムは、それぞれの企業や公共サービス機関とユーザーのコミュニケーションの重要なチャネルとなっています。

二つ目はミニアプリです。ミニアプリは、1年あまりの成長を経て、日々向上を続けています。ミニアプリは公式アカウントでは到達できない一部の機能を開拓しており、すこぶる重要なデジタル化のための武器といってもいいでしょう。とりわけ、現在スマートリテールの多くの利用はミニアプリと密接な関係があります。ミニアプリはリリースして1年ですが、現在58万のアプリがあり、100万の開発者をカバーしています。ミニアプリはすでに中国のプログラマーにとって非常にホットなコーディング環境、言語環境になっていると言ってもいいでしょう。これは中国のIT業界が誇れる成果です。

三つ目はモバイル決済です。先ほど楊教授がお話しになったとおり、モバイル決済は中国の「新四大発明」のうちの一つです。モバイル決済は非常に浸透していますが、初期には、われわれはQRコードの普及に力を入れていました。この技術は見たところ高級には見えませんが、最も実用的なものです。スマホのカメラを使ったスキャンに関して、われわれは2012年に、「これはオンラインとオフラインをつなぐ重要な架け橋になる」と判断しました。それゆえ、ウィーチャットで、「友達」になるとき、ユーザーにQRコード使ってもらうように意識してデザインしました。なので、皆さんがQRコードを思い浮かべるとき、すぐにウィーチャットの右上の隅をスキャンすることが思い浮かぶでしょう。このシーンは人の心に深く刻まれています。

四つ目がソーシャル広告です。過去、多くのブランドが、紹介、チラシ、屋外広告の設置など昔ながらのやり方でマーケティングをしていました。しかし、これらの手法の効率は低く、多くの費用を無駄にしてきました。将来、われわれはデジタル化を通じて、オンラインとオフラインをつなぎ、一体化したマーケティングを進めたいと考えています。われわれのソーシャル広告の効果は、次第に多くの人々に認められるようになりました。それで、現在われわれはモーメンツ（ＦＢのタイムラインのような機能）、公式アカウント、ミニアプリの広告を互いに連結させ、それぞれがつながるようにし始めています。スマートリテールというソリューションにおいても、われわれはいかにソーシャル広告がインタラクションをもたらすか、いかに価値を創出するかを試し始めています。この分野は新しく、われわれも模索の最中なので、ご臨席のパートナーの皆様と、これを加速させていきたいと考えています。

五つ目は企業用ウィーチャットです。ウィーチャットとＱＱはどちらも企業レベルの利用を開発しており、現在、われわれは内部テストを行っているところです。かなり、難しいことではありますが、企業用ウィーチャットと皆さんが現在使っているウィーチャットが互いにつながりあうようにします。例えば、小売業の販売員が、顧客とコミュニケーションを取るとき自分の個人用ウィーチャットを使って関係を構築した場合、そのスタッフが退職したら、その企業は全ての顧客関係のネットワークを持って行かれてしまい、多くの情報が企業に流れてこなくなってしまいます。しかし、それがつながりあえるようになると、その効率を大幅に上昇させ、非常に便利になります。

六つ目はビッグデータ、クラウドコンピューティング、ＡＩです。詳しくは話しませんが、以前にお話ししたとおり、将来、各業界・業種は、クラウドでＡＩを用いビッグデータの処理をするようになります。

七つ目はセキュリティ能力です。企業と政府がデジタル化を進める際、常に問題になるのが、安全性です。以前はネットワーク上で、多くの人が孤立していましたが、つながり合っていないため安心だと感じていました。しかし、データを使うようになり、皆、クラウドにアップロードしたり、ネットワークにつながったりした後、いかにデータの安全を保証するかを懸念するようになりました。この点はテンセントが特に重視しているところです。われわれの内部には七つのセキュリティラボがあり、それぞれ異なった領域で多くの研究をしています。例えば上海のセキュリティラボでは、テスラのシステムに多くの穴を見つけ、テスラの安全の潜在的なリスクの解決に貢献しました。特に自動車、IoV（インターネットオブビークル）方面において、この安全の潜在的リスクはより重要です。なぜならそれはわれわれの移動や生命の安全に関わるからです。それゆえ、安全性は永遠にテンセントの生命線です。

最後に簡単にまとめをさせてください。中国の実体経済と公共サービス機関は、デジタル化プロセスの主役になっています。テンセントはコネクターの役割を果たし、その部品になりたいと考えています。われわれは皆さんに最も有効なデジタルの入り口と最も整備されたデジタルツールボックスを提供し、皆さんのデジタル化における最高のアシスタントになります。

現在、中国経済は新旧エネルギーの転換を実現しつつあり、それにはイノベーションが非常に重要です。新しいグローバルな産業革命はすぐ目の前です。われわれはどうすればデジタル化という変革のチャンスをつかめ、さらに多くの分野で他の企業と競りあい、あるいはリーダーとなれるでしょうか。重慶とその他の多くの西部の都市にとって言えば、われわれはいかにすれば、このチャンスをつかみ、より多くの東部の先進都市と競り合い、あるいは、トップを取るチャンスをとれるでしょうか。

われわれは、デジタルチャイナの建設はグローバルなデジタル化のプロセスを加速させ、世界に「中国モデル」「中国ソリューション」を提供できると信じています。

最後に、少し宣伝させて下さい。本日、われわれは皆さんに、われわれのグループと私が出版する『指尖上的中国（指先の中国）』という一冊の本をおすすめします。本書は、中国のモバイルインターネット大国としての社会変革の全課程を描いています。この本では、ご臨席の皆様の分野における、瑞々しく生きたケースが書かれています。

ご静聴、ありがとうございました。

2018世界AI大会@上海（2018年9月17日）

尊敬する李強書記、徐匡迪副主席。

幹部各位、来賓各位およびメディアの皆さん、こんにちは。

ここ、黄浦江に再び来られたことは大きな喜びです。また、「上海2018AI大会」に参加できたことを光栄に思います。今回は外国からの来賓も大変多く来られています。上海市は、全世界の各地の最先端ハイテク企業や専門家に招待状を送りました。テンセントにも早くから招待をいただいていました。私は先月上海に来たときに、李書記と応勇市長から、再び直接熱心なご招待をいただきました。今日、大会の盛況ぶりを目にして、上海市は全体でこのイベントに高い関心を持ち、心を込めて準備なさったのだと感じました。上海の科学技術イノベーションセンターを作り、AI発展の先端都市を築こうという決心は、「衆志成城（心を合わせて大事を成し遂げる）」と形容しても差し支えないでしょう。

先ほど、数名の幹部と来賓の方々の素晴らしいスピーチを真剣に拝聴しました。特に、李強書記が読み上げられた習近平総書記の祝辞は素晴らしいもので、中央のテクノロジー産業に対する関心、上海のイノベーションの発展に対する支持はわれわれにとって励みになります。上海はＡＩを進歩させており、他にない優位性があります。上海には、すでにスマートチップから、スマートハードウェア、スマートソフトウェアおよびサービスの全産業チェーンの構図があります。同時に、中国の近代化や国際化レベルが最高の都市の一つとして、全世界の優秀なテクノロジー人材を惹きつけられるだけでなく、ＡＩのイノベーティブな利用のために、最も豊富なビッグデータおよび利用シーンを提供できます。さらに重要なのは、上海市政府が全力で「スマート上海」活動を推進していることです。これは、この都市の伝統的な面影を深いところから変化させるだけでなく、巨大なイノベーションエコシステムの完成を促し、上海をＡＩイノベーションの震源地にするということです。

テンセントは、２０１２年という早い時期に、上海でＡＩプロジェクトを計画しました。コンピューターの視覚研究に特化したわれわれの「優図実験室」というラボは上海で生まれました。このラボは、現在ではテンセントのＡＩ研究の三大ラボの内の一つです。最近、テンセントの華東本部が正式に上海に設立されました。われわれと上海市との提携は全面的にレベルアップするでしょう。その中で最も重要な提携は、テンセントが上海にＡＩ産業を集め、文化創作、スマートシティ、スマート小売、市民生活、ヘルスケアなどの分野に先端技術を用いて、全面的に「スマート上海」活動に参加し、共に、「上海サービス」「上海製造」「上海ショッピング」「上海文化」という四つのブランドを作り始めることです。

皆さんは、今大会の演台の両側のディスプレイに気がついておられるでしょう。私の左側には「テンセント同伝（トンチュアン）」という同時ＡＩ字幕がかけられ、右側には音声認識大手企業「科大訊飛（アイフライテック）」による翻訳が映ります。ディスプレイには、絶え間なく中国語と英語が出てくるというわけです。現在、全てがバックヤードの機械でなされています。今日、テンセント同伝は現場で完全に機械翻訳しており、人の手は加わっていません。ＡＩは同時通訳の利用全体においてまだ初期段階なので、これには大変勇気が要りました。テンセント同伝は、われわれ内部の二つのチームが共同で努力した結果です。音声認識ツール「ウィーチャット智聆（ジーリン）」が提供する音声認識技術は、テンセント同伝の「耳」に当たります。例えば、現在この機械は私が話す広東なまりの標準語を、〝精神を集中して〟聞き取ります。同時に「テンセント翻訳君（ファンイージュン）」が提供する技術は、聞いたばかりの中国語の英語への翻訳です。この過程において、素早く私が話す言葉を認識し、私の個性のふくまれた表現を理解しなければなりません。これは、現在のＡＩ技術にとっては、まだ、チャレンジングな行為です。それゆえ、皆様も多少大目に見て、われわれに励ましを与えて下さい。

次に、この機会をお借りして、第一線の業界関係者の視点からＡＩ発展に対する私の見方を語らせて下さい。

一つ目は、ＡＩ技術は国や学部を跨いだ科学的探索の過程だということです。いかなる一企業、一都市、一国家にとっても、ＡＩ分野の「オリンピック」は拒絶できませんし、閉じこもって主観だけで研究を続けることもできません。今日、多くの国内外のトップ科学者の皆様が今大会に来られていると思います。われわれは彼らに敬意を表さなければなりません。彼らはＡＩの分野において多大な貢献をしており、全世界のテクノロジー産業にとって新しい可能性を開きました。中国とアメリカのインターネットとテクノロジー産業は、一貫して、大変に強い相補性を持っています。ＡＩの分野でも同じで、競争があったとしても、オリンピックの競技のようなもので、互いに刺激しあい、ともにイノベーションを進め、共同で人類の認知を「より早く、より高く、より強く」という方向へ極限まで推し進めるでしょう。両国の最終目標は人類の生活の質の向上です。

世界中のＡＩは正に新しい産業チェーンを形成している最中で、技術研究開発から実際の利用まで、ソフト、ハードからサービスまで、全世界的に協力してこそ最も良い配置が実現します。アメリカの強大な先進技術と中国の豊富な利用シーンは今後長い期間にわたって、自然と互いに補い合うでしょう。昨年、テンセントはアメリカのシアトルに初めての海外ＡＩラボを設立しました。同時に、われわれは、グーグルなどのアメリカのハイテク企業が上海、深圳で新しい拠点を作るのを見ました。ＡＩ産業のグローバル化の流れは、その勢いを止めることはないでしょう。

二つ目の意見は、ＡＩ技術の発展は、「大ソーシャル」時代に向かっているということです。テンセントは、長年「つながり」を作ることに専心してきました。われわれは人と人、人と物、人とサービスをつなげたいと考えています。ウィーチャットの月間アクティブユーザー数は、10億人に達しており、中国で初めてユーザーが10億を超えたインターネットサービスとなりました。人と人との「つながり」は最高でも数十億です。しかし、人と物、人とサービスをつなげるなら、その規模は数百億に増え、やがて数千億レベルにまでなるでしょう。人と物、人とサービスをつなげるカギは、ＡＩにあります。将来人類全体の「朋友圏（モーメンツ。ウィーチャットで友人の投稿が見える画面）」の規模は数十億から数百億、あるいは数千億にまでさえなるでしょう。この状況が、私の言う「大ソーシャル」時代です。

今年、テンセントは、われわれの目標は各業界・業種のデジタル化のアシスタントをすることだと言いました。そのため、われわれは「コネクター」「デジタルツールボックス（デジタルに関する多くのツールを備えていることを表す）」「エコシステム共同構築者」を全うしなければなりません。デジタル化、ネットワーク化とスマート化は三位一体で不可分なものです。ＡＩはわれわれの「デジタルツールボックス」の中の伝家の宝刀で、ビッグデータ、クラウドコンピューティングと共に新しいインフラを構成します。

明日の午前、皆さん、テンセントの分科会に来ていただき、テンセントのＡＩオープンプラットフォームの具体的な状況を知っていただくといいでしょう。そのほかに、テンセントはＡＩを医療の分野にも応用する予定です。われわれは主に、二つの方向に向けて努力しています。一つはＡＩ医療画像処理で、「テンセント覓影（ミーイン）」を生み出し、コンピューターの視覚と深層学習技術を使って、各種の医学映像の訓練を行い、現在では早期の食道がん、子宮頸がん、肺がん、乳腺がんなどの分野で、すでに医師を補助し、有効かつ高精度な診断とスクリーニングを行っています。もう一つの方向はＡＩ診察補助です。現在、われわれのスマート病院案内技術は、各病院のニーズに合わせてカスタマイズでき、病院の患者案内の大変さを緩和してくれます。テンセント覓影はすでに上海の多くの病院で試験利用されており、復旦大学、交通大学などの高等教育機関と深く提携していています。これらのＡＩの技術と製品は、現場の病院の診療レベルを上げ、医師と患者の関係を良くし、健康保険費用の節約にもなります。

第三の意見は、われわれは充分に未来のＡＩの発展がもたらす社会への影響を考慮しなければならないということです。今日、ＡＩは発展の初期段階にありますが、将来のＡＩ技術は、「魔法のカギ」となる可能性が高いと言えます。ＡＩは過去全ての人類の技術と道具の潜在能力を解放でき、われわれに未曾有の課題をもたらすでしょう。例えば、国内の一部の違法企業がＡＩ技術を使って、コンピューターウイルスの拡散をして隠蔽し、さらにはインターネット詐欺をより精密化さえしています。このこと自体がわれわれに旧来のセキュリティーモデルを変えることを迫っています。困難が生じたらそれ以上の手を打たなければなりません。現在、テンセントのセキュリティチームはＡＩ技術を使って、最新の違法活動に対する臨機応変な監視・管理とピンポイントの攻撃を実現しています。

このことから、私はここで四つ目の問題を提起します。これがたたき台になって、全世界のＡＩ従事者の考えを引き出せるといいと思います。将来、ＡＩは「知れる」「コントロールできる」「使える」「頼れる」存在になるでしょうか。最初の「知れる」は、ＡＩのアルゴリズムが明晰で、解釈可能になれるかどうか、ということ。第二の「コントロールできる」はいかにＡＩが人類の個人や全体の利益に危害を与えることを避けるか、ということです。ＡＩの下した決定は最終的にやはり具体的な人が責任を負わなければならないのでしょうか。第三の「使える」は、ＡＩをできるだけ多くの人が使い、テクノロジーの恩恵をシェアし、テクノロジーのギャップの発生を避けられるかどうか、ということです。第四の「頼れる」は、ＡＩが早いうちに自らの「漏れ」を修復し、本当に安全、安定、信頼を実現できるか、ということです。

最後に、私は改めて上海にお礼を言いたいと思います。何事をも受け入れ、向上心に富んだ精神は、われわれのために、このような重要な協力と交流の場を与えてくれ、われわれに国内外の各界の方々を集めさせてくれました。また、おかげで、人類の発展が直面する共通の難題のためにも、中国ソリューションと世界の知恵を模索することができました。心から、上海が早く国のＡＩ産業のメッカとなり、ＡＩが新しい都市の名詞になることをお祈りします。テンセントも上海に根を下ろし、中国の改革開放の模範兵、イノベーションと発展の先駆者とともに手を携えて未来に向かいます。

皆様、ありがとうございました。

中国ＩＴリーダーサミット@深圳（２０１９年３月31日）

尊敬するリーダー、友人の皆様、こんにちは。

再びＩＴリーダーサミットの場に立てたことを大変光栄に思います。先ほどのフィルムでも紹介されていたとおり、２００９年から現在まで、このサミットは10回も開催されてきました。今回で11回目です。新しい10年の始まりの年に、私は、将来深圳にとってのＩＴの意義はさらに深まるというお話をしたいと思います。

先ほどの幹部の方々のお言葉は私を大変奮い立たせると共に、多大な自信を与えてくれました。今月も朗報が続きます。一つ目は、グレーターベイエリア（香港・マカオ・広東省）の「計画要綱」がとうとう公布されたことです。その中での深圳の位置づけは、「国際科学技術イノベーションセンター」です。これは深圳のインターネットとテクノロジー企業にとって、大変重大なチャンスです。テンセントは、このチャンスをつかみ、自らの力量で貢献したいと考えています。われわれは、積極的に「デジタルベイエリア」の建設を進め、「1時間スマートエリア」（近隣にさまざまなスマート施設がある地域）という生活圏を作る手助けをします。われわれは、フォーラムを開催し、ベイエリアの青年交流の計画を立てるなどをして、グレーターベイエリアの融合と改革を助けています。

もう一つの朗報は、首相の政府活動報告で、今年企業と個人の税負担を大幅に減らすことに言及されたことです。また、グレーターベイエリアのハイエンド人材の個人所得税対象の優遇措置もそれに続いて出されました。私は、この政策的措置は皆さんが期待していたことだと思いますし、われわれを奮い立たせてくれるものです。

また、私は今年の政府活動報告の中で、特に「工業インターネットプラットフォームを作り、『スマートプラス（智能＋）』政策を展開することで製造業のモデルチェンジとグレードアップをエンパワーする」と言われていたことに注目しました。過去数年を振り返ると、2015年、政府は「インターネットプラス」を提唱し、2017年には「デジタル経済」を提唱し始めました。去年は「デジタルチャイナ」でした。そして、今年もまた、次の言葉が初めて出てきました。「工業インターネット」と「スマートプラス」です。毎年言い方は変わりますが、目標は同じです。われわれは全世界的な新しいテクノロジーと産業の革命において、情報技術（IT）という変数の最大値を掴み、各産業が「デジタル化、ネットワーク化とスマート化」というモデルチェンジとグレードアップをするようにしていく、ということです。

ご存じの方も多いでしょうが、テンセントは去年9月に、次のスキーム再編と戦略のグレードアップを宣言しました。われわれは当時、「消費インターネットに根ざし、産業インターネットと手を取り合う」と言いました。すると、ある友人に「産業インターネット」と「工業インターネット」はどういう関係にあるのかと聞かれました。実際、英語では同じ表現です。「工業革命」と「産業革命」が英語では同じになるのと同様です。歴史を振り返れば、蒸気機関、電力は単に製造業で広く使われただけでなく、他の産業にも大きな変化をもたらしました。今日、情報技術も同様に大きな影響をもたらしています。われわれは、工業製造業は実体経済の中でも最も重要だと思っています。工業インターネットは産業インターネットの主戦場です。しかし、産業インターネットは、より広汎な概念で、サービス業、または農業のモデルチェンジとグレードアップさえも含まれますし、製造業の新しい変化も含まれます。例えば、多くの大型自動車メーカーは、インターネットによって、カーリース、スマートモビリティなどの分野に進出しています。産業チェーンをつなげることで、すでに単なる製造業ではなく、一つの総合的なサービス業となっています。

つぎに、この機会をお借りして、皆さんと5GそしてAI時代の産業インターネットの発展の形勢について研究してみたいと思います。

まず、５ＧとＡＩという「デュアルエンジン」の下、各業界・業種のモデルチェンジとグレードアップのハードルは下がり続けています。産業インターネットの発展は「高速道路」に乗り入れるでしょう。テンセントは一貫して「つながり」にこだわってきました。われわれは、人と人、人と物および人とサービスをつなげてきました。「全てがつながっていること」は産業インターネットの基礎です。ウィーチャットはすでに中国初のユーザー数が10億人クラスのインターネットサービスとなっています。人と人のつながりは全世界でも数十億が上限です。もし、人と物、人とサービスがつながったら、つながりの数は数百億、数千億になるでしょう。５ＧとＩＰＶ６（Internet Protocol Version 6）は全てがつながるという流れに合っているのです。テストの結果、５Ｇネットワークは1キロ平方メートルごとに１００万のデバイスの同時接続に対応でき、高通信容量、低遅延、高信頼性という特性があります。われわれは５Ｇネットワークを一つのカギと考えることができます。そのカギは本来デジタル化が難しかった現実のシーンの扉を開け、デジタル技術によって、より細かい粒度で現実世界を再構築させるのです。

例えば、医療の分野では、遠隔診断や遠隔手術はネットワークの通信容量や遅延による制限を受けます。しかし、将来、辺境地の患者も５Ｇネットワークを通じて、速やかに遠方の専門家の助けを受けることができるようになります。救急車で病院に向かう途中でも、５Ｇネットワークを使い、手術前の準備作業で病院側と連携し、救急車と手術室をシームレスにつなげることができます。

今後、５ＧとＡＩには相乗効果が生まれます。５Ｇはより多くのＡＩの実際の利用を助けるでしょうし、ＡＩは５Ｇネットワークのより柔軟かつ高効率な利用を助けるでしょう。また、特にエッジ処理がより重要になるでしょう。「スーパーブレイン」を通じて、クラウド、エッジと端末がより緊密に協力すれば、われわれはＡＩの能力をより上手く全てがつながる世界に融合させ、ユーザーのより多く、より早く、より安いハッシュレート、データ、メモリーの利用を助けることができます。

例えば、スマートコネクテッドカーの分野において、テンセントは最近、通信事業者や政府交通部門と協力し、道路交通情報通信システム（vics）の全体的ソリューションを打ち出しました。具体的に言うと、道ばたに設置したカメラ、車上に設置されたセンサーやエッジコンピュータープラットフォームに搭載されたＡＩ能力を通じて、自動車、歩行者の位置や速度などの情報を認知し、リアルタイムで周囲の車両に情報を発信するのです。このシステムにより、４Ｇ時代には実現が難しかった「ミリ秒レベル低遅延」や高精度位置測定などの問題が解決できます。そうして、車両の走行効率と安全性を大幅に向上させます。現在、テンセントとパートナーは積極的にエッジコンピューティングの分野におけるオープンソースを進めており、将来はより多くのパートナーと共に、５Ｇ利用のエコシステムを作っていきたいと考えています。

われわれは、５ＧがＡＲ（拡張現実）、ＶＲ（仮想現実）の技術を成熟に向かわせ、４Ｋの高品位映像や、クラウドゲームなどの産業に成長の可能性をもたらすと考えています。依然として5Ｇがビジネス利用や各業界・業種に与える影響について窺い知ることはできません。５Ｇはわれわれに全く新しい産業インターネットをもたらすでしょう。

第二に、産業インターネットの助けを借りると、各業界・業種のデジタル化により、既存産業は、一人で「片足跳び」をしている状態から、インターネットと協力した「両足跳び」の状態へと変化します。数年前、私は「インターネットプラス」という概念を提唱しましたが、現在ではそれは「プラスインターネット」へと変わっています。多くの既存産業が「ネットに触れる」から「クラウドに乗せる」へと変化し、また「消費インターネット」を理解しようとする状態から、主体的に「産業インターネット」と手を取り合うようになります。テンセントは各業界・業種のモデルチェンジとグレードアップのデジタル化アシスタントになりたいと考えています。

新しいグローバルなテクノロジーと産業の革命に直面し、それぞれの国が既存産業のモデルチェンジとグレードアップの道を探しています。現在、中国は8億のネットユーザーを擁し、ネットユーザーの98％がモバイルインターネットを利用し、モバイル決済の利用者は6億人近くに上ります。このデータは一流の工業大国を大きく凌いでいます。中国の既存産業は、充分にわれわれのモバイルインターネットの先行優位性とイノベーション能力を使い、消費サイドと供給サイドを効果的につなげ（C2B）、サプライチェーン全体の更新とバージョンアップを助け、消費者サイドの顧客のニーズの変動に対し、柔軟かつ的確な対応をする必要があります。これは、正にテンセントとパートナーがともに模索している方向なのです。

工信部（中華人民共和国工業情報化部）は早期から「両化融合（製造業とICTの融合）」という提言を行っており、現在から見ても、これは依然として重要な意義を持っています。製造業の分野での、われわれの模索はまだ初期段階です。例えば、われわれは、製造業の品質検査という最終工程にＡＩ技術を取り入れようと考えています。例えば、深圳のフラットパネルディスプレイメーカーの華星光電は、商品の品質を保証するために、大量の品質検査員を雇用しています。一般的に言うと、検査員は3カ月の訓練を経てようやく職務に就けます。そして最高のスキルを持った検査員でも一枚の画像の検査に3秒かかるので、一日に見れるのは１０００枚だけです。また、多くの人が大量の反復作業をいやがるので、品質検査員の採用は大変難しい状況です。この問題を解決するために、テンセントとパートナーは共同で、華星光電にＡＩの検査補助ソリューションを提供しました。われわれはＩｏＴを通じて、データを収集し、深層学習を使ってモデリングを行い、エッジ処理で、製品の欠陥に対して光学検査感知を行います。このシステムだと24時間休むことなく検査でき、かかる時間は以前の1％にまで短縮できます。また正確性は90％以上にまで高められています。

また、靴メーカーの「百麗（ベル）」は、業績不振により2017年に香港証券取引所への上場廃止後、ひたすら内部の「鍛錬」を積んできました。一足の靴は、原材料の供給、デザイン、製造、店舗戦略、会員管理などのプロセスにおいて、どの段階にでもデジタル化管理が関与できます。テンセントスマート小売チームは百麗と協力し、入店客の数、顧客の店内での動きのヒートマップを通じて、店舗が効果的な対策を練るのを助けることができます。現在、百麗は店舗のデータフィードバックにより、迅速にデザイン、製造などの工程を調整することを模索し始めています。また、テンセントはスマート小売の分野において、この場にもご臨席の帳文中氏の「多点（DMALL）」（小売業向けソリューション）等の企業とも提携と模索を続けております。

第三に、既存産業とインターネットは現在、融合し一つの運命共同体になっています。科学技術のイノベーションとネットワークセキュリティはこの共同体の二大基盤です。過去数年、われわれは、金融、小売、行政、医療などの分野でインターネットとの融合が次第に深化していくのを見てきました。企業と政府がデジタル化へのモデルチェンジを進める際に、必ず質問されることは、安全性です。過去のデータの孤立状態が最も安全な状態だと皆さん思っておられます。今日は、インターネットがつながり、情報がクラウドに上がり、「相互交流」が実現しました。そのことは経済と社会に利益をもたらすと同時に、新しいセキュリティ問題をもたらしました。これは過去の既存産業は直面したことのない試練です。インターネット企業の経験と能力を存分に利用する必要があります。現在、テンセントには七つのセキュリティラボがあります。われわれは安全をわれわれの生命線だと考えています。

例えば、スマートコネクテッドカーの分野で、われわれの「科恩安全実験室（Keen Security Lab of Tencent）」では、テスラなどのコネクテッドカーの多くの危険度の高いセキュリティの穴を見つけました。われわれはすぐに自動車メーカーにその穴を報告し、修復をサポートし、大変高い評価を得ました。また、今日の大量の金融活動も、新しいネットワーク環境の中で行われています。われわれは継続的かつ臨機応変に各種の金融リスクに対しピンポイントに警告を発しなければなりません。そのためにはインターネットのDNAを引き入れ、金融の監視と管理の「テクノロジー含有量」を高める必要があります。20年におよぶネットワーク上の「悪者」との知恵比べの経験と能力を結合し、テンセントと「深圳市人民政府金融工作弁公室」（金融事務室）が協力して設置した「霊鯤プラットフォーム」は、現在、違法な資金集め、ステイクスホルダーの金融リスクに対して有効なアラートを発しており、管理監督のテクノロジーと金融テクノロジーの同時進行を進めています。

産業インターネットのもう一つの基盤はテクノロジーとイノベーションです。基礎研究と重要技術分野に長期間関与していなければ、われわれの各種のイノベーションは、砂漠に建てた高層ビルのように、常に倒壊の危機にさらされることになるでしょう。テンセントはテクノロジーへの幅広い投入を強めており、現在、すでにＡＩラボ、量子ラボ、ロボットラボなどの多数のチームを設置し、先端分野での模索を続けています。また、大学以上の高等教育機関や科学研究機関と協力したいと考えており、特にグレーターベイエリアでは産学研協同のイノベーションエコシステムを模索しています。

今年の両会期間に、あるメディアが私に、「インターネットの『冬』はもう来ていますか」と聞きました。私は、資本からのインターネット産業に対するアプローチには周期性があり、昨年は比較的熱心で、私の感覚では今年は比較的落ち着いていますが、産業ネットワークの春は始まったばかりだと答えました。われわれは、よく中国の人口ボーナスはまだあるか否かについて話題にしますが、私は、中国のイノベーションボーナスの方が注目する価値があるのに、まだ全く発揮されていないと考えています。過去40年、われわれは良質な産業の基礎を築き、より資質の高い人材を養成してきました。このことは各業界・業種のモデルチェンジとグレードアップに対し、速度重視から質重視への発展と変化を促し、良い環境を整えました。現在、中国が交わしている5G国際標準文書は、全世界の32%を占め、主な基準を作成する項目の比率は40%に達し、推進の速度と質において、世界のトップクラスにいます。このほか、中国のAI関連の特許申請は全世界の申請全数の43%を占め、世界1位です。最後に一言、私は、中国の産業インターネットのイノベーションと発展に十分な自信を持っています。また、深圳の国際テクノロジーイノベーションセンターの設立に大変期待をしています。

皆様、ありがとうございます！

第二回デジタルチャイナ建設サミット@福州（2019年5月7日）

尊敬する幹部、友人の皆さん、こんにちは。

再び福州に来てデジタルチャイナサミットに参加でき、誠に光栄です。黄坤明（中国共産党中央宣伝部）部長と幹部各位の貴重なお話を伺い、第一線で働く者として、大きな確信を得ました。去年と比べ、今年の会の方がより熱気を感じ、各フォーラムの扱う分野も広がり続けており、重要な来賓も増えております。同時に、われわれも、多くの新体験に気づきました。例えば、主会場では5Gの早さを体験できるとのことで、他にも、顔認証決済、無人運転などのスマート設備も使用できるそうです。

これは中国のデジタル化のプロセスが全面的に展開していることの反映です。最近、テンセント研究院がテンセント、美団（メイトゥアン）、DiDi（滴滴出行）、ジンドン（京東）など提携パートナーのデータを合わせて試算したところ、2018年の中国のデジタル経済の規模はすでに29兆9000億元に達しています。つまり、GDP全体の3分の1が、デジタル技術の力を借りて実現したものだということです。経済社会のすみずみまで深く入り込んだ「デジタルチャイナ」はすでに一定規模に達していると言ってもいいでしょう。

特に行政サービスの分野では、現在中央から各市や省まで、堅実な歩みを始めています。過去1年間、広東省は、「デジタル政府」改革・建設を力強く推進してきました。テンセントは「デジタル広東」プロジェクトに深く関与し、ウィーチャットミニプログラム「粤省事」(「粤」は広東省を指す)はリリースするとすぐ行政サービス分野の超人気アプリとなり、現在では、広東のオンライン行政サービスランキングは4位から一躍全国1位になりました。それと同時に、福建省も7位に入りました。同じくウィーチャットミニプログラムの「閩政通」(「閩」は福建省を指す)はリリースしてからたった半年で、すでに37項目の重要サービスを提供しており、毎日のアクセス数が2万近くになっています。このことは、テクノロジーというツールの力を借り飛躍的発展を遂げる、という面において、福建省には巨大な潜在能力があることを表しています。

今年の大会のテーマは四つのキーワードで表せます。それは、情報化、新エネルギー、新発展、新しい輝きです。私の理解では、情報化は手段、新エネルギーはサポート、新発展はルート、新しい輝きは目標です。最前線の業界関係者として、次に産業、政務、社会の三つの方向から私の考えを述べます。

まず、先端産業について。産業インターネットは現在デジタルの産業化と産業のデジタル化の重要な伝達手段となっています。情報化は、グローバルな新しいテクノロジーと産業革命の最大の変数です。いかにして、この変数を、各業界・業種のイノベーションと発展の過程における最大量に変えるのか？　私は、産業インターネットはその中で「転換器」の役割を果たしてくれると考えています。私は、今年のこのサミットで「工業インターネット」の分科会が増えていることに気づきました。工業インターネットは正に産業インターネットの主力軍なのです。

このことは、皆が同じ流れを見ていることを表しています。その流れとは、中国の「消費インターネット」のめざましい発展に伴い、消費者サイドのデジタル化の水準が大幅に上がったことです。そして、供給サイドのデジタル化というモデルチェンジとグレードアップは正に、具体的に動きつつあります。いかにして、デジタル技術によって新産業、新業態、新モデルの誕生を促せばいいでしょうか？　いかにして既存産業に対して全方位的な改革を行い、産業チェーン全体のデジタル化を行えばいいでしょうか？　いかにして、ビッグデータと機械を結合して、物理世界とデジタル世界の有機的な融合を促せばいいでしょうか？　いかにしてデジタル化を通して、全ての生産性をあげ、人と機械の協力レベルを上げればいいでしょうか？

これらの問題の答えを求める人の中には、テンセントだけでなく、中国と全世界の多くのリーダーがいます。皆さん、それぞれ違ったソリューションを出すはずです。私は、モバイルインターネットの中国での普及とイノベーティブな利用は、中国のサービス業、製造業および、農業のデジタル化へのモデルチェンジとグレードアップのために、すでに一部の優位性を勝ち取っていると思います。中国の、カテゴリーが揃い、種類豊富な既存産業体系は、デジタル化技術を利用することに長けており、率先して消費から生産までのスマートコネクション（C2B）を作り、多様かつ個別的で高品質な「国産品」を作り、供給側の構造改革を助けます。テンセントはこの過程において

「デジタル化のアシスタント」という役割を演じ、各業界・業種と共に産業インターネットというものを模索して、デジタルエコシステムを打ち立てたいと考えています。

例えばテンセントは最近、大手食品企業の中糧グループと提携し、共同で、「食品行業智能製造創新中心（食品業界スマート製造イノベーションセンター）」を設立しました。われわれは、将来、「畑から食卓まで」の新型デジタル産業エコシステムを実現できる可能性があると考えています。また、テンセントと提携している自動車製造の広汽グループは、現在、生産製造の部分のモデルチェンジとグレードアップを基礎として、モビリティサービス、金融保険などの分野に業務を拡張し始め、全く新しい産業バリューチェーンを作ろうとしています。

第二に、行政関係についてお話ししましょう。「デジタル政府」は現在デジタルチャイナの建設を推進し、社会経済の良質な成長を促進する重要なきっかけおよびエンジンになっています。２０１７年末、広東省政府は、率先して全国的にデジタル政府の改革建設を手配し、デジタル経済の発展に適応した政府の新しい社会運営モデルを模索しました。テンセントと三大通信業者とで作った「デジタル広東公司」という会社があり、われわれは、幸いなことに、広東の「デジタル政府」の改革建設の技術的サポートに深く関わらせていただきました。われわれにとって、このミッションは大変難しく、責任は重大です。「デジタル政府」は、さまざまな業務が個別に多数立ち上がり、データの壁に隔てられる状況を解決しなければなりませんでした。このミッションの背後には政府の管理方式、業務プロセスおよび技術スキームの根本的な変革がありました。

その過程において、私が最も深く感じたのは、広東省の三つの「勇気」です。一つは、「省全体を一つの将棋盤に」という制度設計を実施したことです。それにより、政務クラウド、ビッグデータ、公共サポートプラットフォームなどの情報インフラの統一的計画を推進し、内部の縦割り構造を打ち破り、共同で物事を行うようにし、一体的で集約された管理により、コストを下げ効果を上げました。二つ目は、「行政府と企業が協力し、管理と運営を分離する」スタイルを模索したことです。デジタル政府構築の技術的なサポートを全く新しい半官半民の企業が担当し、プロジェクトごとの購入をサービスごとの購入に変えました。この形は全国に先例がありませんでした。三つ目はインターネット思想を行政サービスに引き入れたことです。まず。人々が「使いたいかどうか。使いやすいかどうか」という観点で、行政サービスの成果を検査しました。そうして、行政サービスの、政府が供給するものから人々が求めるものへの変換を推進し、企業と人々の手続きの利便性を上げ続け、そうして、市場の活力と社会の創造力を刺激したのです。

制度改革と技術革新の結合の効果は明らかでした。「デジタル広東公司」は1年強の間にめざましい成績を残しました。例えば、われわれは、50日以内に広東省統一の行政事務クラウドを作り実働させ、77日で「粤省事」ミニアプリをリリース、120日で「広東政務サービスネット」を作り替え、306日で省全体の共同事務プラットフォームをリリースし、同時に、48部局の1000以上のアプリケーションシステムを接続管理し、一部をクラウドに移し、700以上のパートナーとつながり、数千人をそのプロジェクトに参加させました。

われわれには以下のことが予見できます。市場の需給双方と政府の行政サービスのデジタル化というモデルチェンジとグレードアップは、デジタル経済の発展を促進し、デジタルの恩恵を充分に行き渡らせ、デジタルエコシステムとスマート社会の形成を触発し、そうして、ネットワーク強国の建設を加速するでしょう。

三番目に、社会について話しましょう。「スマート社会」はデジタル中国建設の重要な成果となるでしょう。経済社会の全面的デジタル化は、オープン、協力、シェア、集約という性質を持った「スマート社会」を内在しています。特に、5G、AI等の技術の絶え間ない普及に伴い、社会全体の一体化、スマート化のレベルはかつてないほど向上するでしょう。

その過程において、われわれは、一連の新しい社会問題を、スマート社会の建設理念に組み込まなければなりません。例えば、まず、努力して、システムの脆弱性を減らし、エコシステムの安全性を維持すること。第二に、デジタルギャップを生じさせないようにし、デジタルによる恩恵を一人ひとりに行き渡らせること。第三に、有利な方向へ向かい、不利な方向は避けるようにして、新技術とビッグデータを用いて、スマート社会の社会運営のレベルをあげること。

われわれは、「テクノロジーによるソーシャルグッドの実現」という理念を、未来のテンセントのビジョンとミッションの一部にしたいと考えています。また、われわれと業界が一緒になり考え、模索し、デジタル時代の正しい価値理念や社会責任および行動規範を構築することを望んでいます。そうして、共に、健康で、寛容で、信頼できる、持続可能なスマート社会を構築したいと考えています。われわれは、テクノロジーは人類を幸せにすると信じています。人々はテクノロジーをうまく使い、乱用を避け、悪用を根絶すると信じています。テクノロジーは自らの発展がもたらす社会的問題を解決するよう努力するべきです。

去年、私は、テンセントと福建省の警察が協力した「牽掛你」という人捜しのプラットフォームに言及しました。このプラットフォームでは、「テンセント優図（ヨウトゥ）」（テンセントのＡＩ研究所）の顔認識能力を利用し、行方不明者捜索を助けます。三日前、ＣＣＴＶ「等着我（私を待っている）」という番組で、公安部とテンセントが共同で努力して出した成果の一つが放送されました。四川省武勝県の桂宏正夫妻が苦労の末、10年前に誘拐され売り飛ばされたお子さんを捜し当てたのです。幼児から少年になる10年は、人の一生のうちで容貌の変化が最も大きい10年です。顔認識技術にとって極めて難しい課題でした。しかし、このご夫婦のうれし涙を見たとき、私はとても感動しました。このお子さん以外にも、われわれは同様の例で6人のお子さんを捜し当てました。私は、これはテクノロジーがわれわれにもたらした温かい力だと考えています。

最後にお話ししたいのは、産業インターネット、デジタル政府およびスマート社会は決して切り離せない一つの総体であり、その中核には情報化があるということです。われわれが情報化という千載一遇のチャンスをしっかりとつかまなければ、新しいエネルギーを育て、新しい発展を推進し、「新しい輝き」を実現することはできません。インターネット企業として、われわれはさらに、基礎研究と重要な中核技術のブレイクスルーに力を入れなければなりません。そうしなければ、砂上の楼閣のように、高く上るほど危険な状況になってしまいます。

今年は新中国成立70年であり、最終的な小康社会の建設を勝ち取る重要な年です。われわれはより一層責任感と使命感および緊迫感を持たなければなりません。

皆様、ありがとうございました。

訳者解説

本書の原著は2015年7月発行の『互聯網＋ 国家戦略行動路線図』である。「インターネットプラス百人会」発起人の張暁峰やテンセント（騰訊）の主要創始者でもあるCEOの馬化騰（ポニー・マー）等「インターネットプラス（インターネットを他の業務と結びつけて成長を促す中国の政策コンセプト）」に精通した著者陣が執筆している。本文中にもあるように、「インターネットプラス」という動きは馬化騰が提唱し、その後政府の政策に取り入れられたものだ。近年の中国のテクノロジー、ビジネスの進化のスピードから考えると5年は十分「一昔」と言えるだろう。しかし、本書で繰り返し語られている馬化騰の考えを理解することは、この5年間のテンセントのめざましい歩みを理解し、かつ、今後のテンセントの進む方向を占う上で必須だと言える。今後も「産業インターネット（産業互聯網）」「新インフラ（新基建）」など、中国社会の向かう方向を表すキーワードは次々と登場し続け、また、そこにテンセントは主要なプレイヤーとして関わっていくに違いない。

テンセントとはどういう企業なのか。1998年に馬化騰が中学時代からの友人達と共に設立。1999年インスタントメッセージサービスOICQをリリースし、翌2000年に同サービスをQQと改称。その翌年にはQQの登録アカウント数が1億を突破している。その後、2003年にはオンラインゲームに進出。2011年ウィーチャットを開始、2014年にウィーチャットで「紅包（お年玉などの祝い金）」を送ることができる機能で大変な人気を得た。同年、傘下のテンセントゲームスの収入が世界トップに輝いている（このあたりは『テンセント』（邦訳：プレジデント社 呉暁波著、箭子喜美江訳）に詳しい）。

その後も好調に成長を続け、2020年4月末時点での時価総額は世界8位。また、2020年第1四半期の決算も、コロナ禍の影響でオンラインの重要度が高まったこと、ゲームの需要が伸びたことなどにより、売上げ、利益ともに予想を上回っている。また、日本の中国経済ニュースサイト「36Kr Japan」では2020年4月5月でテンセントに関するニュースを約50本配信している。テンセントの活発な動きと同社のニュースに対する日本読者の関心度の高さを示すものであろう。ウィーチャット（微信）、ウィーチャットペイ（微信支付）などのマークは日本の街中でも目にするようになったし、ゲーム愛好者ならテンセントの名は馴染みあるものになっているかもしれない。

本書は、タイトルこそ中国の政策を表す「インターネットプラス」が中心になっているが、実際はその快進撃を支える「全てをつなげる（連接一切）」という馬化騰のミッションを解説した書籍だ。かつて「パブリックエネミー」と呼ばれるほど、さまざまな分野に進出し、その分野の既存プレイヤーを脅かしていたテンセントだが、現在は自らの役割を「つながりを作る」ことに絞っている。「ＢＡＴ」と呼ばれる中国大手ＩＴ企業のそれぞれの強みを一言で言えば、Ｂのバイドゥ（百度）は「検索」、Ａのアリババは「売買」、そしてＴのテンセントは「人間関係」である。その「人間関係」を縦糸として、テンセントは今後も、ゲーム、音楽など人と人をつなぐ業務を増やしていくだろう。

また、テンセントが「つなげる」のは人同士のみではない。本書で描かれているように、人と物、人とサービス、物と物をつないでいく。産業インターネットや新インフラの分野でも活躍を続けるだろう。本解説執筆中にも、新インフラ関連に5年間で約７００億ドルの投資計画、というニュースが飛び込んできた。

日本語版では原著発刊後の馬化騰の講演録も所収しており、今のテンセントの考えを知る上で助けになると思われる。

最後に、本書翻訳に当たり、株式会社アルファベータブックス春日俊一社長、監修をお願いしたＮＴＴデータ経営研究所シニアスペシャリスト岡野寿彦様、そして木の子中国語教室の李佳先生に大変お世話になりました。ここに謝意を表します。

２０２０年9月

永井　麻生子

【著者紹介】
馬化騰（マー・ホアトン　英語名：ポニー・マー）
テンセント創業グループ主要メンバーの一人。テンセントホールディングス取締役会主席およびCEO。李克強首相が提唱する「インターネットプラス」行動計画の主要提唱者および推進者。

張暁峰（ジャン・シャオフン）
「インターネットプラス100人会」発起人。マネジメント学博士。

【訳者紹介】
永井麻生子（ナガイ・アイコ）
おあしすランゲージラボラトリー代表。追手門学院大学非常勤講師。神戸市外国語大学大学院博士課程単位取得退学。主な訳書に『アントフィナンシャル』（みすず書房）、『ジャック・マー アリババの経営哲学』『シャオミ（Xiaomi）』（以上、ディスカヴァー・トゥエンティワン）など多数。

【監修者紹介】
岡野寿彦（オカノ・トシヒコ）
NTTデータ経営研究所シニアスペシャリスト。早稲田大学ビジネス・ファイナンス研究センター「日中ビジネス推進フォーラム」研究員。日本経済研究センター「中国研究会」コアメンバー。日経ビジネス・オンラインゼミナール「中国プラットフォーム」連載中。

テンセントが起(お)こす インターネット+(プラス) 世界革命(せかいかくめい)

その飛躍(ひやく)とビジネスモデルの秘密(ひみつ)

発行日　2020年9月26日 初版第1刷

著　者　馬化騰、張暁峰 他 共著
訳　者　永井麻生子
監修者　岡野寿彦
発行人　春日俊一
発行所　株式会社アルファベータブックス
〒102-0072 東京都千代田区飯田橋2-14-5
Tel 03-3239-1850　Fax 03-3239-1851
website http://ab-books.hondana.jp/
e-mail alpha-beta@ab-books.co.jp
企　画　金元天馬
協　力　文杰　俞明鶴
印刷・製本　中央精版印刷株式会社
ブックデザイン　アンシークデザイン
DTP　岩井峰人

ISBN 978-4-86598-082-0　C0034